C000093246

Erzählungen

by Ignaz Franz Castelli

Address:
HardPress
8345 NW 66TH ST #2561
MIAMI FL 33166-2626
USA
Email: info@hardpress.net

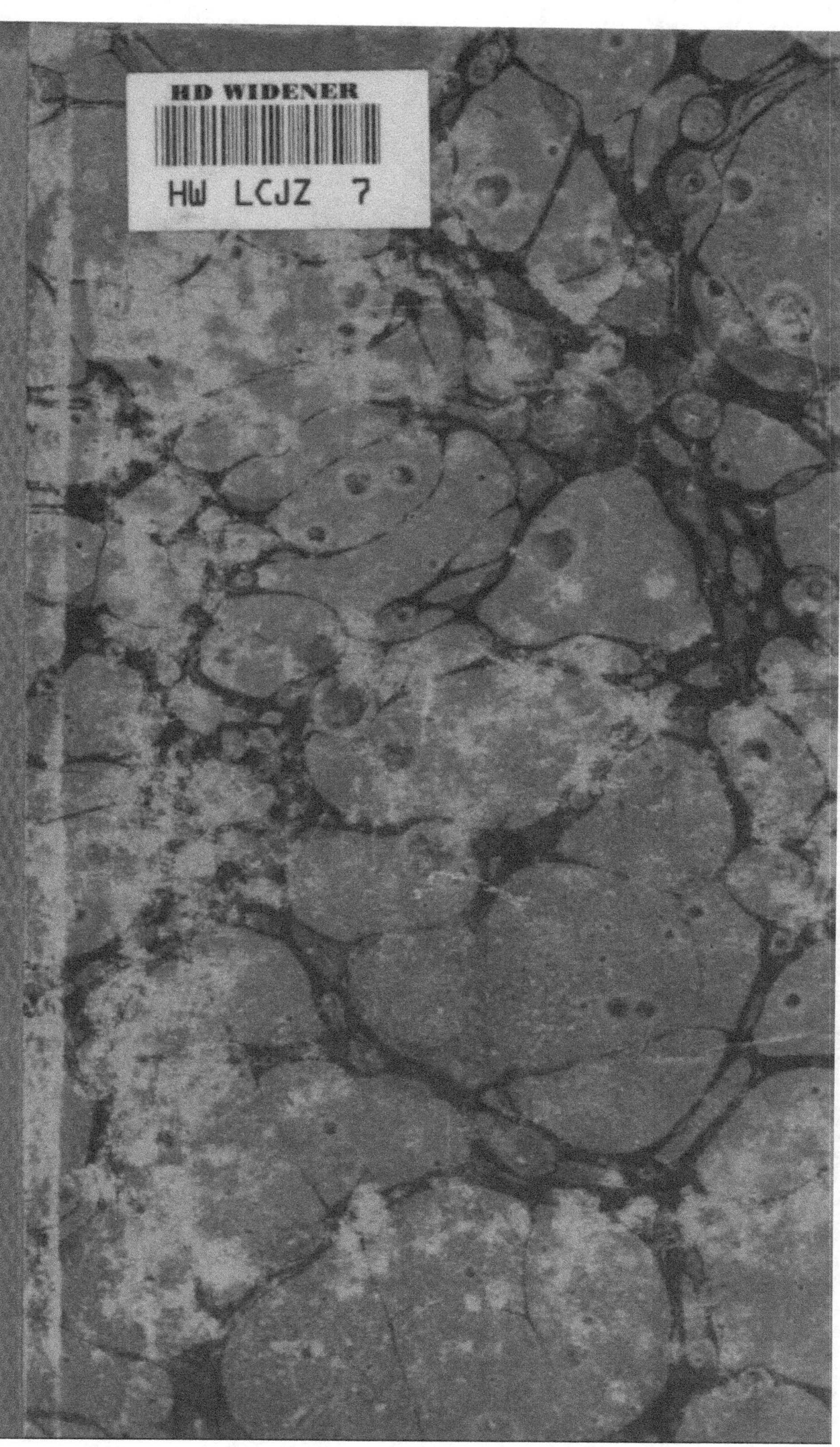

HD WIDENER
HW LCJZ 7

J. F. Castelli's
sämmtliche Werke.

Siebentes Bändchen.

Vollständige Ausgabe letzter Hand, in strenger Auswahl.

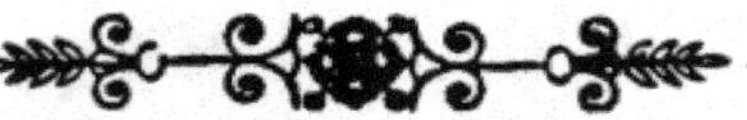

Wien.
Druck und Verlag von Ant. Pichler's sel. Witwe.
1844.

J. F. Castelli's

Erzählungen.

Drittes Bändchen.

Vollständige Ausgabe letzter Hand, in strenger Auswahl.

Wien.
Druck und Verlag von Ant. Pichler's sel. Witwe.
1844.

Der Blinde von Clermont.

Eine einfache Geschichte.

I.

Der Entschluß.

In einer kurzen Entfernung von der Stadt Clermont in Auvergne liegt ein Dörfchen, arm, wie seine Bewohner. In der elendesten der Hütten desselben lebte ein Mann mit seinem Weibe und acht Kindern. Dieser Mann, Namens Chassagne, schien noch jung, denn sein Aussehen war gut und sein Körper rüstig; dennoch litten sein Weib und seine Kinder Hunger; denn er konnte nichts thun, um Brot zu erwerben, da er stockblind war.

Eines Abends, im Mai, als das Weib eben frisches Stroh in einem Winkel der Hütte zum Nachtlager für die Kinder ausbreitete, sprach der Mann mit leiser, geheimnißvoller Stimme zu ihr: „Liebe Quenotte! wenn die Kinder schlafen, so melde es mir, ich habe dir etwas zu sagen.“

Das Weib antwortete „Ja,“ aber Piare, der älteste der Knaben, zehn Jahre alt, hatte diese Worte gehört, und nahm sich vor, ja nicht einzuschlafen, sondern sich nur so anzustellen, als ob er schliefe.

Als die arme Mutter glaubte, daß ihre Familie in Schlummer versunken sei, setzte sie sich, ihren Neugebornen auf dem Arm, auf eine alte, halb vermorschte Bank und sprach mit jenem Tone der üblen Laune, welcher nicht von Verdruß, sondern von Traurigkeit und Resignation herrührt: „Nun, mein armer Alter, was hast du denn schon wieder für einen Plan im Kopfe?“

Der Auvergnate antwortete seufzend: „Ich bin dir zur Last, meine gute Quenotte, du plagst dich zu Tode, und wenn ich meinen Appetit nicht mäßigte, so würde ich allein alles verzehren, was du mit saurer Mühe erwirbst. Höre, Weib! gib mir Einen von den Buben zum Führer mit, und morgen mit Anbruch des Tages geh' ich fort.“

„Und wohin?“

„Gott weiß!“

„Und du glaubst wohl, daß ich dich mit deiner Unbehilflichkeit so fortlassen würde, damit dir auf dem Wege ein Unglück zustöße?“

„Ich begleite dich, Vater!“ ließ sich plötzlich eine Stimme hinter ihnen vernehmen.

Die Mutter drehte den Kopf um, und erblickte Piare, wie er sich eben auf seinem Stroh emporhob.

„Willst du gleich schlafen, kleiner Taugenichts!“ grollte ihm die Mutter entgegen.

„Ich dachte, die Kinder schlafen,“ sagte der Alte.

„Nein, Vater! ich habe nicht geschlafen,“ antwortete Piare, und schlug seinen Arm um den Hals des Blinden, damit ihn die Mutter nicht mit Gewalt auf das Stroh zurückweisen möchte, „und wenn du mich anhören willst, so will ich dir etwas sagen, was dir Freude machen wird, und der Mutter auch," setzte er schmeichelnd hinzu.

"Lass' ihn reden, Weib," sagte Chassagne lächelnd.

Und der Knabe fuhr fort: "Vater, du weißt wohl, Richard, Richard, der so klein und so arm von hier weggegangen, und im vorigen Herbst groß und reich, reich wie Herr Mathieu, der Doktor, der das hinkende Pferd hat, zurückgekommen ist, Richard, der mich lesen lehrt — o! ich kenne schon alle Buchstaben, ich werde dir's morgen zeigen, Vater — Richard hat das Alles durch Kaminkehren gewonnen. Das muß ein einträgliches Geschäft seyn! Vater! ich will auch ein Kaminfeger werden. — Freilich, es ist wahr, Richard hat sich alle Abende vor dem Schlafengehen niedergekniet und gebetet: Mein Gott! verlass' den kleinen Auvergnaten nicht!"

"Das ist Alles ganz gut," fiel ihm der Vater in die Rede, "aber wo willst du damit hinaus?"

"Habe nur Geduld, Vater," versetzte Piare, und fuhr fort: "Richard hat mir eine Menge Geschichten erzählt, schöne Geschichten, und so lang waren sie, daß ich immer eher eingeschlafen bin, bevor sie zu Ende kamen. Nun, am vorigen Abende hat er mir auch eine erzählt, aber bei der bin ich nicht eingeschlafen. Stelle dir nur vor, Vater — aber wart, du mußt vorher wissen, daß Richard in Paris sich einen Arm gebrochen, und daß man ihn in ein großes Haus getragen hat, wo alle Zimmer voll Betten waren, und alle Betten voll; — Richard sagte mir sogar, es wäre ein Mensch in zwei Betten gelegen — nein, nicht doch, zwei Menschen in einem Bette, will ich sagen. Nun, das war freilich nichts Außerordentliches; denn wir schlafen ja unser acht in einem Bette. — Aber, das ist alles eins, das ist auch nicht die Hauptsache der Geschichte. — Jetzt kommt das Schöne! — Stelle dir vor, Vater, jeden Morgen kam ein Mann in dieses Haus, und der machte ganz unglaubliche Kunststücke, für's Erste machte er Richard's gebrochenen Arm wieder ganz; so ganz, daß er ihn gebrauchen kann, wie den andern, und dann kurirte er auch alle andern Krankheiten und Übel, alle, alle — du glaubst es vielleicht nicht, aber ich schwör dir, daß mir's Richard gesagt hat. — Du hörst mich doch, Vater?"

„Ja, Junge, fahre nur fort."

„Siehst du, deine Augen sind immer so gleich ruhig, daß man nicht weiß, ob du zuhörst oder nicht."

„Das kommt daher, weil ich blind bin, mein Kind."

„Ich weiß ja wohl, daß du blind bist, und darum gefiel mir auch die Erzählung so sehr; denn siehst du, ich fragte Richard, ob der Mann auch Blinde kurirt hat? und er hat mir gesagt, sein Bettkamerade sei blind gewesen, so blind, daß er bei Tage nicht mehr gesehen hat, als bei Nacht, und der Mann hat ihn auch so gut kurirt, daß er dann Alles gesehen hat, Sonne, Mond und Sterne und Menschen und Thiere, und daß er Rauchfänge kehren konnte und Alles thun, wie andere Menschen."

„Nun, das war recht gut für den Bettkameraden, aber leg' dich wieder schlafen, Junge, geh', geh'!"

„Und auch gut für dich, Vater," sagte Piare, ungeduldig mit dem Fuße stampfend, „wenn der Mann Andere kurirt hat, kann er auch dich kuriren."

„Aber der Mann ist in Paris, Piare."

„Nun wohl, so gehen wir nach Paris."

„Und wie?"

„Zu Fuße. — Gute Füße hast du ja noch, Vater, und ich auch."

„Und ohne Geld?"

„Ei, das wird uns nicht abhalten. Du stützest dich auf mich und ich sage zu Allen, die uns begegnen: „Gute Leute, gebt einem armen, kleinen Knaben ein Almosen, der seinen blinden Vater nach Paris führt, um ihn dort sehend machen zu lassen." Und du wirst sehen, Vater, Keiner wird mir ein Almosen verweigern — und dann werde ich's auch so machen, wie Richard, ich werde mich alle Abend niederknien und beten: „Gott! verlaß' den armen, kleinen Auvergnaten und seinen Vater nicht!"

„Aber den Mann, Piare, muß man bezahlen, und wir haben kein Geld."

„Richard hat mir gesagt, die Reichen müssen ihm sehr viel bezahlen, aber die Armen gar nichts."

„Ta! ta! ta! was schwätzest du da zusammen?"

„Richard hat mir's so gesagt, ich schwöre dir, Vater — Hm! Vielleicht sind die Leute in dem Paris schon so — Vater, lieber Vater, geh'n wir hin, morgen gleich."

„Höre, lieber Mann," nahm nun Quenotte das Wort, „der Junge könnte doch wohl Recht haben, und da du ohnedies den Plan gefaßt hast, fortzugehen —"

„Also — wir gehen nach Paris," rief Piare, freudig die Hände zusammenschlagend, „wir gehen; — ich kehre

Öfen aus, du läßt deine Augen kuriren. — O mein Gott! welche Freude, welches Glück! — Jetzt gute Nacht!“

Und nachdem er diese Worte gesprochen hatte, warf er sich an der Seite seiner Brüder auf seine beiden Knie und wiederholte, seine Hände faltend: „Guter Gott! verlass' den kleinen Auvergnaten und seinen Vater nicht!“ dann streckte er sich der Länge nach auf das Stroh, drückte die Augen mit Gewalt mit seinen beiden Fäusten zu, und schlief wenige Augenblicke nachher fest.

Am andern Morgen verließ der arme Blinde, einen Stab in der einen Hand, die andere auf die Schulter seines Sohnes gestützt, seine Hütte, wo er geboren war, gelebt, sich verheirathet und acht Kinder erzeugt hatte; und eine Thräne zerdrückend, welche diesen Erinnerungen aus seinem glanzlosen Auge geflossen war, richtete er zuerst seinen Weg nach Richard's Wohnung.

Dieser, die Haue in der Hand, wollte so eben auf ein Feld gehen, das er vor Kurzem gekauft hatte. Er erblickte den Blinden und fragte: „Wo geht Ihr denn hin, Vater Chassagne?“

„Nach Paris, Nachbar.“

„Mit Eurem Sohne Glück zu machen? Nun, Ihr habt Recht.“

„Ich will auch meine Augen heilen lassen, Nachbar!“

„Da habt Ihr auch Recht, Vater Chassagne!“

„Und aus dieser Ursache wollt' ich Euch um den Namen jenes Mannes bitten, welcher Euch den Arm so geschickt geheilt hat. Ihr erinnert Euch desselben doch noch?“

„O! eher hätte ich meinen eigenen Namen, jenen meiner Mutter und meines Vaterlandes vergessen, als den Namen dieses braven, wohlthätigen Mannes. Wartet nur ein wenig hier, Vater Chassagne, ich bin gleich wieder da.“ — Und somit ging er in seine Hütte und kehrte in wenigen Augenblicken wieder zurück, in der Hand ein Blatt Papier und einen kleinen, ledernen Beutel haltend. „Nehmt,“ sprach er, indem er die Hand des Blinden drückte, „auf diesem Zettel steht der Name jenes Mannes, und hier,“ fügte er hinzu, „noch eine Kleinigkeit, damit Ihr Euch auf der Reise erfrischen könnt. Keinen Dank, Nachbar. Wenn Ihr einmal Überfluß habt, so gebt mir's wieder. Jetzt lebt wohl und reiset glücklich! Adieu, Piare!“ Und mit diesen Worten war er schnell verschwunden, indem er ein Lied trillerte.

Chassagne und Piare aber schlugen den Weg nach Paris ein.

II.

Die Ankunft.

Am 1. Jänner 1829 bei Anbruch der Nacht stand ein Blinder, von einem Knaben geführt, an der **Barrière d'Enfer**, zu Paris. Ein Rock und Pantalons von grobem blauen Tuche bedeckten den nervigen Körper des Blinden; das Kind hatte eine Jacke und Hosen von braunem Tuche, und ein Mützchen von brauner Wolle bedeckte einen Theil seiner schwarzen lockigen Haare. Beide waren barfuß, und hielten an der Thüre einer Schenke, wo mehre Maurer, welche eben von ihrer Arbeit kamen, schwatzten und lachten. Indem sie Wein tranken, nahm der Knabe seine Mütze in die Hand, und mit von Müdigkeit — und vielleicht auch von Hunger — heiserer Stimme sagte er zu den Handwerkern: „Gute Leute, habt Mitleid und gebt ein Almosen einem armen kleinen Knaben, der seinen blinden Vater nach Paris führt, um ihm seine Augen heilen zu lassen.“

„Geh' deines Weges, kleiner Taugenichts!“ antwortete der Älteste mit barschem Tone.

„Warum lassest du den armen Jungen so hart an?“ fiel der Jüngste ein, indem er in den Taschen seiner Weste suchte, dann einen Sous herauszog, und ihn dem Kinde in die Mütze warf.

„Gott wird's Euch vergelten,“ sagte der Knabe.

„Sind wir noch weit von Paris, meine guten Herren?“ fragte der Blinde.

„Ihr seid schon da, Freund!“ versicherten Alle.

„Gott sei gelobt!“ versetzte der Blinde, „ich könnte wahrhaftig nicht mehr weiter gehen, und du, Piare?“

„Ich, Vater? Ich weiß es nicht.“

„Wie? was weißt du nicht?“ fragte der Jüngste, der das Almosen gegeben hatte.

„Ach, nein, nein, mein guter Herr! Seht, seit wir unser Land verlassen haben, bin ich manchmal schon so müde gewesen, daß ich glaubte, ich müsse niedersinken, aber es ist nicht geschehen. Der Vater sagt nur: „Vorwärts, Junge!“ und da bin ich gleich wieder auf den Beinen.“

„Armes Kind,“ sagten die Handwerker, indem sie nun die beiden Wanderer umgaben, „du kommst also sehr weit her?“

„Nu, von zu Hause,“ antwortete Piare.

Ein allgemeines Gelächter folgte dieser Antwort.

„Von Clermont in der Auvergne, meine Herren,“ beeilte sich der Blinde zu sagen.

„Müßt es nicht übel nehmen, daß wir gelacht haben,“ antwortete Einer der Arbeiter, „wir lachen nicht über Euch und Euer Elend, wir sind honette Handwerker, und wenn Ihr mit uns hereinkommen, und mit uns einen Bissen essen und ein Glas Wein trinken wollt, so kommt; es wird uns Freude machen.“

Der Blinde dankte gerührt, und folgte mit seinem Kinde den Maurern in die Schenke, wo ihnen ein Gemach aufbehalten war. Das Kind sah den Tisch, die Bänke und die Arbeiter verlegen an, nicht wissend, ob er sich mit ihnen niedersetzen oder nur zusehen dürfe, wie sie essen.

„Nun, Bursche! hast du keinen Hunger?“ redete ihn Einer an.

„Ei, ja wohl!“

„Nun, so setze dich her!“

Mit einem Sprunge saß der Knabe auf der Bank neben seinem Vater.

„Was wollt Ihr denn in Paris machen?“

„Ich bin blind, kann nicht arbeiten, habe eine zahlreiche Familie, die ich nicht ernähren kann. Man sagte mir zu Hause von einem Manne, der mich heilen könnte, den will ich aufsuchen.“

„Und wie heißt der Mann?“

Der Blinde zog ein Papier aus der Tasche und reichte

es dem ihm zunächst Sitzenden, indem er ihn bat: „Leset mir doch den Namen, lieber Herr.“

Der Maurer las: „Dupuytren“ *).

„Zum Henker!“ rief der Maurer, „das ist wahr, wenn Einer auf der Welt Euch kuriren kann, wenn er will, so ist's der.“

„Ihr kennt ihn also?“ fragte der Blinde kaum athmend.

„Und wer kennt ihn nicht? besonders von uns Maurern, die wir so leicht vom vierten oder fünften Stock herabspazieren, ohne uns einer Treppe zu bedienen, oder „aufgeschaut!“ zu schreien. Ich habe ihn selbst oft operiren gesehen, und er hat eine famose Hand, die nie zittert, er schneidet einen Arm und einen Fuß aus einander, wie ein Weib ein Stück Speck.“

„O sagt mir seine Wohnung, daß ich heute noch zu ihm hineile,“ bat Chassagne.

„Ach, heute wird sich's nicht mehr thun lassen, Alter, aber morgen will ich Euch selbst hinführen. Er kennt auch mich; mein Vater hat mir nur Einen Arm gemacht, er aber zwei.“

„Spaßmacher!“ riefen die Übrigen.

„Nein, nein, voller Ernst,“ erwiederte der Maurer voll Feuer. „Ich war sechs Jahr alt, und den einen Arm

---

*) Der erste und geachtetste Wundarzt in Paris, ein Mann von außerordentlichen Kenntnissen und Geschicklichkeit, voll Gutmüthigkeit und Humanität. Die Menschheit betrauert seit einigen Jahren seinen Verlust.

konnte ich eben so wenig bewegen, als ob er todt wäre. Eines Tages kam er in das Haus, wo meine Mutter Thorsteherin war, Jemand zu besuchen. Ich hielt ihm sein Pferd, und indem er mir ein Geldstück für meine Mühe reichte, bemerkte er, daß ich den linken Arm nicht bewege. Er ließ mich ausziehen, besah mich, kam dann einige Male, und ich weiß mich nicht mehr recht zu erinnern, was er mit mir angefangen hat, aber so viel ist gewiß, daß ich jetzt zwei Arme habe, welche ganz zu seinen Diensten stehen, wenn er sie anders einmal brauchen sollte.

„Also morgen!“ sagte der Blinde, „aber wo werde ich bis morgen bleiben?“

„Hier,“ antwortete der Maurer, „Mutter Goriot gibt Euch diese Nacht wohl eine Lagerstätte, ich arbeite ganz in der Nähe, und morgen Mittag seid bereit.“

„Auf Wiedersehen! gute Nacht! tausend Dank!“ — Diese Worte schollen nun durch einander, und die Maurer entfernten sich. Der Blinde weckte seinen Sohn auf, der aus Müdigkeit auf der Bank eingeschlafen war, und die Wirthin führte sie in die Scheune, wo sie sich auf das Stroh hinstreckten, und nachdem Piare auf seinen Knien sein rührendes Gebet gesprochen hatte: „Gott! verlaß' den armen kleinen Auvergnaten und seinen Vater nicht!“ beide fest entschlummerten.

Zur bestimmten Stunde des andern Tages kam der Maurer, nahm den Blinden unter dem Arm, den Knaben an die Hand, und führte Beide auf den Platz des Louvre, wo das Haus stand, welches Dupuytren bewohnte. Er verließ sie am Thore, wünschte ihnen viel Glück und kehrte zu seiner Arbeit zurück.

Der Blinde und sein Sohn stiegen das erste Stockwerk hinan, klingelten und ein großer Bedienter in Livrée öffnete ihnen. Der Knabe nannte den Namen des Doktors und der Diener führte sie höflich in einen großen Saal, wo schon viele Leute waren, und ersuchte sie, sich niederzusetzen.

Der Blinde setzte sich in einen großen Lehnstuhl, das Kind zwischen seine Füße auf die Erde, und sagte leise zu ihm: „Hier ist es sehr schön, Vater!“

„Mein Gott!“ sprach der Vater auch halblaut, „gib, daß dieser gelehrte Mann sich durch mein Unglück rühren läßt, mich zu heilen, damit ich meine gute Quenotte und meine acht Kinder wiedersehe, und arbeiten kann, um ihnen Brot zu geben.“

„Muth, Vater!“ sprach ihm der Knabe zu, „seht nur, es ist kein einziger Blinder hier.“

„Was soll das beweisen?“

„Daß er sie Alle kurirt hat.“

Der Blinde lachte. „Sind viele Leute da?“ fragte er seinen Sohn.

„Sehr viele, Vater!“

„Und wie sind sie gekleidet?“

„Es ist ein großer Unterschied. Manche sind prächtig angezogen, und Andere scheinen noch ärmer, als wir.“

In diesem Augenblicke öffnete sich die Thür eines Kabinets, ein Mann erschien, eine ältliche Frau und ihr Kind folgten ihm. Dieser Mann war groß, ziemlich bei Jahren, von einer edlen und ausgezeichneten Haltung. Piare's

Herz schlug gewaltig bei seinem Anblicke, er legte seine Hand auf den Mund seines Vaters, um ihm Stillschweigen anzudeuten, dann mit kindischer Neugierde heftete er seine großen schwarzen Augen auf den Doktor, welcher mit der Dame sprechend den Saal durchschritt. Die Dame ging fort, der Doktor in sein Kabinet zurück; eine Person erhob sich, folgte ihm, und die Thüre schloß sich hinter ihnen.

„Der Mann hat ein recht gutes Gesicht, Vater," sprach Piare zu dem Blinden, „er wird dich heilen, jetzt weiß ich's gewiß."

„Es ist sonderbar, aber ich werde mit ihm nicht reden können, so sehr zittre ich," sagte der Blinde.

Indessen waren mehre Personen nach einander in das Kabinet des Doktors gegangen, und der Saal begann leer zu werden.

„Höre, Vater!" sagte Piare, „ich habe etwas bemerkt. Es sind nicht immer die schönsten Herren und Frauen, welche die Ersten hineingehen; einmal kommt ein Armer an die Reihe, einmal ein Reicher."

„Das ist wohl möglich, aber Alle werden bezahlen."

„Nu, ganz gut, du wirst auch bezahlen, Vater."

„Ich habe zu wenig Geld für einen Doktor in Paris."

„Warte, ich will gleich Erkundigung einziehen;" und mit diesen Worten näherte sich Piare einer jungen Dame, welche eben eintrat. — „Gnädige Frau," sagte er flehend, seine Mütze demüthig in der Hand herumdrehend, „muß man dem Herrn Doktor viel bezahlen, wenn man von ihm kurirt werden will?"

„Mehr, als du besitzest, ganz gewiß,“ antwortete die Dame lächelnd.

Entmuthigt durch diese Antwort, wagte der Knabe kein Wort mehr, und kam mit gesenktem Kopfe wieder zu seinem Vater.

„Jetzt ist die Reihe an Ihnen,“ sagte ein Herr zu dem Blinden.

„Hat der Doktor um mich gefragt?“ erwiederte der Blinde mit sichtbarer Bewegung.

„Nein, allein Jeder wird nach der Reihe, wie er gekommen, vorgelassen.“

„Mir fehlt der Muth,“ sprach der Blinde, aufstehend.

„Ei, komm nur, Vater, es wird den Kopf nicht kosten,“ sagte Piare und zog seinen Vater zum Kabinet.

Die Thüre schloß sich hinter ihnen, und Beide standen vor Dupuytren.

„Was steht zu Euren Diensten, mein Freund?“ fragte der große Mann, mit der herablassendsten Güte, und da der erschrockene Alte nicht antwortete, sprach er nochmals mit der sanftesten Stimme: „Redet, mein Freund, worin kann ich Euch nützlich seyn?“

Die Augen gesenkt, seinen Hut in der Hand zerknitternd, murmelte der Blinde: „Mein edler, guter Herr —“ und die Bewegung raubte ihm den Athem.

„Mein edler, guter Herr!“ beeilte sich nun Piare fortzufahren, indem er sein Kohlenauge auf den Doktor heftete, „mein armer Vater ist blind, man hat uns zu Hause gesagt, daß nur Ihr allein im Stande seid, ihn zu kuriren, und da sind wir von Hause zu Fuße hierher gegangen, um Euch aufzusuchen.“

„Armer Mann!“ sagte der Doktor, den Alten anblickend, und die Hand des Kleinen drückend, „zu Fuße hierher gekommen, um mich aufzusuchen? Setzt Euch, guter Alter, und hebt Eure Augen empor, damit ich sie ansehen kann. Wendet Euch mehr gegen das Licht. So ist's gut, jetzt bleibt ein wenig in dieser Stellung.“

„Und glauben Sie, daß Sie mich werden wieder sehend machen können?“ fragte der Blinde erwartungsvoll.

„Ich hoffe es, mein Freund, ja ich glaube, es Euch fast versichern zu können.“

„Mein Herr!“ rief der Blinde, „ich habe auf dem ganzen Weg gebettelt, um Ihnen Geld anbieten zu können. Vier Napoleons habe ich zusammengebracht, hier sind sie, es ist Alles, was ich besitze, heilen Sie mich, und ich danke Ihnen mehr als das Leben.“

„Ihr bezahlt mich, wenn Ihr geheilt seyn werdet!“ sagte Dupuytren, die Hand des Blinden zurückweisend; dann fragte er: „Wo wohnt Ihr?“

„In der Schenke hart an der Barrière d'Enfer.“

„Ihr müßt in das Hôtel Dieu gehen, mein Freund, dort werdet Ihr besser aufgehoben seyn, und ich kann Euch dort besser meine Hilfe angedeihen lassen. Hier,“ sagte er, nachdem er einige Worte geschrieben hatte, „nehmt diesen Zettel, zeigt ihn vor, und man wird Euch sogleich dort aufnehmen. Aber da denk' ich eben, Euer Kind, was werden wir mit dem thun?“

„Ich werde meinen Vater bedienen und pflegen," antwortete Piare.

„Er wird an diesem Orte deiner nicht nöthig haben," erwiederte der Doktor. „Dein Vater findet dort sehr gute, aufmerksame und fromme Wärterinnen, und du würdest dich ja auch nur langweilen, lieber Kleiner." Und bei diesen Worten spielte er mit den Fingern in den schwarzen Locken des Auvergnaten.

„Aber ich kann ja auch allein nicht nach Hause zurückkehren," wimmerte Piare mit schwerem Herzen.

„Das ist auch gar nicht meine Meinung."

„Ja, was soll ich denn hernach anfangen ganz allein?"

„Willst du bei mir bleiben?"

„Bei Ihnen?"

„Ja, bei mir, du wirst doch schön artig seyn? Wie heißest du?"

„Piare, Ihnen zu dienen. Wollen Sie, daß ich Ihnen alle Ihre Kamine rein kehre? das kann ich, das soll bald geschehen seyn," und dabei schickte sich Piare an, seine Jacke auszuziehen.

„Das ist ganz unnöthig im Monat Juli," antwortete der Doktor, dem Eifer des kleinen Kaminfegers begegnend.

„Ja, anders kann ich leider nichts," antwortete der Kleine beschämt.

„Kannst du lesen?"

„Die Buchstaben kenn' ich, weiter nichts."

„Und wärest du damit zufrieden, wenn ich dich in ein Haus gäbe, wo noch viele andere Knaben sind, wie du, und wo man dich lesen und schreiben lehrte?"

„O freilich, mein guter Herr!“

„Nun wohl, es bleibt unter uns abgemacht.“ Und zum Blinden gewendet, der ehrfurchtsvoll schweigend dastand, fragte ihn der Doktor, ob er damit zufrieden sei.

„Man sagte mir, daß Sie ein gelehrter und geschickter Herr seien,“ antwortete der Blinde mit Thränen auf den Wangen, aber nun sehe ich, Sie sind ein guter Engel für jeden Unglücklichen.“

„Ich bin nichts als ein Arzt,“ versetzte Dupuytren, „und ich thue nur, was ich kann. Jetzt kommt mit mir in das Nebenzimmer, wo wir meinen Bedienten finden werden, welchem ich im Bezuge auf Euch einige Befehle zu ertheilen habe.“

III.

Die Heilung.

Drei Monate nach dieser Scene kam ein Mann, reinlich angekleidet, mit einem Kinde, dessen Kleider auch gewählt, aber einfach waren, zu Herrn Dupuytren.

Wie das erste Mal mußten sie auch jetzt die Reihe abwarten, aber als diese an sie kam, durfte sie kein Bedienter mehr melden, der Mann faßte sein Kind bei der Hand, stürzte mehr, als er ging, in das Kabinet des Doktors, und schrie laut: „Ich sehe, Herr Doktor, ich sehe!“ dabei fiel er auf beide Knie vor seinem Wohlthäter und das Kind that deßgleichen.

„Steht auf, mein Freund,“ sagte der Doktor, bewegt von so großer Dankbarkeit, „man kniet nur vor Gott.“

„O, Sie sind mein Engel! Sie sind Gottes Abgesandter auf Erden; ich werde mein Weib, meine Kinder wiedersehen, das Alles danke ich Ihnen.“

„Schon gut,“ erwiederte der Doktor, indem er sich dem entzückten Alten entziehen wollte; „da Ihr nun geheilt seid, laßt mich nun auch Andere heilen, wenn ich es im Stande bin; seht, es warten Viele draußen im Salon auf meine Hilfe.“

„Ich bin auch nur gekommen, um meine Schuldigkeit abzutragen,“ sagte der Auvergnate, indem er seine vier Napoleons, sauber in Papier eingewickelt, aus der Tasche zog und überreichte.

Der Doktor nahm das Papier, öffnete es und sah den Auvergnaten an.

„Ja, womit wollt Ihr denn dann nach Hause zurückkehren?“ fragte er.

„Wie ich gekommen bin, bettelnd, aber dießmal wenigstens meinen Weg sehend und Euch segnend.“

„Und Euer Kind?“ fragte der Doktor weiter, einen Blick auf Piare werfend, welcher in einer Ecke stand und weinte.

„Nun, mein Kind auch.“

Piare schluchzte hörbar.

„Nun, bist du nicht erfreut, deine Mutter wiederzusehen?“ fragte ihn der Doktor.

Der Knabe fuhr fort zu weinen, ohne eine Antwort zu geben.

„Sage frei, Piare, was du wünschest,“ fuhr der Doktor fort.

Piare hob die thränenschweren Blicke, und so himmlische Güte in den Zügen dieses achtungswerthen Mannes gewahrend, antwortete er: „Ich wünsche Euch nie zu verlassen, lieber Herr, Eure Kunst zu lernen, die Blinden zu kuriren, und mich von allen Leuten segnen zu lassen, wie Ihr.“

„So sei es, wie du wünschest, Knabe,“ antwortete Dupuytren, ihn zu sich emporhebend und zum öftern küssend. Dann nahm er einige Louisd'or aus einer Schublade seines Schreibtisches, legte sie zu denen, welche ihm der Auvergnate angeboten hatte, gab ihm Alles zusammen wieder zurück, und sprach: „Ich behalte Euer Kind, und will einen braven, nützlichen Menschen aus ihm bilden. Ist es Euch angenehm?“

„Derjenige, der die ganze Welt mit Wohlthaten überhäuft, der liebe Herrgott, braucht der zu fragen, ob es uns auch angenehm sei?“ versetzte der Auvergnate mit einer Stimme, die aus dem Herzen kam.

Und der Auvergnate kehrte in sein Land zurück, und sein Sohn, in der Wundarzneikunde unterrichtet, verspricht einst ein würdiger Nachfolger seines berühmten Lehrers zu werden.

Gott verließ den kleinen Auvergnaten und seinen Vater nicht!

Muff und Puff.

Eine rührende Geschichte.

Ich will dir, mein geneigter Leser, eine ganz einfache Geschichte von einem Menschen und von einem Hunde erzählen, nicht von einem außerordentlichen Menschen, der auf dem Felde der Ehre, oder auf jenem der Wissenschaft oder Kunst gesiegt hat, sondern von einem schlichten armen Teufel, — nicht von einem Hunde, der hundert bewunderns-werthe Kunststücke gekannt hat, sondern von einem ganz gewöhnlichen, nicht einmal schönen Hunde. Dieser Mensch aber und dieser Hund liebten sich wechselweise gleich, es waren zwei Freunde, was bei den Menschen sehr selten ist, bei denen gewöhnlich nur Einer der Freund des Andern ist. Beide liebten sich um so mehr, als sie von Niemand Andern geliebt wurden; denn außer dem, daß Beide häßlich waren, waren sie auch arm. Sie frühstückten sehr selten, mittagmahlten bald schlecht, bald mittelmäßig, wie es der Zufall gab, und aßen zu Abend niemals. Diese letzte Mahlzeit ersetzte ihnen der Schlaf, aber nicht in einem Bette, denn Beide, der Mann und der Hund, kauerten sich gewöhnlich auf altes Stroh, das sie irgendwo ausgeschüttet fanden, oder das ihnen manche barmherzige Seele absichtlich unter ein Hausthor hinstreuen ließ.

Der Mann hieß Muff und der Hund Puff. Muff übte alle Handwerke aus, weil er keines recht gelernt hatte. Er wurde meistens für geringen Lohn zu den ermüdendsten Arbeiten gebraucht. Puff konnte gar nichts, nicht einmal aufwarten, er folgte nur seinem Herrn überall, theilte mit ihm sein Brot, leckte ihm die Hände, erwärmte ihm bei Nacht die Füße, und liebte ihn. Eines Winters wurde Puff krank. Muff war gezwungen, ihn zwei ganze Tage auf einem Strohhaufen allein liegen zu lassen. Am dritten Tage fand sich aber kein Stroh mehr, und der arme Puff zitterte vor Fieberfrost auf der feuchten Erde. Muff trug ihn zu einem Thierarzt, um ihn pflegen und heilen zu lassen. Der Thierarzt forderte die Bezahlung für acht Tage vorhinein. Muff verkaufte seine Weste und sein drittes Hemd, um dieser Forderung Genüge zu leisten.

Aber Puff's Krankheit war schwer, und zog sich in die Länge. Muff besuchte seinen Hund täglich und brachte jede Stunde, in welcher er eben keine Arbeit hatte, bei seinem Freunde zu. Aber ein Krieg begann und Muff wurde zum Soldaten genommen. Das hätte den armen Muff nun zwar sehr erfreut, wenn ihm Puff hätte folgen können, denn der Soldat hat Brot genug, ein Lager, Kleider, — aber Puff konnte sich leider noch gar nicht aufrecht halten. Muff verkaufte also alles, was er noch hatte, legte das Almosen dazu, welches ihm noch einige Mitleidige gaben, bezahlte dem Thierarzte noch zwei Monate voraus, und marschirte mit seinem Regimente ab.

Das Regiment änderte öfters seine Station. Muff hatte nur eine Sorge: seinen Hund. Er sparte sich seine Löhnung Kreuzer für Kreuzer vom Munde ab, und schickte das Ersparte von Zeit zu Zeit dem Thierarzte, aber die letzte Sendung hatte er einem lockern Kameraden anvertraut, der auf Urlaub nach der Hauptstadt ging, und der böse Mensch vertrank das Geld.

Eines Tages bekam Muff einen Brief, er war vierzehn Tage gelaufen, und trug die Postsiegel aller Orte, durch welche das Regiment gezogen war. Der Brief war von dem Thierarzte, welcher ihm meldete, daß, wenn das Kostgeld für den Hund, welcher bereits völlig gesund sei, nicht längstens binnen vierzehn Tagen bezahlt seyn würde, er sich gezwungen fühle, den Hund zu verkaufen.

Muff zitterte am ganzen Leibe, sein Herz zog sich zusammen, er lief mit dem Briefe in der Hand zu seinem Obersten, aber, als er dort reden wollte, brach sich seine Stimme in ein unverständliches Schluchzen, er konnte nur das Unglückspapier hinhalten und weinend schreien: „Puff, mein armer Puff."

Der Oberst hielt ihn für verrückt, er weinte aber so aus vollem Herzen, in seinem Schmerze war etwas so Wahres, in seinen Thränen etwas so Bitteres, daß der gute Oberst ihm zuredete, ihn tröstete und sich von ihm die Geschichte erzählen ließ.

„Herr Oberst," sagte Muff am Schlusse seiner Erzählung, „im Namen des Himmels, im Namen dessen, was Ihnen auf der Welt das Liebste ist, beschwöre ich Sie, lassen Sie mich fort vom Regimente, lassen Sie mich zu meinem armen Puff. Sehen Sie, wenn Sie mir keinen Urlaub geben, so muß ich doch fort, ich muß ohne Erlaubniß fort, muß entfliehen, desertiren, ich muß meinen Puff retten, er darf nicht verkauft werden.“

„Aber,“ fiel ihm der Oberst ein, wenn ich dir auch den Urlaub gebe, du hast ja keinen Kreuzer Geld, um die Reise zu machen.“

„Ich werde bis nach der Hauptstadt betteln,“ antwortete Muff, „man wird mir ein Stück Brot und ein bischen Stroh nicht versagen. Ach, mein Herr Oberst, mein guter Herr Oberst, lassen Sie mich nur fort.“

„Ein Soldat darf nicht betteln, und dann, wenn du nach der Hauptstadt kömmst, was kann das helfen? Wenn du den Thierarzt nicht bezahlen kannst, so wird er dir deinen Puff selbst noch in deiner Gegenwart verkaufen.“

„Ich weiß nicht, was ich thun werde, Herr Oberst, aber gewiß werde ich meinen Puff nicht verkaufen lassen. Er ist mein einziger Freund, wär' er nicht gewesen und hätte mir so freundlich geliebkost, mich so wehmüthig angeschaut, ich wäre mehr als einmal vor Kummer krank geworden. Ach, wie wird sich das gute Thier freuen, mich wiederzusehen! Ich werde den Thierarzt bitten, ihm zu Füßen fallen, ihn umbringen, wenn er mir meinen Puff verkaufen will.“

Der Oberst gab ihm fünfzehn Gulden und sagte gerührt: „Gehe zu deinem Puff.“ Muff küßte die Hände des Obersten, und wollte ihm auch die Füße küssen, aber der Oberst schickte ihn zum Adjutanten, um sich sogleich von demselben den Urlaubspaß ausfertigen zu lassen.

Muff hatte 78 Meilen zu machen, aber er reiste muthig ab, seinen Paß in der Tasche und seine fünfzehn Gulden im Czako eingenäht. Er marschirte tapfer fort und trotzte der Müdigkeit, dem Regen und Winde mit der freudigen Hoffnung, seinen Freund, seinen treuen Puff wiederzusehen. Am zehnten Tage langte er endlich in der Hauptstadt an, ganz ermattet, ja hinfällig, und doch begab er sich sogleich, ohne irgendwo anzuhalten, zum Thierarzte.

Dieser war eben sehr beschäftigt. Man bedeutete Muff zu warten. Er verlangte seinen Hund zu sehen, allein der Diener war nicht mehr derselbe. Dieser kannte weder Muff noch Puff und sagte, es sei ihm verboten, irgend Jemanden ohne ausdrücklichen Befehl des Herrn Doktors, in die Kuranstalt zu lassen.

„Kennen Sie meinen Hund nicht?“ fragte Muff, „er heißt Puff.“ — „Nein,“ antwortete der Diener, „bei uns heißen alle Hunde „Pst!“ — „Er ist,“ fuhr Muff fort, „er ist röthlich und seine rechte Vorderpfote ist weiß.“ — „Oh, es gibt viel rothe bei uns, und um ihre Pfoten hab' ich mich noch nicht bekümmert.“

Muff ging in der lebhaftesten Ungeduld im Vorzimmer auf und nieder. Seinen Puff wußte er hier, vielleicht nur durch eine Thüre von ihm geschieden. Ach, wie wird er jetzt noch traurig seyn, und wie schreien und an ihm hinaufspringen, wenn er ihn wiedersieht!

„Mein Herr,“ sagte jetzt der Diener, Sie können zu dem Herrn Doktor hineingehen.“

Muff stürzte in die Kammer und zog seine 11 Gulden 32 Kreuzer heraus, welche ihm von der Reise übrig geblieben waren. „Herr Doktor,“ rief er, „ich komme, meinen Hund abzuholen.“

Der Thierarzt erkannte ihn nicht gleich. — „Heißt Euer Hund nicht Puff?“ fragte er dann.

„Ja, ganz recht, Puff.“

„Wann kam er in die Anstalt?“

An einem Samstag im Februar.“

„Wie sieht er aus?“

„Röthlich, mit einer weißen Vorderpfote rechts.“

„Ja, der wurde vor acht Tagen verkauft, weil sein Kostgeld nicht bezahlt worden ist.“

Muff wurde bleich und war dem Umsinken nahe. Dann schrie er: „Verkauft?“

„Ja,“ antwortete der Arzt, „die Schuld betrug zwölf Gulden und ich brachte ihn nur für acht Gulden an, Ihr seid mir also noch vier Gulden schuldig. Ich will Euch einen Empfangschein geben.“

„Wo ist er?“

„Der Empfangschein? Hier, gebt nur den Rest.“

„Nein, wo ist mein Hund, mein Puff?“

„Ich weiß es nicht.“

Muff faßte den Arzt wüthend am Halse und schrie „Wenn Ihr mir nicht sagt, wo er ist, so erdroßle ich Euch.“

„In der langen Straße, so viel weiß ich, aber weder den Käufer, noch die Hausnummer sind mir bekannt.“

Muff lief in die lange Straße, er durchging sie zehnmal, allein es war eben Sonntag und alle Läden geschlossen. Er schlief in einer armseligen, schlechten Kneipe in dieser Straße. Am andern Morgen fing er sein Durchsuchen de

Straße auf's Neue an, er sah in alle Läden, ging in alle Häuser, fragte überall, bekam aber keine genügende Auskunft. —

Am zweiten Tage, als er eben vor der Thüre eines Nagelschmieds vorüberging, hörte er einen Arbeiter „Azor“ rufen. Muff wendete sich um, und ach! dieser Azor war kein anderer als sein Puff, der eben aus dem Laden des Nagelschmieds kam und heulend vor Freude auf seinen alten Herrn zustürzte, an ihm hinaufsprang und ihm die Hand leckte. Muff hob ihn auf, küßte ihn und fing an laut zu weinen. Der Nagelschmied pfiff seinem Azor, aber Azor, der nun wieder Puff geworden war, rührte sich nicht von den Füßen seines Freundes.

Der Nagelschmied trat nun heraus und gab dem Hunde einen Stoß mit dem Fuße, um seinen Ungehorsam zu bestrafen. Muff gab dem Nagelschmied den Stoß mit der Faust zurück. Andere Arbeiter traten aus der Werkstätte, um ihren Kameraden zu helfen, eine Rauferei entspann sich, die Wache kam, führte Muff fort und dieser mußte auf der Wachstube schlafen.

Am andern Morgen kam Muff wieder zur Werkstätte des Nagelschmieds, der ihn mit drohender Miene erwartete. — „Ich komme nicht, um Streit zu suchen,“ sagte Muff, „im Gegentheil, ich bitte Euch recht demüthig, Meister, wollet mir einen Dienst erweisen. Ich bitte Euch auch recht sehr um Vergebung meiner gestrigen Heftigkeit wegen, aber seht, der Hund ist mein.“

„Wie?“ schrie der Nagelschmied, „der Hund wäre Euer? Haltet Ihr mich also für einen Dieb? — Martin, komm ein wenig heraus und gib Zeugenschaft, hab' ich nicht für Azor acht Gulden bar bezahlt?“

„Lieber Herr!“ antwortete Muff, „ich will ja nicht läugnen, daß der Hund jetzt Euch gehört, da Ihr ihn rechtlich an Euch gebracht habt, aber früher hat er mir gehört und ich komme, um Euch zu bitten, mir ihn jetzt wieder zu verkaufen.“ — Und bei diesen Worten trat Muff unter die Thüre der Werkstätte und bemühte sich, seinen lieben Hund zu erblicken.

„Nein,“ versetzte der Nagelschmied, „das Thier thut mir gute Dienste, und nach so vielen Hunden, welche ich vergebens abzurichten suchte, werde ich denjenigen, der sich prächtig zur Arbeit schickt, nicht wieder weggeben.“

In diesem Augenblicke sah Muff seinen Puff, er war an ein Rad angeschmiedet, welches er drehte. Muff's Herz brach. — „Mein Herr,“ sagte er, „ich gebe Ihnen zwanzig Gulden für den Hund.“

„Nicht doch,“ erwiederte der Nagelschmied, „ich habe den Hund gekauft, und behalte ihn.“

„Ach, mein Herr!“ rief der Soldat flehend, „es ist nun schon fast ein Jahr, daß wir uns nicht gesehen haben.“

„Was geht das mich an.“

In diesem Augenblicke that Puff einen Schrei. Muff wollte in die Werkstätte stürzen, der Nagelschmied hielt ihn zurück. Muff ballte schon die Faust, aber er gewann noch Mäßigung über sich selbst.

„Mein Himmel!“ fragte er, was ist denn dem armen Thiere?“ — „Vermuthlich hat er Euch gesehen und das Rad stehen gelassen, da verdient er eine Züchtigung.“

„Herr," schrie Muff, „ich geb' Euch Alles, was ich habe, achtundzwanzig Gulden, und meine Schreibtafel, und ein Hemd, und zwei Schnupftücher und einen alten Muttergotteszwanziger, den ich als ein Andenken an meine Mutter aufgehoben habe. Mehr hab' ich wahrhaftig nicht, seid barmherzig und gebt mir meinen Puff."

„Nein," sagte der Nagelschmied, „ich gebe den Hund nicht her, und wenn Ihr mir hundert Gulden dafür auf den Tisch legt."

Muff wollte auch reden, aber die Arbeiter kamen und jagten ihn fort. Am andern Morgen lauschte er wieder um die Werkstätte herum. Puff stieß wieder einen, sein Herz zerreißenden Schrei aus, und er sah dießmal, was die Ursache davon war. Der Hund hatte ihn bemerkt, und hatte angehalten, wodurch das Rad stehen geblieben war, daher stupfte ihn ein Arbeiter hinten mit einem glühenden Draht.

Da stürzte Muff fort, und kam des andern Morgens nicht wieder. — Er war also vermuthlich wieder zu seinem Regimente zurückgekehrt? — Nein. — Niemand sah ihn mehr, und man hat nie erfahren, was mit ihm geschehen.

Asmolan.

Mährchen.

Schah Nessir regierte über Persien. Schiras, diese prächtige Stadt, damals die Residenz der Könige, dankte ihm einen Theil ihres Glanzes und Ruhmes. Schah Nessir hatte viele gute Eigenschaften, aber auch viele große Fehler. Er war muthig, aber manchmal auch hartnäckig und grausam; er liebte und achtete die Tugend, doch war er weit entfernt, sie anzuerkennen, wenn sie seinem unbegränzten Despotismus im Wege stand. Dieser mächtige König besaß, wie alle Menschen, die Begierde glücklich zu seyn. Mit Lorbeern bekränzt, welche er sich durch seinen Muth errungen hatte, Herr eines ungeheuern blühenden Reiches, von Schmeichlern umgeben, welche ihn gleich einem Gotte verehrten, betäubt durch ihren Weihrauch, Besitzer des schönsten Serails der Welt, glaubte Schah Nessir mehr Recht auf das Glück zu haben, als ein Anderer, und doch kannte er es nicht. Lange Weile und Überdruß, die steten Begleiter jener Freuden, welche das Herz nicht treffen, saßen auf seinem Throne, und auf den Purpurteppichen, welche von Gold und Perlen strotzten, um ihn. Fruchtlos suchte man durch Veränderung der Vergnügungen ihn zu zerstreuen; sie wechselten nur die

Form, und gewannen für ihn doch keinen Reiz. Alle Lobeserhebungen seiner Schmeichler, aller Glanz seines Ruhmes, alle Schmeicheleien der schönsten Weiber Asiens vermochten nicht, ihn zu überreden, daß er glücklich sei.

Der Schah wurde immer düsterer und wunderlicher, und bald seufzte ganz Persien unter dem Joche einer schrecklichen Tyrannei. Dieses schöne Land wurde durch ungeheure Auflagen gedrückt, und das leiseste Murren dagegen mit dem Tode bestraft. Bezahlte Spione schlichen sich in alle Häuser und Familien, um in die geheimsten Gedanken einzudringen und dann ihr schändliches Handwerk zu treiben. Man unterdrückte daher jeden Seufzer, und fürchtete, eine Thräne gewahr werden zu lassen, man litt schweigend. Schah Nessir schien sich selbst versprochen zu haben: weil ich unglücklich bin, so soll es auch die ganze Welt seyn, keiner meiner Unterthanen soll sich eines Schatzes rühmen, den ich nicht besitze, oder wenigstens erhalten kann, wenn ich will. — Doch hatte er den Stolz, diese Gedanken vor seinen Schlachtopfern zu verbergen; er hätte ja erröthen müssen, hätte er irgend Jemanden einen Blick in sein Herz gestattet, und darum hatte er die Sucht, für den glücklichsten aller Menschen gelten zu wollen, obschon er sein Unglück täglich an seinen unschuldigen Unterthanen rächte. Da er sich selbst nicht betrügen konnte, so wollte er doch Andere betrügen.

Damals lebte ein junger Mann, Namens Asmolan in Schiras, dem die Natur und das Glück alle ihre Güter verschwenderisch zugeworfen hatten. Er besaß das schönste Haus in der Stadt, und zahlreiche Freunde versammelten sich um ihn, da seine Freigebigkeit, sein edles und gutmüthiges Benehmen, seine Fröhlichkeit und Herzensgüte, und seine übrigen liebenswürdigen Eigenschaften alles an ihn zogen. Eines Tages gab Asmolan seinen Freunden ein sehr kostbares Mahl. Von seiner natürlichen Fröhlichkeit ergriffen, und im Vergnügen, sich von Menschen umgeben zu sehen, von denen er sich zärtlich geliebt glaubte, rief er am Ende desselben laut aus: „Ja, meine Freunde! ich bin der glücklichste aller Kinder Adams." — Gierig faßte diese unklug gesprochenen Worte ein böser Mensch auf, der sich auch in die Gesellschaft geschlichen hatte. Dieser Mensch nannte sich Abderab, und suchte schon lange Mittel, Asmolan, dessen Güter seinen Neid erweckten, zu verderben.

Schon am folgenden Morgen, da es noch kaum graute, wurde der gute Asmolan verhaftet, und vor Nessir gebracht, welcher ihn folgendermaßen anredete: „Junger Unbesonnener! du wähnst glücklicher zu seyn, als ich, der Günstling des Himmels, den der heilige Prophet mit seiner Gnade überströmt? Glücklicher als ich, in dessen Hand das Schicksal Persiens liegt und der dich durch ein einziges Wort in den Staub zurückschleudern kann, aus dem du entstanden bist. Es hinge nur von mir ab, niedriges Insekt, dir das Theuerste, was du hast, das Leben zu nehmen, allein ich will das erste Mal Gnade für Recht walten lassen, und deine Frechheit deiner Jugend zu Gute halten. — Ich will sehen, ob du ferner so kühn und thöricht seyn wirst, dich glücklicher zu wähnen, als dein Herr."

Asmolan hatte diese ganze Rede mit der größten Ruhe angehört. — Er verließ den Pallast des Königs, und kehrte in sein Haus zurück, um seine Freunde zu versammeln; allein, der Tyrann hatte befohlen, daß es niedergerissen werde, und schon war dieser traurige Befehl vollzogen. Er suchte nun ein Obdach bei seinen Freunden. Man erblickte nicht die geringste Veränderung in seinen Gesichtszügen, seinen Charakter und seinen Gewohnheiten. Seine Stirne hatte sich nicht gefaltet, ruhig lächelte noch immer sein Mund, und aus seinen Blicken sprach Zufriedenheit und Gefühl des Glückes.

Acht Tage waren seit diesem traurigen Vorfall verflossen, als der König den jungen Perser neuerdings vor sich kommen ließ, und zu ihm sprach: „Nun, thörichter Jüngling! rühmst du dich noch, glücklicher zu seyn, als ich? Du bist nun in's Elend gestürzt, und es bleibt dir nichts auf der Welt, als das Gefühl der Reue und der Erniedrigung.“ „Du weißt, o König,“ antwortete Asmolan sanft, „ich war nie stolz auf meinen Reichthum, wie kann ich mich also durch Armuth erniedrigt fühlen? Du glaubst mir Alles geraubt zu haben, und ich komme, dir für deine Wohlthaten zu danken. Du hast mich gelehrt, o Schah Nessir, daß ich den seltensten und kostbarsten Schatz, den es nach der Tugend gibt, besaß. Dir dank' ich es, daß ich nun weiß, daß ich Freunde hatte, welche mich nicht meines Vermögens wegen liebten. Ich fand in ihren Herzen mehr, als ich verlor, und du hast mein Glück nur vergrößert, indem du es zerstören wolltest.“ Unentschlossen stand Schah Nessir nach diesen Worten da. Er staunte über diese Größe der Seele und der Uneigennützigkeit. Sein Stolz war gedemüthigt, er flammte desto stärker auf und auch sein Zorn entbrannte, als er den kühnen Jüngling ansah, der es wagte, seiner Macht zu trotzen; allein in demselben Augenblicke machten diese Tugenden, diese Ruhe, diese Sanftmuth, diese edle Ergebung den tiefsten Eindruck auf ihn. Er befahl Asmolan, sich zu entfernen, allein ein treuloser Höfling fachte den Zorn seines Gebieters auf's Neue an, und ließ ihn in Asmolan nur den stolzen Jüngling sehen, der es wagte, seinem Könige zu trotzen, ja selbst ihn zu verachten; er rieth dem Tyrannen, strenge gegen diesen Unbesonnenen zu verfahren, und ihn in's Gefängniß werfen zu lassen, wäre es auch nur darum, um diese Hitze zu dämpfen, die er Hochverrath nannte. Der König ließ sich überreden, er erröthete darüber, einen Augenblick Rührung empfunden zu haben, und sah das tugendhafte Gefühl, welches ihn wanken machte, als einen Sieg an, den Asmolan über ihn davon getragen hatte. Dafür mußte er bestraft werden, und schnell war der Befehl gegeben, den Jüngling in ein finsteres Gefängniß zu werfen. Er war entschlossen, ihn alle Qualen fühlen zu machen, seine Standhaftigkeit zu beugen, und so ihn zum Geständnisse zu zwingen, daß er unglücklich sei.

Man warf den jungen Perser in den schrecklichsten Kerker, und um die Barbarei vollständig zu machen, so gab man ihm seinen Feind, seinen Ankläger, den Urheber aller Unglücksfälle, den bösen Abderab zum Unglücksgefährten. Dieser Elende war lange Zeit der Liebling des Prinzen gewesen, und hatte sich nun seine Ungnade zugezogen. Er war verurtheilt worden, sein Leben in diesem Kerker zu beschließen, welcher nun von seinem Jammergeschrei wiederhallte.

Asmolan besah ruhig seine Wohnung. „Es wäre mir freilich lieber," sprach er, „in meinem Hause oder bei der wohlbesetzten Tafel eines meiner Freunde zu sitzen; allein man muß sich in den Willen des Himmels fügen. Meine Lage würde sich durch Jammern und Winseln nicht ändern, und Mahomet würde mir wohl auch nicht günstiger werden, wenn ich gegen die Vorsicht murrte.“ — Dann näherte er sich seinem Gesellschafter. „Abderab!“ redete er ihn an, „der Tyrann ist doch nicht gar so böse, als man glaubt, da er uns beide in diesem Kerker vereinigt. Ein Unglück, welches man theilen kann, ist doch nur ein halbes Unglück, und ich will mich über meinen Theil nicht beklagen, wenn ich dich trösten kann.“ Kaum hatte Abderab Asmolan's Stimme erkannt, und diese Worte der Güte vernommen, da er doch gerechte Vorwürfe verdiente, als Thränen aus seinen Augen stürzten, er zu Asmolan's Füßen sank, und ihn beschwor, ihn zu strafen, die gerechte Rache nicht länger zu verschieben, und ihn von seinen Gewissensbissen zu befreien. „Armer Abderab! Warum rufst du dir die Vergangenheit zurück? Willst du dir dadurch die Gegenwart trüben und die Zukunft vergiften? Was geschehen ist, ist nicht mehr, und der Himmel gibt dem Menschen die Gegenwart, um sich derselben zu freuen, und die Zukunft, um zu hoffen. — Dies Vermögen besaßen wir beide, ehe wir uns trafen, und besitzen es noch. — Wir sind beide im Gefängniß, unser Kerker ist eben nicht schön, das muß ich gestehen, aber Haß und Vorwürfe würden ihn noch häßlicher machen. Verzeihe du mir mein Unrecht, wie ich dir das deinige; laß uns schweigen und nachdenken, wie wir es anfangen, um uns unsere Lage so erträglich als möglich zu machen.“

Abderab's Gewissensbisse hinderten ihn zu antworten. Er schluchzte und fiel zu Asmolan's Füßen, welcher ihn aufhob und lächelnd umarmte. Die beiden Gefangenen versuchten es nun, sich wechselweise ihre Gefangenschaft zu erleichtern; sie erfanden hundert Mittel sich die Zeit zu verkürzen, allein Abderab verfiel oft in eine tiefe Melancholie, die Erinnerung an die Vergangenheit verfolgte ihn immer, und die Zukunft hatte keine Hoffnung, keinen Trost für ihn. Asmolan suchte seinen Muth zu erheben, und ihn zu überzeugen, daß jenes, was er für die Zukunft ansah, nur ein flüchtiger Augenblick sei, der sich nicht über die Grenzen des Lebens erstrecke; er bewies ihm, daß die Zukunft des Menschen nicht auf dieser Erde sei, wo alle unsere Hoffnungen nur Trugbilder sind, und der Tag unseres höchsten Glückes oft nur der Vorbereitungstag zu unserem Unglücke ist; er sprach mit ihm über Tugend und Edelmuth, und lehrte ihn beide kennen und lieben. Abderab's Seele gewann dadurch neue Kraft, der Aufruhr seiner Leidenschaften stillte sich, sein Herz wurde ruhiger. Er begriff nicht, wie er so lange leben konnte, ohne diese einfachen, tröstenden und doch erhabenen Wahrheiten zu wissen. Er opferte dem Himmel sein jetziges Unglück gleichsam als eine Aussöhnung für die Vergangenheit, ja er dankte sogar dem Tyrannen für sein jetziges Schicksal; denn ihm dankte er ja ein freieres Gemüth, und durch dieses Freuden, die er vorher nie geahnet hatte, und Schätze, welche keine Macht auf Erden jenem zu entreißen im Stande ist, der sie besitzt. Die Tage, welche ihm vorher allein so lange schienen, vergingen ihm nun mit

Asmolan unter zutraulichen, freundschaftlichen und manchmal sogar fröhlichen Gesprächen unglaublich schnell.

Ein Monat war seit Asmolan's Verhaftnehmung vergangen, als endlich dem Schah einfiel, zu sehen, ob denn der Starrsinn des jungen Persers noch nicht gebrochen sei, er ließ ihn, als eben sein ganzer Hofstaat versammelt war, gefesselt, gleich einem Verbrecher, vor sich kommen, und redete ihn mit einem spöttischen, herabwürdigenden Lächeln an: „Nun, Asmolan, bist du jetzt glücklich?“ — „O König,“ rief Asmolan, „soll ich dir jeden Tag neue Wohlthaten zu danken haben? Ich hatte einen grausamen Feind, und darf ihn nun, Dank sei es dir, zu der Zahl meiner aufrichtigsten und treuesten Freunde zählen. Du gabst mir zum Gesellschafter in meinem Kerker einen Unglücklichen, der mich nicht ohne Erröthen ansehen konnte; er war böse und strafbar, und ich habe ihn der Tugend wiedergegeben; es ist mir gelungen, ihm sein Schicksal dadurch erträglich zu machen, daß ich ihm die edelste und erhabenste Hoffnung des Menschen in's wunde Herz träufelte. Du, mein König, gabst mir die Gelegenheit, so viel Gutes zu wirken, und ich danke dir dafür vom ganzen Herzen.“

„Nun, wohlan,“ rief Nessir wüthend, „so führt den Tollen zum Tode; er sterbe auf öffentlichem Platze von Henkershänden. — Wir wollen sehen, stolzer Thor, ob du mir bis zum Schaffot, und auch noch unter dem Todesschwerte trotzest.“ — „Ich trotze dir nicht,“ antwortete Asmolan, „ich weiche der Macht, welche der erzürnte Himmel dir gab, um Böses zu thun. Ich verehre Gott auch in den Übeln, welche er über die Menschen verhängt, um sie zu strafen.

Ich trotze dir wahrlich nicht: allein du fragst mich ob ich glücklich bin, und ich antworte dir die Wahrheit.«

Das Schaffot war bereitet. Der ganze Pöbel von Schiras drängte sich, durch grausame Neugierde angetrieben, auf den Platz, um das neue Schlachtopfer der Tyrannei zu sehen. Asmolan wird endlich daher geführt in der Mitte der Leibwachen des Schahs, welcher mitten auf dem Platze auf einem Throne saß. Asmolan hatte seine ganze Ruhe beibehalten. Es war nicht jener durch Stolz erkünstelte Muth, welcher die Natur in dem schrecklichen Augenblicke bekämpft, wo der Mensch von allem Stolze entfernt seyn sollte; er trat nicht stolz, aber auch nicht furchtsam einher. Endlich bestieg er das Schaffot, der Henker hob das Schwert zum Streiche, da schrie Nessir noch spöttisch dem Armen zu: »Nun, Asmolan, bist du jetzt auch noch glücklicher als ich?« — »O mein König,« antwortete Asmolan, »wenn du mich unglücklich machen willst, so mußt du alle deine Macht anwenden, mich ein Verbrechen begehen zu machen. — Was habe ich denn gethan, das mich unglücklich machen könnte? — Glaubst du denn, daß die Gerechtigkeit Gottes das Glück eines Menschen in die Hände des Andern gelegt habe? und daß die Ruhe des Tugendhaften auch nur einen Augenblick durch die Launen eines Wütherichs getrübt werden könne? — Ich soll nun sterben, und du fragst noch, ob ich glücklicher sei, als du? O, könntest du in meinem Herzen lesen, du würdest meine Glückseligkeit mit Staunen erblicken. Ich habe die kurze Zeit meines Lebens dazu angewendet, Gutes zu thun, du hingegen wendest jeden Augenblick deines Daseins dazu an, Unglückliche zu machen; ich bin dem Augenblicke nahe, wo ich den Lohn erhalten werde, welchen Gott den Gerechten verheißen hat; vielleicht ist auch deine Zeit nicht ferne, wo dir die Strafen der Bösen zugemessen werden. Deine Seele ist stets von Gewissensbissen zerrissen, von Verdacht und Blutgier gefoltert; meine Seele schwebt rein und hoffend zu ihrem Gott empor. Antworte mir, Nessir, in diesem feierlichen Augenblicke, wo der Mensch auf Erden nichts mehr zu hoffen, nichts mehr zu fürchten hat, antworte mir, jetzt frage ich dich, jetzt fordere ich Antwort von dir: Wer ist der Glücklichere von uns Beiden?"

Nach diesen ernsten Worten, nach dieser unerwarteten Frage erhob sich der König von seinem Throne. Das tiefste Stillschweigen herrschte unter dem Volke. Alles schwebte in der gespanntesten Erwartung. Schah Nessir trat zum Blutgerüste und sprach zu Asmolan: "Jüngling, steig herab von einem Orte, wohin dich meine blinde Wuth führte, dein Muth hat mich überwunden, deine Tugend hat mich gedemüthigt. Sei mein Freund, mein Rathgeber, ich will mich nie mehr von dir trennen, bei dir, mit dir, in dir ist das Glück. Ich sehe nun, daß es in jener Seelengröße, in jener Charakterstärke besteht, welche mächtiger sind als alle Erdenmächte, und uns über jedes Geschick erheben, ohne uns die unerschütterliche Ruhe, welche die Tugend überall begleitet, zu rauben. Komm an meinen Hof, du sollst von nun an mein erster Wessir und deine Weisheit mein Schild seyn. Theile meine ganze Macht mit mir, und laß mich dafür dein Glück mit dir theilen."

„Ich nehme die Würde an, die du mir bietest,“ antwortete Asmolan. „Vielleicht werde ich im Glanze nicht unglücklicher seyn, als auf dem Blutgerüste. Wir wollen mitsammen an dem Glücke deiner Unterthanen, also auch an dem deinigen, arbeiten. O König, das Glück ist leicht zu finden, es ist überall. Wenn es auf einem Throne nicht ist, so ist das die Schuld desjenigen, welcher regiert.“

Asmolan's erste Sorge war nun, Abderab's Kerker zu öffnen, den er immer als seinen Freund behandelte, und welcher sich seines Zutrauens und seiner Achtung auch würdig machte. Obschon nun mit großer Macht begabt, änderte der Wessir doch nie seinen Charakter; er übte dieselben Gewohnheiten aus, und war in seiner Hoheit von denselben Freunden umgeben, die ihn im Unglücke nicht verlassen hatten. Eines Tages, als der weise Asmolan eben ein glänzendes Fest gab, bei welchem alles sich vereinigte, was die asiatische Pracht nur Seltenes und Kostbares bieten kann, trat einer seiner Freunde zu ihm, da er eben mit einem Blicke des höchsten Entzückens den goldenen Becher erhob, und fragte ihn lächelnd: „Nun Asmolan, bist du nun glücklich?“ — „Ja,“ antwortete der Wessir, „beinahe eben so glücklich, als einst im Gefängnisse.“

Die Kirche zum Glas Wasser.

Sage.

An einem brennenden Sommerabend des Jahres 1815 kam der alte Pfarrer von San Pietro, einem kleinen Dörfchen, einige Meilen von Sevilla, sehr ermüdet in sein ärmliches Haus zurück, wo ihn Sennora Margarita, seine würdige siebenzigjährige Haushälterin, erwartete. Obschon man bei den spanischen Priestern gewohnt ist, Ärmlichkeit und Elend zu sehen, so fiel doch die Nacktheit dieser Mauern, und der schlechte Zustand dieser Meubeln ganz besonders auf. Donna Margarita bereitete für ihren Herrn ein Olla-Potrida, in welchem sich ungeachtet des glänzenden Namens doch nur Überbleibsel des Mittagmahles befanden, welche durch die Kochkunst und eine darangegebene Sauce so viel als möglich verbessert waren. Der Pfarrer schlürfte den Geruch des Gerichtes in sich und sprach: „Ei, Margarita, das ist einmal ein Olla-Potrida, bei welchem einem das Wasser in den Mund läuft. Beim heiligen Pietro, Kamerad, du darfst dem Schicksale danken, das dich eben heute hieher geführt hat; denn nicht alle Tage hat es dein Wirth so gut.“

Bei dem Worte Kamerad erhob Margarita die Blicke und gewahrte einen Fremden, welchen der Pfarrer mit sich gebracht hatte. Ihre Züge veränderten sich plötzlich und nahmen einen Ausdruck von Unmuth und Widerwillen an. Der Blick, welchen sie auf den Unbekannten warf, brannte wie ein Blitzstrahl und prallte dann auf den Pfarrer zurück, welcher die Augen niederschlug und mit der Furchtsamkeit eines Kindes, welches die Verweise seines Vaters fürchtet, sprach: „Ah, pah! wenn für Zwei zu essen da ist, so ist auch für Drei genug. Und du wirst doch nicht wollen, meine gute Margarita, daß ich, ein Christ, meinen Bruder verhungern lassen soll, der schon zwei Tage nichts gegessen hat?"

„Bruder!" murmelte Margarita, „schöner Bruder das! ja ein Räuber," und mit diesen Worten ging sie aus der Stube.

Der Gast blieb während dieses unfreundlichen Gespräches unbeweglich an der Thürschwelle stehen. Es war ein Mann von hohem Wuchse, halb mit Lumpen bedeckt, dessen schwarze struppige Haare, funkelnde Augen, und der Karabiner, den er über die Schulter hängen hatte, wenig geeignet waren Mitleid zu erwecken und Vertrauen einzuflößen.

„Soll ich wieder gehen?" fragte er barsch.

„Nein," antwortete der Pfarrer, „wer unter mein niederes Dach eingeht, soll nicht unerquickt wieder hinausgehen. Legt Euern Karabiner ab, setzt Euch nieder und Gott segne es!"

„Meinen Karabiner," versetzte der Fremde, „laß ich nie von mir, er ist mein bester Freund, ich will ihn zwischen meinen Knien halten; denn, wenn auch Ihr, braver Mann, mich in Eurem Hause behalten wollt, so gibt e doch andere, die mich vielleicht wider meinen Willen daraus verjagen könnten, wenn ich nicht auf meiner Huth wäre. Auf Euer Wohlsein, mein edler Wirth!“

Der Pfarrer von San Pietro war ein Mann von gutem Appetit, allein er staunte, als er den Heißhunger des Fremden sah, welcher das **Olla-Potrida** mit einer außerordentlichen Gier verschlang und dabei von einem Brote von 10 Pfunden nichts übrig ließ. Während dem warf er unruhige Blicke um sich, er zitterte bei dem kleinsten Geräusche, und als der Wind etwas heftig eine Thüre zuschlug, sprang er auf und spannte seinen Karabiner, gleichsam als wollte er sein Leben theuer verkaufen. Bald aber überzeugt, daß keine Gefahr drohe, setzte er sich wieder zu Tische und fuhr fort zu essen.

„Jetzt,“ sprach er endlich mit noch vollem Munde, „bitte ich Euch, mein barmherziger Samaritan, Eurer Wohlthat die Krone aufzusetzen. Ich bin in der Hüfte verwundet, und seit 8 Tagen ist meine Wunde nicht verbunden. Gebt mir einige alte Lumpen, dann sollt Ihr von mir befreit werden.“

„Ich verstehe etwas von der Wundarzneikunst,“ erwiederte der Priester, „und will Euch selbst verbinden, kommt, Ihr sollt zufrieden seyn und nicht viel Schmerzen haben.“ Mit diesen Worten nahm er aus einem Schranke ein Kästchen mit einem vollständigen Verbandzeuge, und streifte die Ärmel auf, um das Werk der Barmherzigkeit zu beginnen. Die Wunde, von einer Kugel herrührend, war tief, und man sah wohl, daß es dem Manne übermenschliche Anstrengung kosten und große Schmerzen verursachen mußte, zu gehen.

„Ihr könnt heute nicht wieder fort," nahm der Pfarrer das Wort, „Ihr müßt die Nacht hier bleiben und Euch Kräfte sammeln, dadurch wird sich auch die Entzündung vermindern, und das wilde Fleisch absondern."

„Ich muß noch heute fort und zwar zur Stunde," antwortete der Fremde und mit einem tiefen Seufzer fügte er hinzu: „Es gibt Leute, die mich erwarten. Haben Sie den Verband vollendet? Gut! Jetzt fühl' ich mich erleichtert, und so frisch, als wenn ich gar nicht verwundet wäre. Geben Sie mir noch ein Brot, und nehmen Sie mit meinem Danke dies Goldstück. Leben Sie wohl." Der Pfarrer wies das Goldstück zurück. Der Fremde sprach trocken: „Wollen Sie es nicht? Gut, so verzeihen Sie und leben Sie wohl!" Er nahm das Brot, welches Margarita auf Befehl ihres Herrn, freilich etwas brummend, herbeigebracht hatte, und bald sah man die hohe Gestalt unter den dichten Bäumen, welche die Pfarrwohnung umgaben, verschwinden.

Eine Stunde nachher vernahm man ein lebhaftes Musketenfeuer und der Fremde erschien wieder in der Brust verwundet, blutend, am Pfarrgebäude. „Nehmt," sprach er mit matter Stimme, „nehmt dieses Gold — meine Kinder — meine Kinder — draußen im Hohlweg — gleich am kleinen Bache." — Er fiel ohnmächtig zu Boden. In diesem Augenblicke kamen spanische Soldaten herbei und banden den Fremden ohne Widerstand. Sie erlaubten hierauf dem Pfarrer einen Verband auf die breite Wunde des Unglücklichen zu legen, allein nicht achtend auf dessen Erklärungen, daß es mit Gefahr des Lebens verbunden sei, den schwer Verwundeten weiter zu bringen, legten sie ihn doch auf einen Karren und führten ihn mit sich fort, indem einer von ihnen grausam lächelnd zu dem Pfarrer die Worte sprach: „Ob er an seinen Wunden, oder durch den Strang stirbt, ist ja doch einerlei, wißt, ehrwürdiger Herr, das ist der berüchtigte Räuber José.

José dankte dem Pfarrer durch eine schwache Kopfbewegung, dann begehrte er ein Glas Wasser, und als der Pfarrer sich zu ihm hinneigte, um es ihm zu reichen, da er selbst nicht Kraft dazu besaß, lispelte er ihm mit sterbender Stimme zu: „Um Gotteswillen! draußen am Hohlweg!“ und der Pfarrer antwortete ihm durch ein Zeichen, daß er ihn verstanden.

Als der Zug sich entfernt hatte, ging der Pfarrer, ungeachtet der Bemerkungen Margarita's, daß es gefährlich sei, jetzt in der Nacht in den Wald zu gehen, muthig hinaus, lenkte seine Schritte zu dem Hohlwege und fand dort neben dem Leichnam einer Frau, welche eine Kugel getödtet hatte, einen Säugling und einen Knaben von vier Jahren, der seine Mutter am Arme zog, um sie zu erwecken, indem er glaubte, sie schlafe.

Man kann sich Margarita's Erstaunen denken, als sie den Pfarrer mit zwei Kindern zurückkehren sah. — „All' ihr Heiligen im Himmel!“ rief sie, „was wollt Ihr denn mit den beiden kleinen Wesen anfangen? wir haben selbst kaum zu leben, und Ihr bringt noch zwei Mäuler mehr? Ich werde also wohl von Thür zu Thüre betteln müssen für uns und sie? und wer sind diese Kinder? Sprößlinge eines Landstreichers, eines Räubers.“ — Der Säugling fing in diesem Augenblicke erbärmlich zu schreien an. — Margarita fuhr fort: „Und wie wollt Ihr den Säugling ernähren? Eine Amme können wir nicht bezahlen. Wir könnten ihn freilich auch bei Wasser emporbringen, aber wie viele schlaflose Nächte würde mich das kosten? O, mein Himmel, er scheint ja kaum einige Monate alt zu seyn. Glücklicher Weise hab' ich etwas Milch hier, ich will sie wärmen, damit das Kind doch seinen Durst löscht.“ Und trotz ihres Verdrusses nahm sie das Kind von den Armen des Pfarrers in die ihrigen, beschwichtigte es durch Schaukeln und Küsse, kniete sich mit ihm dann am Feuer nieder und setzte die Milch dazu.

Nachdem der kleinere Knabe gestillt und eingeschläfert war, kam die Reihe an den größeren. Margarita gab ihm zu essen, kleidete ihn aus, brachte auch ihn in ein schnell zubereitetes Bett, und deckte ihn mit dem Mantel des Pfarrers zu. Dieser erzählte ihr, wo und wie er die Kinder gefunden habe.

Das ist alles recht gut und schön“ sagte Margarita, „aber das Nöthigste ist zu wissen wie wir uns und sie ernähren werden.“ Der Pfarrer schlug sein Evangelium auf und las ihr folgende Stelle laut vor: „Wahrlich ich sage Euch, wer immer dem Mindesten meiner Schüler auch nur ein Glas kaltes Wasser reichen wird, dem soll es nicht unvergolten bleiben!“ — „Amen!“ antwortete Margarita.

Am andern Morgen ließ der Pfarrer den Leichnam der gefundenen Frau begraben und sprach die Todtengebete dabei.

Zwölf Jahre nachher sonnte sich der Pfarrer von San Pietro, der jetzt schon siebenzig Jahre alt war, im Freien vor seinem Hause. Es war Winter, und zum ersten Mal brachen heute die Sonnenstrahlen durch den kalten Nebel. An der Seite des Pfarrers las ihm ein Knabe von beiläufig zwölf Jahren sein Brevier vor und warf von Zeit zu Zeit einen neidischen Blick auf einen großen, kräftigen Jüngling von sechzehn Jahren, welcher in dem kleinen angrenzenden Pfarrgärtchen arbeitete. Margarita, welche blind geworden war, saß daneben und hörte zu.

In diesem Augenblicke ließ sich das Gerassel eines Wagens vernehmen und der Knabe schrie freudig: „Ach sieh! den schönen Wagen, den schönen Wagen!“

Wirklich kam ein prächtiges Fuhrwerk auf der Straße von Sevilla daher und hielt vor dem Pfarrhause. Ein reich gekleideter Diener näherte sich dem Pfarrer und ersuchte ihn um ein Glas Wasser für seinen Herrn.

„Carlos!“ sagte der Pfarrer zu dem jüngern Knaben, „hole ein Glas Wasser für den fremden Herrn, und bringe zugleich auch ein Glas Wein dazu, wenn er es annehmen will. Spute dich!“ Der fremde Herr ließ den Wagenschlag öffnen und stieg heraus, es war ein Mann bei fünfzig Jahren. „Sind diese Knaben Eure Neffen?“ fragte er den Pfarrer.

„Mehr als das, gnädiger Herr,“ antwortete der Pfarrer, „meine Kinder sind es, meine lieben Adoptivsöhne.“

„Wie das?“

Und der Pfarrer erzählte ihm die ganze Geschichte der

Kinder, und fragte ihn, was er aus den beiden Jungen machen solle, und wie er ihr Glück begründen könne.

„Brave Offiziere in der Garde des Königs sollt Ihr aus ihnen machen," antwortete der Fremde lächelnd, „und damit sie dann ihrem Stande gemäß leben können, so geben wir jedem einen jährlichen Unterhaltsbeitrag von tausend Dukaten."

„Ich habe um einen Rath gebeten, Sennor, und hoffte keinen Spott."

„Dann," fuhr der Fremde, ohne auf diese Worte zu achten, fort, „dann müßt Ihr Euch auch Eure Kirche neu und schöner aufbauen, und daneben einen recht bequemen neuen Pfarrhof. Ein eisernes Gitter soll alles umschließen. Seht, ich habe den Plan dazu schon in meiner Tasche. Seht ihn an, Herr Pfarrer, gefällt er Euch? — Und dem neuen Gotteshause, mein' ich, sollten wir den Namen geben: Kirche zum Glase Wasser."

„Was soll? — ach, mein Gott! — wäre — wenn ich nicht irre — diese Züge — diese Stimme — was soll das Alles bedeuten?

„Das soll bedeuten, mein lieber, ehrwürdiger Freund, daß José de Ribeira vor Euch steht, der vor zwölf Jahren noch der Räuber José genannt wurde. Ihr wart mein Wirth und Wohlthäter, und der Vater meiner Kinder. Ach kommt in meine Arme, meine Kinder, und umarmt Euern Vater." Er preßte die beiden Kinder in seine Arme, und als er sie zum öftern betrachtet, und mit Freudenthränen geküßt hatte, reichte er dem Pfarrer die Hand, fragend: „Nun Alter! nehmt Ihr die Kirche zum Glas Wasser nicht an?"

Und der Pfarrer wandte sich zu Margarita und sprach bewegt und andächtig: „Wahrlich ich sage Euch, wer immer dem Mindesten meiner Schüler auch nur ein Glas kaltes Wasser reichen wird, dem soll es nicht unvergolten bleiben.“ — „Amen,“ sagte die Alte weinend vor Freude über das Glück ihres Herrn und ihrer Pflegesöhne, aber bald darauf weinte sie bitter über den Abschied von den Letzteren.

Ein Jahr nachher wohnten Don José de Ribeira und seine Söhne der Einweihung der neuen Kirche von San Pietro „zum Glas Wasser,“ einer der schönsten Kirchen in der Umgegend von Sevilla, bei.

Die fixe Idee.

Eine einfache Malergeschichte.

Es sind jetzt vierunddreißig Jahre, ich war noch sehr jung hatte aber die Collegien verlassen, und glaubte damals noch an viele Dinge, oder besser gesagt, an viele Worte, z. B. an die Liebe. Ich faßte eine unwiderstehliche Neigung zu einer jungen Witwe mit runden Formen, und liebte sie — Himmel und Erde! liebte sie, wie man zum ersten Male liebt. Ich hatte ihr auf meinen Knien, stammelnd, meine Erklärung gemacht; ich hatte den Saum ihres Kleides geküßt; ich zitterte am ganzen Leibe, wenn sie ihr kleines Händchen in den meinigen ließ und glaubte vor Entzücken zu vergehen, als sie mir eines Tages eine ihrer Haarlocken gab. Ich wollte ein Gegengeschenk machen und beschloß daher, ihr mein Antlitz in Miniatur zu verehren. — Doch ich will ja hier nicht von mir reden, ich war damals ein alberner Thor, was ich ohne zu erröthen bekenne, denn wer könnte sich rühmen, es nicht gewesen zu seyn?

Was ich hier erzählen will, ist die einfache Geschichte eines jungen Malers, an welchen ich mich wandte, um mich auf Elfenbein zu übertragen. Er forderte dafür hundert Gulden, und als ich die Summe etwas zu hoch fand und ihn bat, mir einen annehmbaren Preis zu machen, antwortete er mir ganz barsch: „Nicht ein Kreuzer wird nachgelassen, hundert Gulden, oder nichts; wenn Sie diese Summe nicht bezahlen wollen, so muß ich schon bitten, sich an einen Andern zu wenden, denn ich feilsche nicht mit meinem Talente.“ — Ich bemerkte ihm, daß er mit solchen Grundsätzen, obschon sie nicht zu tadeln seien, sein Glück doch schwerlich machen würde. — „Glück!“ wiederholte er, und seine Lippen preßten sich zu einem verächtlichen Lächeln zusammen, „Glück und wahre Kunst wohnen nicht beisammen.“

Ich gab mir alle mögliche Mühe, ihm Vernunft zu predigen. Ich stellte ihm vor, daß seine Ideen um ein halbes Jahrhundert zurück seien, daß in unsern Zeiten das Talent nicht selten in einem Wagen fahre und in einem eleganten Quartiere wohne, Geld und Kostbarkeiten besitze; aber nichts konnte ihn von jener paradoxen Idee abbringen. Er ging in der Hitze des Gespräches sogar so weit, daß er behauptete, er würde sich entehrt fühlen, wenn er wo anders sterben würde, als im Hospital. Diese Überzeugung habe er gehabt, als er das erste Mal den Pinsel in die Hand genommen, und sie habe ihn seitdem nie verlassen.

Endlich versprach ich, die Summe zu geben. Ich saß ihm eine ganze Woche hindurch. Wir sprachen viel über Kunst, sein Enthusiasmus gefiel mir, ich kettete mich mit wahrer Freundschaft an ihn und wir sahen uns auch nachher öfters.

Eines Tages begegnete ich ihm, und fragte ihn wie die Geschäfte gingen. — „O, die Geschäfte gehen gut,“ antwortete er mir, „aber das kann nicht länger so dauern. Schöne Beschäftigung, herrliche Kunstübung, welche ich seit mehren Jahren treibe! Ich habe die letzte Kunstausstellung mit Porträts von Gewürzkrämern, Müllern und Bäckern angefüllt, und auch ihre Gemahlinnen mit Colliers, goldenen Ketten, Brüsselerspitzen u. dgl. Noch glücklich, wenn ich nicht eine ganze löbliche Fleischerfamilie in Einen Rahmen einschachteln mußte. Bei Gott! das ist nicht mehr auszuhalten, und ich wollte hundertmal lieber Wagenlackirer oder Schildpinsler seyn. Aber ich schwöre es, von heute an male ich kein Porträt mehr." — „Was wollen Sie denn malen?" — „Was weiß ich? Genrebilder, historische Bilder, alles, was mir in den Sinn kommt. Mit einem Worte, ich will künftig nur für mich arbeiten, für meinen Ruf, für die Ehre." — „Die Ehre, recht, aber sie gewährt magere Kost; ich meines Theils rathe ihnen, sich daneben doch auch an etwas Solides zu halten, und wär's auch der Kopf eines dicken Braumeisters."

Einige Zeit nachher fand ich meinen Mann wieder, er war auf dem besten Wege zu seinem Ziele zu gelangen. Er wohnte auf einer Bodenkammer, welche er sein Atelier nannte, und worin seine Staffelei, ein elendes Bett, ein Stuhl und einige Büsten das einzige Ameublement ausmachten. Er war aber sehr zufrieden, ja glücklich, und gab sich mit aller Liebe seiner Kunst hin. Er besaß keinen Kreuzer Geld und dennoch hab' ich ihn nie so stolz gesehen. — „Sehen Sie dieses Bild an," sagte er zu mir, indem er einen zerrissenen Lappen von seiner Staffelei wegzog, „betrachten Sie diesen Weiberkopf

— diese Augen — dieses Fleisch! — Das ist mein Werk, lieber Freund! In einem Jahre wird es fertig seyn, und in unserm Museum unter meinem Namen neben den Werken unserer ersten Künstler glänzen.“ — Ich bewunderte das Bild, denn wahrhaftig, es war kühn und mit außerordentlichem Genie auf die Leinwand hingeworfen. Allein dann wandte ich den Kopf zu meinem Freunde mit der gewöhnlichen Frage: „Und die Geschäfte?“ — „Geschäfte! Hm! ich bekümmere mich darum nicht mehr, ich weiß so wenig davon, daß ich in Verlegenheit wäre, Ihnen zu sagen, wie ich mir morgen ein Mittagsmahl verschaffen werde. Bei meinem Gastgeber, wo ich es gewöhnlich nehme, macht man mir schon eine verdrießliche Miene, und ich glaube, man wird mir nächster Tage verweigern, eine Schale zu füllen. Aber das thut nichts, ich gehe wo anders hin und sie verlieren meine Kundschaft. Geld bekommen sie keines, das ist gewiß, bis ich mein Bild vollendet und verkauft habe, dann werd' ich alle Welt richtig bezahlen. Bis dahin aber müssen sie warten, sollen ruhig seyn, ich bin's auch. — Wenn ich sage, ich bin ruhig, mein werther Freund, so ist das übrigens doch nicht so ganz wahr. Eine Sache beunruhiget mich recht sehr. Mein entsetzlicher Hauswirth droht mir, mich hinauszuwerfen und mir Alles wegzunehmen, wenn ich nicht darein willige, ihm sein Porträt zu malen. Stellen Sie sich vor, das ist das platteste, nichtssagendste Gesicht und die gemeinste Figur, die man sich nur denken kann, und Sie kennen meine Antipathie. Übrigens werde ich wohl in den sauern Apfel beißen müssen, denn mein großes Bild will —

muß ich hier vollenden, wo ich es angefangen habe, und der Kerl wäre vielleicht auch noch im Stande, dieses zu behalten.“

Ich redete ihm zu, das Porträt ja zu malen, um wenigstens von dieser Seite sicher zu seyn, und empfahl mich dann mit den Worten: „Freund! wenn Sie nicht klüger sind, nur Alles für die Kunst und gar nichts für den Magen thun, so werde ich Ihnen doch bald einen Besuch in Ihrem sogenannten Tempel des Ruhmes, nämlich im Hospitale, machen müssen.“ — Fröhlich entließ er mich mit den Worten: „Dort wie überall, werden Sie mir stets herzlich willkommen seyn.“

Während einiger Zeit hatten mich verschiedene Geschäfte gänzlich in Anspruch genommen, und ich hatte meinen Monomanen schon fast vergessen, als ich eines Abends zu Hause ein kleines rosenfarbenes wohlparfümirtes Billetchen fand. Ich glaubte nicht anders, als dieß zierlich gefaltete Ding käme von einer Frauenzimmerhand, und erstaunte daher, als ich hierin eine Einladung zum Mittagmahl, mit „Karl Rinde“ unterzeichnet fand. Ich dachte im ersten Augenblicke, mein Maler werde sein großes Bild vollendet und verkauft haben, und nun aus allen Kräften trachten, sich des schnöden Mammons wieder zu entledigen, der das Genie tödtet. — Allein! es war noch besser gekommen. Ein Vetter, einer von jenen so abgenutzten Vettern, daß unsere Dichter in ihren Lustspielen sie nicht einmal mehr vorzubringen wagen, und die sie daher durch eine Quartterne im Lotto ersetzen, ein wahrer, ächter ostindischer Vetter von der besten

Race, war gestorben, und hatte unserm junger Künstler eine runde Summe von 100,000 fl. zurückgelassen.

Für einen Menschen, der so sehr daran hing, arm zu leben und arm zu sterben, war das wirklich ein Unglück. Glücklicherweise gab es aber Mittel dagegen, und Karl arbeitete mit bewunderungswürdigem Eifer, es sobald als möglich mit der Wurzel auszurotten.

Ich traf ihn mit zehn bis zwölf jungen Leuten, Dichtern, Musikern, Malern, gar guten Kindern, lustig und zuvorkommend, aber etwas leicht und leichtsinnig, beisammen. — „Stellen Sie sich vor,“ sagte er zu mir, „seit mir das fatale Geld zugekommen ist, habe ich auch nicht einen Pinselstrich gemacht. Wenn es immer dauern würde, mein großes Bild bliebe unvollendet und ich unbekannt.“ — „Mein Freund,“ antwortete ich, „wir waren, was diesen Gegenstand betrifft, immer verschiedener Meinung, und ich habe schon lange darauf Verzicht geleistet, Ihnen Vernunft predigen zu wollen, übrigens wäre wohl hier auch nicht der Ort dazu.“ — „Nein, wahrhaftig nicht, sprach einer der Gäste, „die Vernunft hat bei uns nichts zu thun,“ und er läutete stark, ein Aufwärter erschien. — „Das Mahl, das Mahl!“ schrien Alle zugleich. — „Sogleich sollen Sie bedient werden, meine Herren, aber ich weiß noch nicht, welche Weine Sie wünschen.“ — „Nur eine Sorte,“ rief der Gastgeber: „Champagner und Selterwasser dazu.“ — „Das soll ja, wie mir scheint, ein wahres Saufgelage werden?“ — „Allerdings,“ erwiederte ein junger Schriftsteller, „eine wahre Orgie, dadurch wird die Einbildungskraft entflammt, und die poetische Ader zum Flusse gebracht; meine bewunderungswerthesten Stellen hab' ich immer geschrieben, wenn ich von einem solchen Gelage nach Hause kam."

Ich blieb nur kurze Zeit, sah aber, daß die Herren sich tüchtig an die Arbeit machten, um ihre Einbildungskraft zu entflammen; aber wenn ihr Genie in dem Maße hervortrat, als ihre Vernunft sich verminderte, so müssen das sublime Sachen seyn, die sie schrieben.

Am folgenden Tage besuchte ich Karln. Ich wollte ihm beweisen, daß der Künstler, wenn er seines Mittagsmahles sicher ist, viel mehr und viel besser arbeite, weil sein Geist ruhiger ist; aber da kam ich schön an. — "Ruhig," versetzte er, "ruhig, wenn ich weiß, daß mein Pult von Thalern voll ist? Ach, mein Freund! wie kann man da ruhig seyn?" — Was konnte ich darauf antworten? Nichts! — Das that ich auch, und ging, indem ich meinen Mann von nun an für vollkommen unheilbar ansah, und beschloß, ihn seinem Schicksale zu überlassen.

Einen Augenblick übrigens schöpfte ich doch wieder Hoffnung; ich glaubte nämlich, die Liebe werde das zu Stande bringen, was mir durch alle Beredsamkeit und Beharrlichkeit nicht gelang. Karl sah zufällig im Theater ein junges, sehr schönes Mädchen. Es war einer jener herrlichen, reinen Raphael'schen Köpfe, den er gerne porträtirt, oder zum Modell eines seiner Bilder genommen haben würde. Der Vater, ein honetter Partikulier, war das, was die Künstler einen Liebhaber nennen, das heißt, ein mehr oder minder gebildeter Freund der Kunst. Mein junger Freund fing im

Theater ein Gespräch mit ihm an und Beide erhitzten sich in Darlegung ihrer Meinungen über die Malerei, und als der Vorhang fiel, waren sie die besten Freunde. Kockerling (dieß war der eben nicht sehr künstlerische Namen des Liebhabers) lud Karln ein, ihn zu besuchen und seine kleine Sammlung von Gemälden zu besehen, in welcher sich doch einige verdienstvolle Originale befänden. Die Einladung ward mit Vergnügen angenommen.

Schon am dritten Tage begab sich Karl, nachdem er zu Hause Schnur- und Knebelbart gehörig aufgestutzt und gewichst hatte, in Kockerling's Haus. Dieser empfing ihn mit herzlicher Freundlichkeit und zeigte ihm sein kleines Museum, indem er ihm lang und breit die Geschichte jedes Bildes erzählte und die frühern Besitzer desselben nannte. Karl fragte ihn, ob er selbst male. — „Nein," antwortete Kockerling, „ich war früher Handelsmann, habe mir klüglich meine Schäfchen ins Trockene gebracht, und mich dann erst der Kunst hingegeben. Jetzt bin ich schon zu alt, um Nasen und Augen zu zeichnen, aber meine Tochter zeichnet nicht übel, ja sie fängt auch sogar schon an in Öhl zu malen, sie macht allerliebste kleine Genrebilder; wenn Sie ihre Arbeit sehen wollen, wird es ihr ein Vergnügen, und die Andeutungen eines so ausgezeichneten Künstlers werden ihr sehr kostbar seyn." — Man ging in Elisens Zimmer, welche erröthete, etwas von unbedeutenden Pinseleien stotterte, mit den kleinen Händchen ihre errötheten Wangen bedeckte und den Vater naiv ausschalt, daß er solch ein Wesen von ihren Arbeiten gemacht habe; endlich holte sie aber doch ihr

Portefeuille herbei und zeigte Verschiedenes. Alles wurde belobt und bewundert, zwar nicht ganz ohne Anmerkungen, aber doch so, daß sich Elisens Eigenliebe sehr geschmeichelt fühlte. Endlich trennte man sich, gleich bezaubert von einander. Karl versprach wiederzukommen, und Elisen mit seinem Rathe beizustehen. Er hielt auch Wort. Aber je öfter er kam, desto mehr lernte er Elisens Einfachheit und Liebenswürdigkeit kennen, und desto mehr wuchs seine Liebe zu ihr. Ich hörte das Alles mit Vergnügen, und hoffte davon eine gute Wendung seines Schicksals.

Eines Morgens trat er in mein Zimmer, ich lag noch zu Bette, er ging einige Male schweigend auf und nieder, blieb dann plötzlich vor meinem Bette stehen, und fragte mich heftig: „Was würden Sie an meiner Stelle thun, Freund?“ — „Bevor ich antworte,“ fragte ich lächelnd, „muß ich erst wissen, auf welcher Stelle Sie stehen?“ — „Keinen Scherz,“ erwiederte er, „ich könnte ihn jetzt leicht übel aufnehmen.“ — „Ich will nicht scherzen, im Gegentheil, ich bin bereit, Ihnen recht ernsthaft und freundschaftlich zu antworten, sagen Sie mir nur erst, worum es sich handelt.“ — „So hören Sie. Sie kennen Elisen, Sie wissen, wie sehr ich sie liebe, so daß ich sogar im Stande wäre, eine Thorheit um ihretwillen zu begehen.“ — „Nun also?“ — „Also was würden Sie an meiner Stelle thun?“ — „Werden Sie von dem Mädchen geliebt?“ — „Ich hoffe es, ich glaube es, ich weiß es gewiß.“ — „Nun dann würde ich an Ihrer Stelle sie vom Vater begehren und heirathen.“ — „Heirathen, heirathen! schöner Rath, bei meiner armen Seele! Als wenn es etwas

Entsetzlicheres auf der Welt gäbe, als heirathen?“ — „Wie, wenn aber das Mädchen, wie Sie mir selbst oft gesagt haben, die Unschuld, die Tugend, die Liebenswürdigkeit selbst ist?“ — „Das ist sie auch, und eben darum habe ich guten Rath so nöthig. Alle diese herrlichen Eigenschaften auf der einen Seite, und meine Abneigung gegen die Ehe auf der andern. Ich wäre in einer schönen Lage mit Weib und Kindern! Wenn ich Geld hätte, das mich genirt, das mir zur Last ist, und von dem ich mich daher zu befreien suchen wollte, so würde ich das nicht thun können, nicht thun dürfen, meiner Familie wegen. Und wenn ich kein Geld hätte, und so recht frei, recht glücklich eine Lieblingsidee ausführen wollte, so würde ich das wieder nicht thun können, sondern um das liebe Brot Müller und Bäcker abkonterfeien müssen. Nein, nein, ich heirathe nicht, ich will mich und meine Kunst nicht zu Sklaven machen, will diejenige nicht mit mir unglücklich machen, deren Schicksal ich an das meinige kette.“ — „Nun gut, mein Lieber, so heirathen Sie nicht.“ — „Wenn aber ohne sie kein Glück für mich auf Erden ist?“ — „Sie reden ins Blaue hinein, lieber Freund, und auf diese Art kommen wir in einem Jahre zu keinem Entschluß. Sie haben nur unter drei Maßregeln zu wählen: heirathen, vergessen, oder sich eine Kugel durch's Gehirn jagen.“ — Er faßte mich bei der Hand und sprach: „Sie haben Recht, das ist doch ein vernünftiger Rath, ich danke Ihnen.“

Erschreckt durch den festen, entschlossenen Ton, womit er die Worte aussprach, bereute ich schon, mit einem halb Wahnsinnigen also gesprochen zu haben, und ich fragte ihn mit Unruhe, was er denn zu thun Willens sey? „Nichts anders, als was Sie mir gerathen haben; heirathen will ich nicht. vergessen kann ich nicht; es bleibt also nur das Dritte übrig, ich will mir ein Paar Pistolen kaufen.“

Ich wußte wohl, Karl sei der Mann, diesen entsetzlichen Entschluß auszuführen, ich blieb also den ganzen Tag über bei ihm, suchte seine Liebe zur Kunst wieder rege zu machen, stellte ihm vor, daß dann sein großes, herrliches Bild unvollendet bleiben und sein Name mit ihm zu Grabe gehen würde. Er gab endlich nach und entschied sich dahin, eine Reise nach der Schweiz und Italien zu machen, um Elisens Bild aus seiner Seele, und den Rest der Erbschaft an den Mann zu bringen; wenn dieß geschehen sei, wolle er wieder zurückkehren und arbeiten.

Am folgenden Morgen schon reiste er ab. Er war 18 Monate abwesend, während welcher Zeit er keinem Menschen schrieb. Eines Tages, als ich ihn eben am wenigsten vermuthete, kam er zurück. Er war von seiner Liebe zu Elisen vollkommen geheilt, lustig und guter Dinge; denn auch seine Börse war sehr leicht geworden. Er sagte mir, daß er seine alte Wohnung unter dem Dache wieder beziehen und nun mit Eifer an seinem großen Bilde arbeiten wolle. Wirklich glänzte dieses Werk in der Kunstausstellung des nächstfolgenden Jahres, wo es allgemeinen Enthusiasmus erregte, und von einem Liebhaber um einen bedeutenden Preis gekauft wurde. Dieses Geld reichte hin, um die Schulden zu bezahlen, die der Künstler seit seiner Rückkehr aus Italien gemacht hatte, dann fing Karl ein neues Bild zu maler und neue Schulden zu machen an. Ich war damals gezwungen, eine Reise zu machen. Während meiner Abwesenheit brach die Cholera aus, und der arme Karl Rind war eines ihrer ersten Opfer. Einige mitleidige Nachbarn brachten ihn in das Hospital, wo er binnen 24 Stunden seinen Geist aufgab, vermuthlich mit dem süßen Bewußtsein, sein Geschick erfüllt zu haben.

Laura, oder die aufgeregte Phantasie.

Skizze.

Ich trat in den Salon der Lady Karolina B** und hörte eben, wie ihre Tochter mit sanfter Stimme die letzte Strophe eines englischen Gedichtes las, welche in getreuer Übersetzung so lautete:

„Ach Laura, schenk' für meiner Seele Frieden
  Nur Einen Blick mir, einen einz'gen Blick.
Ein einzig Thränlein, das sich losgeschieben
  Von deiner Wimper, wär' mein höchstes Glück;
Und könnt' ich mir von dir ein Wort erwerben,
Ein Wort, ein kurzes Wort, dann möcht' ich sterben!"

Nach Vorlesung dieser Verse herrschte ein kurzes Stillschweigen, während dem die Vorleserin, Miß Klara, sich die schönen blauen Augen trocknete. Hierauf brach die allgemeine Kritik los. Die Majorität erklärte die Verse für schlecht, den Dichter für ein Ungeheuer und seine Laura für, — doch das mag ich gar nicht sagen.

Ich bat um Erklärung jenes Gegenstandes, über den sich die Gesellschaft so sehr ereiferte, und erfuhr, das Gedicht sey von einem Engländer, Lord Belmore, einer empörenden Kopie Lord Byron's, der sich seit 3 Jahren in Florenz aufhalte, und hier zum Ärgerniß der ganzen Stadt ein Frauenzimmer in seiner Villa eingeschlossen halte, das noch kein Menschenauge gesehen habe, und welches nur durch seine Gedichte unter dem Namen Laura bekannt sei.

„Aber Mama!“ fiel Miß Klara ein.

„Schweig!“ schrie Lady Karoline. „Und wär' er noch ein hundertmal größerer Dichter, er wäre nichts desto weniger ein Ungeheuer.“ Alle Übrigen in der Gesellschaft waren derselben Meinung. Die Einen sagten, Lord Belmore habe Laura aus einem orientalischen Serail entführt, als er noch unter den Seeräubern war, und diese sei ein entehrtes Opfer seiner Leidenschaft. Eine alte Frau behauptete steif und fest, Laura sei des Lords eigene Tochter. — „Nicht doch,“ sagte Kapitän Whistlewood mit grinsendem Lächeln, „es ist eine Theaterperson aus Paris, auf welche er eifersüchtig ist, wie ein Löwe.“

Einige Tage nachher verließ ich Florenz, um mich nach Rom zu begeben.

Unter den Fremden, mit welchen ich in Rom Bekanntschaft machte, war auch ein junger Engländer, Namens Georges Denham. Wir wurden bald innige Freunde, und doch waren unsere Charaktere sehr kontrastirend. Georges war so ernst als ich fröhlich, so kalt als ich leidenschaftlich. Er vernünftelte über alle Eindrücke, denen ich mich aus Gefühl hingab. Seine religiösen, politischen und moralischen Ideen waren eben so geordnet, als die meinigen herumschweifend und unbedingt. — Ich liebte ihn ungeachtet seiner Sucht, mir Moral zu predigen.

Im Frühjahr kam ich nach Florenz zurück. Ich war seit einem Monate daselbst, als man mir eines Morgens Lord Belmore anmeldete. Ich freute mich, den Mann kennen zu lernen, und erinnerte mich sogleich der Gesellschaften Lady Karolinens und der Verse an Laura. Aber wie groß war mein Erstaunen, als die Thüre sich öffnete und mein Freund Georges Denham mit seinem ruhigen Gesichte hereintrat. — Er war gezwungen, der Erste zu sprechen; denn mit offenem Munde starrte ich ihn an.

„Was hast du denn?“ fragte er mich.

„Was soll dieser Name, Lord Belmore?“ war meine Gegenfrage.

„Ei, das setzt dich so in Verwunderung, und ist doch die einfachste Sache der Welt. Henry Belmore war mein älterer Bruder. Er starb, und nun siehst du in mir den Erben seines Vermögens und seiner Titel.“ —

„Oh!“ —

„Nun, was hat denn da deine verschrobene Einbildungskraft dahinter zu suchen?“

Ich war über diese Lehre gleich beim Eintritte etwas verlegen, umarmte ihn aber nichts desto weniger recht herzlich. Er war eben in Angelegenheiten dieser Erbschaft nach Florenz gekommen. Alles, was ich von seinem Bruder sprechen gehört hatte, kam mir nun wieder in den Sinn, ich that Fragen auf Fragen an ihn; Georges antwortete mit sichtbarer Zurückhaltung.

„Aber Laura, Laura,“ rief ich, „die schöne Laura, was ist aus ihr geworden?“

„Du bist sehr neugierig. Laura ist noch immer auf der Villa bella, jenem Landsitze, welchen mein Bruder gebaut hat, und welcher nun auch mir zugehört.“

„Und du hast also Laura gesehen? kennst sie?“

„Allerdings. Aber ich muß dich jetzt verlassen,“ sagte er, indem er auf seine Uhr gesehen hatte; „denn ich habe diesen Vormittag noch viele Geschäfte. Willst du morgen mit mir nach Villa bella fahren?“

Ich nahm es, wie natürlich, auf der Stelle an; denn mein sehnlichstes Verlangen war dadurch erfüllt.

„Wohlan, so bereite dich morgen um 11 Uhr. Wir brauchen 3 Stunden nach Villa bella und können also zum Mittagsmahle dort seyn. Adieu!“

Kaum war Georges fort, als ich meinem Bedienten schellte und ihn zu meinem Schneider sandte mit dem Auftrag, er müsse mir heute noch den Jagdrock senden, den ich schon durch 8 Tage erwartete. Der Abend verfloß mir in süßen Träumereien, ich sang alle meine besten Lieder durch, ich deklamirte zehnmal meine Übersetzung von Belmore's Gedichten und las noch alle Sonnette von Petrarca.

Begreift Ihr die Marter einer Feuerseele, wenn man im langsamen Schritte 3 Meilen weit nach einem geheimnißvollen Schlosse fahren muß? O verdammte florentinische Postpferde!

Ich wußte nicht mehr, was ich thun sollte, um meine Ungeduld zu verbergen; Georges hingegen war schauderhaft ruhig, er machte Bemerkungen über die Cultur der Oliven, und über die landwirthschaftliche Verbesserung des

Bodens. Ich hörte, wie Ihr wohl denken könnt, nur halb zu. Er setzte seine Beobachtungen mit unerschütterlicher Kaltblütigkeit fort. Kein Acker, keine Wiese, kein Zaun, keine Kohlstaude entging ihm. Von jedem Andern, als von dem guten Georges, hätte ich geglaubt, er thue es mir zum Possen.

Endlich gelang es mir doch durch alle mögliche Feinheit, das Gespräch auf seinen Bruder zu lenken. „Ah, mein Bruder,“ sagte er, „seine Lebensgeschichte ist in wenigen Worten gesagt. Henry war mit 5 Jahren ein verzärteltes Kind, mit 15 Jahren war er der schlechteste Schüler in der ganzen Schule, mit 25 war seine Gesundheit dahin, mit 30 starb er als ein Wahnsinniger auf der **Villa bella**. Armer Henry!“

„Ein Wahnsinniger aus Liebe zu Laura? fragte ich.

„Ja, zu Laura,“ antwortete Georges, dann nahm sein Gesicht den Ausdruck tiefer Traurigkeit an, und er senkte den Kopf. Ich selbst kam nicht von meinen träumerischen Betrachtungen zurück, bis ich in den herrlichen Park der **Villa bella** einfuhr.

Man hatte in dieser himmlischen Einsamkeit allen englischen Luxus mit allen Lieblichkeiten des italienischen Clima vereinigt. Das Landhaus selbst schien mir bewohnt; mehre Diener, schwarz gekleidet, empfingen uns ehrfurchtsvoll an der Stiege, ich machte in dem mir angewiesenen Gemache gewählte Toilette für das Mittagsmahl, und als die Glocke schallte, führte man mich in einen Salon, in welchem Georges saß und las.

Er sah mich vom Kopf bis zu den Füßen lächelnd an. „Komm' zu Tische," sprach er, und nahm mich unter dem Arm, „ein Dichter, der sein Halstuch so zierlich zu schlingen weiß, wie du, ist fast auch ein Mensch, und mag nach einer dreistündigen Fahrt wohl auch einen prosaischen Hunger verspüren, wie wir andern gemeinen Menschen."

Ich bemerkte auf einem gedeckten Tische nur zwei Couverts einander gegenüber, und wagte es nicht, meine gescheiterte Hoffnung merken zu lassen, nur einige flüchtige Blicke warf ich auf die Thüre. Der Name Laura ward gar nicht genannt; denn Georges hatte auch ein gewisses Lächeln in Gewohnheit, welches zwar nichts Beleidigendes hatte, aber mir doch sehr unangenehm war. Es war das Lächeln eines vernünftigen Mannes über einen Narren und über einen Dummkopf, ein Lächeln, halb mitleidig, halb boshaft, welches immer zu sagen schien: „Du bist ein sehr liebenswürdiger Junge, aber du bist nicht recht gescheidt."

„Allons! mein lieber Poet," sagte er endlich zu mir, als uns die Bedienten allein gelassen hatten und er mir die Bouteille mit Claret zuschob, „gestehe, daß du sehr ungeduldig bist, die schöne Laura zu sehen. Tröste dich, du sollst sie sehen, ich verspreche es dir. Ihre Geschichte ist sehr seltsam, aber sie wäre zu lang, um sie dir zu erzählen. Was Laura's Schönheit betrifft, so kann ich dich versichern, sie ist über Alles, was deine Einbildungskraft sich nur zu schaffen vermag, erhaben; allein ein prosaischer Mensch, wie ich, könnte sie nicht würdig beschreiben, daher lasse ich das einem geschickteren Künstler über. Hier ist ein Portefeuille, in welchem sich Briefe und Gedichte meines verstorbenen Bruders befinden. Alles das ist zwar etwas konfus, unzusammenhängend, wahrhaft poetisch; aber ein Mann von deinem Geist und deiner Einbildungskraft erräth, was man auch nicht sagt, und diese zerstreuten Blätter werden hoffentlich genügen, dir eine vollkommene Idee von Laura's Reizen und Vollkommenheiten zu geben. — Jetzt gute Nacht, es ist schon spät.« — Und aufstehend sprach Georges zu einem alten Diener: »Edward! wenn du den Herrn auf sein Zimmer begleitet hast, du verstehst mich Edward, auf sein Zimmer, so kannst du die Lichter im großen Salon auslöschen, wenn man etwa nicht dort musizirt.«

Es scheint, man habe im grosien Saale nicht musizirt, denn ich hörte nichts, obschon ich noch eine ganze Stunde mich über den Balkon meines Zimmers herauslehnend aufmerksam horchte. Ich war sehr übel gelaunt. Georges war mir unerklärlich. Endlich nach langem Nachdenken faßte ich aus allem den Schluß, daß auch er Lauren leidenschaftlich liebe und mich daher von ihr entfernt zu halten suche. Er hatte mich vielleicht nur in einer flüchtigen freundschaftlichen Aufwallung mit nach Villa bella genommen, und es schon bereut; nun sucht er den Folgen vorzubeugen. Armer Georges!

Ich fand in dem Portefeuille Briefe, Gedichte, prosaische Fragmente, alle an Laura gerichtet. In meiner ersten Ungeduld hatte ich wenig Aufmerksamkeit für das Talent des Dichters. Laura's Geschichte interessirte mich zu lebhaft. Ich ordnete endlich das Ganze folgender Gestalt:

Die ersten Fragmente des Lords Henry, welche sich auf frühere Jahre bezogen, öffneten mir alle schrecklichen

Tiefen einer Dichterseele. Es war ein mächtiger Geist, durch sich selbst verzehrt, durch Überdruß niedergedrückt, durch Zweifel zerrissen, wahnsinniger Wünsche und Hoffnungen voll, manchmal sehr gemüthlich und gefühlvoll, aber immer schmerzlich. Diese Fragmente umfaßten ein ganzes Leben voll der heftigsten Leidenschaften. Dann kamen Ausbrüche einer langen Entmuthigung, einer tiefen und stummen Betrübniß. Das ideale Geschöpf, geträumt, gesucht, ersehnt, war nicht zu verwirklichen. Wo sollte sie in dieser entnervten mangelvollen Erde gefunden werden? Nicht Erde, nicht Himmel konnten ihm diesen Engel geben, er selbst, der Dichter mußte sich ihn erst erschaffen, ihm Leben und Seele einhauchen.

Ich bilde mir auch ein, ein Poet zu seyn, allein Alles das machte mich irre, ich konnte keinen klaren Gedanken fassen. Nirgend fand ich etwas über Laura's Geburtsort, Familie und Alter. Ich gewahrte in ihr nur ein junges Mädchen von bezaubernder Schönheit, auf welches der Dichter allein ein Recht hatte. Man konnte deutlich erkennen, daß er sie entfernt von der Welt gebildet, und sie mit allen Reizen und Tugenden seiner Einbildungskraft begabt habe. Aber plötzlich fällt er in fürchterliche Verzweiflung. Dieses sein Geschöpf, welches er nach den Töchtern des Himmels geschaffen, dieses Kind, welches er mitten unter den Blumen der Unschuld, hinter dem Vorhange, der alle menschlichen Fehler bedeckt, gebildet hatte, diese Jungfrau ist zu rein für den entarteten Menschen, er hat einen Engel geschaffen, der nicht in des Dichters Hölle eingehen kann. Der Unglückliche wagt nicht, seine Augen zu der Göttlichen zu erheben, er seufzt, er weint, er kann, er darf sie nicht lieben. Ein Abgrund gähnt zwischen ihm und ihr.

Mehre herzzerreißende Briefe, an Laura gerichtet, bewegten mich bis zu Thränen. Ich brachte eine fürchterliche Nacht zu: ich fühlte, daß ich das herrliche Geschöpf selbst liebe, unendlich liebe. — Ich fand mit einem Male den Traum meines ganzen Lebens verwirklicht, Lord Henry todt! Wir beide waren nur für einander geschaffen. Ich machte diese Betrachtungen vor einem Spiegel, als Georges in Reisekleidern in mein Zimmer trat.

„Verzeih', lieber Arthur," sprach er, „ein wichtiges Geschäft mit meinen Gebirgspächtern zwingt mich, dich hier zwei oder drei Tage allein zu lassen, du bist deßwegen doch nicht böse auf mich?"

Ich wäre ihm gerne um den Hals gefallen, und antwortete ihm: Thue dir meinetwegen ja keinen Zwang an, lieber Bruder, ich bin sehr wohl hier."

„Aber," versetzte er sehr ernsthaft, „gib mir dein Ehrenwort, daß du in meiner Abwesenheit den großen Salon nicht betreten und auch keine Nachforschungen bei den Leuten des Hauses anstellen willst."

Obschon mir das Begehren sonderbar vorkam, so versprach ich doch lächelnd, was er wünschte. Armer Georges, er war wirklich lächerlich mit seiner klugen Vorsicht und mit seiner Eifersucht!

Um 10 Uhr frühstückte ich ganz allein in dem kleinen Salon; dann nahm ich ein Buch, und ging damit im Parke spazieren. Unmöglich war es, auch nur einen Blick in den großen Salon zu thun. Vor allen Fenstern waren Vorhänge, vergoldete Käfige und so viele Blumentöpfe, daß sie eine undurchdringliche Mauer bildeten. Ich ging zwanzigmal aus dem Hause und wieder zurück, ich war nirgend ruhig. Mit ihr, mit Laura, unter einem Dache seyn, mit ihr allein und sie nicht sehen — das war eine wahre Marter.

Endlich kam mir ein glücklicher Gedanke. Es war sehr heiß; dennoch lief ich in's nahe Dorf. Die erste Bäuerin, die mir begegnete, fing an zu weinen, als ich ihr den Namen Belmore nannte, und als ich Laura nannte, fiel sie gar dankend und des Himmels Segen erflehend, auf beide Knie. Unter diesem angebeteten Namen war seit drei Jahren alles Gute dem armen Dörfchen zugewandt. — Ich war außer mir.

Der alte Edward servirte mir ehrfurchtsvoll das Mittagsmahl, er war ein alter Seemann, der alle Seereisen Lord Henry's mitgemacht hatte. Ich bemerkte, wie sein graues stechendes Auge mich überall verfolgte. Verdrüßlich über diese Bewachung, suchte ich früh mein Zimmer, und saß wohl zwei Stunden auf dem Balkon.

Endlich, in der Kühle des Abends, öffnete sich eine Thüre des großen Salons, aber ich konnte nichts darin sehen, als zwei alabasterne Lampen. O Überraschung, o Glück! ein Präludium auf der Guitarre ertönte. Sie wird singen, sie, meine Laura! Ich hörte wirklich von einer sanften schmelzenden Stimme eine französische Romanze singen, die Thränen aus meinen Augen lockte. Dann erschallte plötzlich, als ob die Spielerin den Trübsinn mit Gewalt verscheuchen wollte, ein lebhafter anmuthiger Bolero. Die Thüre schloß sich, die Lampen erloschen, und Alles war verschwunden. — Meine Exaltation streifte an Wahnsinn. Ich verlebte noch eine aufgeregtere Nacht als die vorige. Bei dem mindesten Geräusche eilte ich auf den Balkon. Ich machte Verse, heiße, zärtliche, leidenschaftliche Gedichte. Am folgenden Morgen sah ich aus wie ein Gespenst.

Als ich schon sehr frühe durch den Gang ging, in welchem die Thüre zum Salon sich befindet, sah ich daraus eine junge Frauensperson treten, welche eine Guitarre und einen schwarzen Schleier trug, sie lächelte mir mit sichtbarer Bosheit zu. Da die Thüre offen stand, so wollt' ich eben einen flüchtigen Blick in das Innere werfen, als der alte Edward plötzlich an der Schwelle erschien, sich tief vor mir verbeugte, aber die Thüre schnell schloß. — Der ganze Tag war für mich voll marternder Ungeduld. Mein Kopf war durch die durchwachten Nächte erhitzt. Es war mir nicht mehr zweifelhaft: die schöne Laura war ein Opfer der beiden Engländer. Sie hatte Lord Henry's Liebe zurückgewiesen, jetzt seufzte sie unter Georges Tirannei, und seufzte nach einem Befreier. Sie hatte mich vermuthlich auf dem Bolkon und im Parke gesehen, die Theilnahme, welche sie mir einflößte, konnte ihr nicht entgangen seyn. Die traurige Romanze drückte ihre Leiden aus, und der fröhliche Bolero die Hoffnung auf Freiheit. Ja, so ist es. Ich beschloß, ihr zu schreiben. — Ich lief alsogleich auf mein Zimmer, schrieb, und zerriß zehn Briefe. Endlich ließ ich meiner beredten Leidenschaft ganz freien Lauf. Dann lief ich in den Garten, pflückte Blumen, wand einen Strauß, und verbarg darin halb einen Brief. Ein Fenster des Salons stand offen; da hinein warf ich den Boten meiner Liebe. Dann ging ich wieder auf mein Zimmer, und zufrieden mit dem, was ich gethan, schlief ich ruhiger ein.

Süße Träume umgaukelten mich halb träumend, halb wachend. Ich hoffte, Laura werde Mittel finden, mir zu antworten. Am andern Morgen begab ich mich schon früh in den Garten. Als ich wieder zurückging, blieb ich vor der Thüre des Salons stehen, als sich diese plötzlich öffnete, und Georges, ganz schwarz gekleidet, meinen Brief in der Hand haltend, mir aus derselben entgegen trat. Ich wurde blutroth im Gesichte, nicht aus Beschämung, nein aus Zorn; denn sein Lächeln schien mir diesmal satanisch.

„Mylord! das ist zu viel!“ schrie ich außer mir. „Die Rolle, welche Sie mich hier spielen lassen, ist zu lächerlich. Wer hat Ihnen diesen Brief gegeben? vermuthlich haben Sie ihn der Unglücklichen mit Gewalt entrissen? Sie haben das Haus vielleicht gar nicht verlassen, mich beobachtet, ausspionirt, genarrt, das fordert Genugthuung, welche Sie mir geben werden, geben müssen.“

„Recht gern, mein aufbrausender Herr!“ antwortete Georges. — „Edward,“ fuhr er, zum alten Diener gewendet, fort, „bringe meine Pistolen;“ und hiezu fügte er noch halbleise einige Worte in englischer Sprache. Wir begaben uns in das kleine Wäldchen.

„Aber,“ sagte Georges, ruhig neben mir herschreitend, „sehen Sie doch einmal Ihren Brief an, er ist noch versiegelt. Sie haben sich mit Ihrer Ausforderung wahrlich zu sehr beeilt, denn eben wollte ich Ihnen diesen Brief zu=

rückgeben, und Ihnen sagen, daß das Frühstück in dem Salon Laura's für uns Beide bereit sei. Wollen Sie nicht kommen, um es zu verzehren?"

Ich war um so mehr verlegen, als er seinen Arm freundschaftlich in den meinen legte, als ob gar nichts vorgefallen wäre, und zu mir sprach: "Verwundern Sie sich gar nicht, wenn Sie Laura schwarz verschleiert sehen, und kein Wort aus ihrem Munde vernehmen werden. Das Alles ist eine Folge der bizarren testamentarischen Anordnungen meines Bruders. Diese Trauer endet eben heute, den 29. Mai Punkt 12 Uhr Mittags, drei Monate nach dem Tode meines Bruders. — Jetzt ist es 11 Uhr."

Wir traten in den großen Salon, wo nur ein Halbdunkel herrschte. Eine Frau mit einem schwarzen Schleier bedeckt, lag auf einem Divan, ganz am entgegengesetzten Ende des Saales. Eine Harfe, ein Pianoforte, ein Stickrahmen, ein Zeichenbrett, herrlich eingebundene Bücher, und alle jene zierlichen Kleinigkeiten, welche gewöhnlich das Boudoir einer eleganten Frau schmücken, fand ich auch hier.

"Für's Erste begnüge dich damit, Laura zu grüßen," sagte Georges, "wenn die verhängnißvolle Stunde schlägt, wirst du sie auch sehen."

Ich machte eine Verbeugung, und fühlte wohl, daß mir dabei das Blut in die Wangen schoß, dann setzten wir uns zum Frühstücke.

Georges sprach von Politik, Literatur, wovon ich kein Wort hörte. Endlich schlug es auf einer Wanduhr zwölf. Wir standen auf, Georges faßte mich an der Hand. Ich hatte die Blicke niedergeschlagen, meine Verlegenheit stieg auf's Äußerste. Ich erinnerte mich meines Briefes, des Balkons, ich glühte vor falscher Scham, Liebe und Eifersucht; ich marterte mein Gehirn, eine passende Anrede an den Gegenstand dieser Gluth zu finden, und stammelte einige unzusammenhängende Worte; da sprach Georges: „Nun, so hebe doch die Blicke, und sieh' Lauren an;“ und bei diesen Worten hob er den Schleier. Ich schaute — und sah — sah die schönste — Statue vom karatischem Marmor, die je aus der Einbildungskraft und von der Hand eines Künstlers hervorgegangen.

Dies war die Lehre, welche mir Georges zu geben versprochen hatte; sie war etwas strenge. Ich wurde roth vor Beschämung und Zorn, aber Georges blickte mich gutmüthig und freundlich an, und sprach mit einer unbeschreiblichen Liebenswürdigkeit, indem er mir die Hand drückte: „Sieh, lieber Arthur, wie weit die Einbildungskraft eines Dichters sich verirren kann, und bedaure mit mir meinen armen Bruder Henry.“

„Wie? ist es möglich — diese Laura — und seine heftige Leidenschaft, — und jene Gedichte voll Gluth?“

„Ja, mein Freund, du siehst hier die ganze Lebens- und Leidensgeschichte des Verstorbenen.“

„Sie haben mich also mystifizirt, Mylord?“

„Bist du darum böse auf mich?“

„Und die Guitarre, der Gesang im Salon?“

„Des Gärtners Tochter Giulietta hat eine hübsche Stimme.

„Und die Pistolen?“

„Wußte Edward so zu laden, daß sie kein Unheil hätten hervorbringen können. Arthur, verzeihe mir diesen Besuch auf **Villa bella**, und diese Tage der Unruhe und Ungeduld, welche ich dir verursachte. Ich habe versprochen, dir zu zeigen, wie weit die ungebundene Einbildungskraft eines Menschen führen kann. Meine Freundschaft hielt eine solche Lehre für dich nothwendig.“

Die Wahrheit.

Ein indisches Mährchen.

Ein Fakir ging auf dem Felde dahin, indem er seine Nasenspitze betrachtete. Plötzlich hörte er den Donner unter seinen Füßen rollen, und er sprach zu sich selbst: „Diese Stelle ist hohl, und schließt vielleicht einen Schatz in sich; wenn ich ihn hebe, so werde ich ein rechtschaffener Mann.“

Der Fakir grub die Erde auf, und sprengte ein Gewölbe, allein nicht wenig böse war er darüber, als er nach einer so angestrengten Arbeit nichts entdeckte, als die Öffnung eines alten Brunnens.

Betrübt sah er hinein, als ihm aus demselben ein ganz nacktes, vor Nässe und Kälte zitterndes Weib entgegenstieg. Da es außerordentlich schön war, so betrachtete es der Fakir mit weitgeöffneten Augen, und dachte nicht daran, es mit seinem Mantel zu bedecken.

Endlich tönten aus seinem Munde diese Worte: „O du, welche an Schönheit alle Töchter Brama's übertrifft, sage mir, wer bist du, und warum badest du dich in einem Brunnen?“ — Sie antwortete ihm: „Ich bin die Wahrheit.“ Der Fakir erblaßte und floh so schnell, als es seine

Füße nur vermochten, als ob ein Fakir und die Wahrheit nicht bei einander existiren könnten.

Die verlassene Jungfrau näherte sich allmälig der Stadt. Eine Frau, welche unbekleidet reiset, erscheint in Indien nicht so sonderbar, als in einem andern von der Sonne weniger begünstigten Clima. Es gingen Poeten, Kaufleute und Sultaninnen an ihr vorüber.

Die Poeten sprachen, als sie die Frau sahen: „Ach, wie ist sie so mager!“ Die Kaufleute: „Ach, wie sieht sie so dumm aus!“ Die Sultaninnen: „Ach, wie ist sie so unbescheiden!“ aber Niemand nahm sich ihrer an.

Endlich ging auch ein Höfling an ihr vorüber, ein ausgemergelter, reicher Mensch, dem wenigstens noch die Phantasie übrig geblieben war. Er bemerkte, daß das weibliche Wesen eine weiße Haut habe, und ließ sie auf seinen Palankin setzen.

Kaum sitzend kam ihr die Favoritsultanin des Schah entgegen, die auf Anordnung der Ärzte auf einem Dromedar spazieren ritt. — Die Wahrheit sah sie an, und rief auf der Stelle: „Das ist sonderbar, die Favoritsultanin hat eine schiefe Nase!“

Der Höfling zitterte an allen Gliedern bei diesem Ausruf, und hielt sich für verloren, denn ein Gesetz verbot bei Todesstrafe, von der Nase der Favorite, sei es gut oder schlecht, zu sprechen. Er warf alsogleich die Wahrheit von dem Palankin mitten auf den Weg hinab und trabte weiter.

Die Wahrheit gelangte endlich an die Thore der Stadt, und erkundigte sich bei einem Manne niederer Kaste, der ihr begegnete, wo sie diese Nacht zubringen könne? Der Mann führte sie in sein Haus, nicht muthmaßend, daß die Fremde sein Unglück machen würde.

Der Mann, bei welchem die Wahrheit wohnte, gab, um leben zu können, eine Zeitung heraus, in welcher alle großen Herren gelobt wurden; daher hatten die Sklaven den Befehl, ihm, wenn er nach Hofe kam, alle Säcke mit den besten Überbleibseln aus der Küche anzufüllen.

Die fremde Reisende brachte die Geschäfte dieses guten Mannes ganz in Unordnung. Die Wahrheit sah ihn an seiner Zeitung arbeiten, sprach dabei kein Wort, aber, nachdem er aufgestanden war, strich sie alles wieder aus, was der Zeitungsschreiber zu Papier gebracht hatte. Die zwei folgenden Tage kam kein Blatt heraus.

Der Wessir, über diese Verzögerung erboßt, ließ den Schriftsteller zu sich kommen, und nachdem er ihm fünfzig Stockstreiche hatte geben lassen, erlaubte er ihm, sich zu rechtfertigen. Er that es mit Beredsamkeit und guten Grund, daher entließ ihn der Wessir mit neuen hundert Stockstreichen.

Dieser Nachtrag dürfte jenen sonderbar scheinen, welche nicht wissen, wie außerordentlich gerecht der Wessir war. Er that dieses nur, um Zeit zu einer Execution zu gewinnen, die ihm sehr nothwendig schien. Es handelte sich nämlich darum, die Wahrheit heimlich aus dem Hause des Zeitungsschreibers weg transportiren zu lassen. Wenn er gewußt hätte, daß neunundneunzig Streiche genug gewesen wären, um die Zeit, welche er dazu bedurfte, auszufüllen, so hätte er seinen Nebenmenschen gewiß zu sehr geachtet, um auch nur einen Streich mehr zu diktiren.

Nachdem der Wessir ganz allein im Besitze der Wahrheit war, so freute er sich dessen sehr, und hoffte von ihr großen Nutzen gegen seine Feinde ziehen zu können; allein noch an demselben Tage kündigte man ihm an, der Schah wolle ihn besuchen, da fürchtete er denn, der Beherrscher möchte die Wahrheit sehen, und verordnete daher zum allgemeinen Besten, daß man sie zum Tode führe.

Alsbald legten vier Emirs die Wahrheit zwischen seidene gestickte und parfümirte Polster, und erstickten sie mit kluger Behutsamkeit, dann warfen sie ihren entseelten Körper in den abgelegensten Winkel des Gartens.

Die Mächtigen werden nun gewiß glauben, die Wahrheit sei todt, allein es ist nicht so. Die freie Luft gab ihr das Leben wieder, und neu gestärkt benutzte sie die Dunkelheit, um den Garten zu verlassen.

Sie flüchtete sich in eine ungeheure Bibliothek, worin die Braminen den Geist der Menschen seit 5000 Jahren aufhäuften. — Da die Nacht kalt war, so machte sie sich mit einigen Werken Feuer an, allein in dem Saale gab es so viele zündbare Materien, daß in weniger als zehn Minuten die ganze Bibliothek in Flammen stand und die Wahrheit kaum noch Zeit hatte, sich mit einigen Brandflecken zu retten.

Die Bibliothek brannte und mit ihr auch die Bibliothekare. Der Schah ritt hinzu, um das Feuerwerk zu bewundern, und sprach mit naivem Lächeln: „Es ist doch recht hübsch, eine Bibliothek brennen zu sehen.“

Seine Freude schien um so aufrichtiger zu seyn, als in Indien immer eine geheime Feindschaft zwischen den Monarchen und den Büchern herrschte.

Indessen beeilte sich der Wessir sein entkommenes Opfer vogelfrei zu erklären. Am folgenden Morgen schon waren die Proklamationen an allen Straßenecken angeschlagen. Über diese Schnelligkeit darf Niemand erstaunen, denn in allen indischen Kanzleien gibt es schon vorräthige Proskriptionsformeln gegen die arme Wahrheit.

Am Abende befand sich der Flüchtling außer den Mauern der Stadt, nahe bei einem einfachen, reinlichen Hause, welches ein kleines Gärtchen umgab. Es war die Wohnung des weisen Pilpay. Die Wahrheit trat ohne Furcht hinein, sagte, wer sie sei, und bat um Aufnahme.

„Deine Freimüthigkeit gefällt mir,“ redete sie der Weise an, „allein sie macht mich auch für dich zittern, wenn du erkannt würdest, nichts könnte dich retten, darum folge mir.“ Sie stiegen mit einander eine Treppe hinan, und kamen in eine lange Gallerie.

Hier waren Häute von allen Thieren, Rinden von allen Bäumen, kurz Hüllen von allen Geschöpfen nach der Ordnung gereiht. Man hätte auf den ersten Anblick glauben sollen, dies sei das Magazin eines Fabulisten. Pilpay deutete der Wahrheit darauf hin, und sprach zu ihr, wie folgt: „Nachdem du dich weder verläugnen noch schweigen kannst, so ist es nothwendig, daß du dich verkleidest. Ich kann dich nach deiner Wahl in jedes Wesen verwandeln, dessen Hülle du über dich werfen wirst; unter deiner neuen Gestalt kannst du dann sprechen, wie es dir in den Schnabel kommt, und selbst dem Wessir ungestraft seine Fehler in den Bart sagen.«

Die Wahrheit nahm das Anerbieten des Weisen an, und war dafür nicht undankbar. Das Genie ihres Befreiers, durch sie noch mehr angeflammt, verbreitete bald ein allgewaltiges Licht über Hindostan, der Wessir wurde abgesetzt, und Pilpay kam an seine Stelle. Unter den lautesten Segenswünschen des Volkes erreichte er ein außerordentliches Alter, denn ganz Asien hat keinen besseren Lebensbalsam, als die Gewohnheit, Gutes zu thun, ist.

Das Beispiel eines so unerhörten Glückes lockte eine Menge Nachahmer herbei, und die Habsüchtigen wollten mit dem Philosophen die Arbeiten des Apologen und die Erbschaft Pilpay's theilen; allein die Wahrheit, welche ihre Absicht erkannte, verbarg sich in die Werke des Weisen, und überließ die übrigen dem Wahnsinne ihrer Einbildungskraft.

Die Fabeldichter theilten sich so in zwei verschiedene Gattungen, deren eine mit Sanftmuth belehren, die andere aber um jeden Preis herrschen wollte. Es heißt dem Menschengeschlechte einen großen Dienst erweisen, wenn man es belehret, wodurch sich beide Gattungen unterscheiden lassen.

Die Einen versammeln die Menge um sich, und rufen ihr von einem erhabenen Platze zu: »Sklaven des Brama! glaubt oder geht zu Grunde; denn das, was wir euch sagen werden, ist die Wahrheit,« und dann tragen sie ihnen Fabeln vor, welche die Zuhörer entweder zu Spitzbuben oder zu Rasenden machen.

Die Andern laden mit sanfter Stimme den Wanderer ein, anzuhalten, und sprechen zu ihm: „Freund! wenn du für das Vergnügen empfänglich bist, so lache einen Augenblick mit uns, das was wir dir erzählen werden, ist nur eine Fabel.“ — Allein ihr heiterer Vortrag erfüllt die Seele mit heilsamer Wahrheit, und Jeder, welcher sie hört, wird besser, indem er sich belustigt.

Künstlerleidenschaft.

Novelle.

Die ganze Stadt Genua hatte sich mit der aufsteigenden Sonne eines der herrlichsten Tage erhoben um der Vermählung des Conte Brignoli beizuwohnen. Der Hafen war still, der Molo verlassen, die Schiffe schlummerten auf den ruhigen blauen Wogen, welche den Pallast Doria bespühlen. Aller Lärmen, alle Menschenmenge hatte sich auf den Weg nach San Luca hingezogen. Alles strömte nach der Kathedrale San Lorenzo.

Die Genueserinnen sind schön, aber die Gräfin Brignoli war die schönste unter ihnen. Sie zählte 18 Jahre. Man sah nie feurigere schwarze Augen und eine sanfter gewölbte schneeweiße Stirne, nie schwärzere Lockenhaare, nie einen schöneren Teint in einem himmlischen Antlitze. Sie galt in Italien für das schönste weibliche Wesen zu einer Zeit, wo dieses Italien so viele Frauen seinen Söhnen, den Künstlern, als Modelle zu geben hatte. Der Graf Brignoli hatte in der Straße Balbi einen Pallast bauen lassen, welcher dieser seiner Braut würdig war.

Die Kirche San Lorenzo strahlte von vielen tausend Lichtern wieder. Der ganze Adel Genua's hatte seine Marmorpalläste verlassen und füllte das große Mittelschiff derselben an. Die wohlhabenden Bürger fanden sich in den Seitenschiffen ein und der neugierige Pöbel drängte sich in der schmalen Vorhalle, unter dem Chor und bei allen Eingängen. Aber Niemand war dießmal gekommen um zu beten. Die Königin des religiösen Festes war Gräfin Brignoli. Es war schwer sie zu sehen, wie sie so am Altar auf ihren Knien lag; aber wenn sie sich erhob, ihren Schleier zurückwarf und ihr Antlitz einen Augenblick gegen das Schiff der Kirche wendete, da stieg vereint mit dem Gregorianischen Gesang ein allgemeines Gemurmel der Bewunderung zur hohen Kuppel empor. Dies war am 15. August.

Man bemerkte auch einige Schritte von dem Gitter des Hochaltares einen Jüngling von nicht gewöhnlichem Aussehen, Gestalt und Haltung. Er war weder wie ein Edelmann noch wie ein Bürger gekleidet. Sein Kleid schien aus einem Gusse von schwarzer Seide und schwarzem Sammt, sein Gesicht war blaß, ein feines Schnurbärtchen schwärzte seine Oberlippe und ein eben solches Knebelbärtchen sein Kinn. Er kniete nicht, er saß nicht, er betete nicht. Er blickte die schöne Gräfin mit ausdrucksvollen Augen an, starr, unverwandt. Er stand unbeweglich an einen Pfeiler gelehnt, und so sehr seine Seele in ihm arbeitete, so ruhig waren seine Glieder. Wenn man ihm so nahe war, so konnte man in Versuchung kommen zu glauben, es sei ein an den Pfeiler angeheftetes Standbild von schwarzem Marmor. Dieser Jüngling war der Maler Anton van Dyck.

Er schien sich erst in dem Augenblicke zu beleben als die Fahnenträger der Bruderschaften vom Sanktuarium in das

Schiff der Kirche herabstiegen und die silberne Statue der heil. Jungfrau von vier Matrosen der Galeere Doria getragen durch die Menge sich Platz machte. Bei diesem Zuge ging die Gräfin Brignoli nach der Statue, und ihr Gemahl folgte ihr mit stolz gefälliger Miene. Als er bei dem Maler Van Dyck vorüberging, sprach der Künstler zum Grafen Pallavicini mit unterdrückter Stimme: „Mein Leben für eine Viertelstunde dieses Menschen.“ Niemand hatte diese Worte gehört, die sich in einem lauten Salve regina verloren, welches auf dem Chor angestimmt wurde, während die wunderschöne Gräfin bei allen Altären der Kirche reichliche Opfergeschenke darbrachte.

Van Dyck mischte sich in den Zug und stieg mit demselben nach der Vorstadt San Pietro d' Arena hinab. Der Tag neigte sich, die Sonne sank in die herrlichen Gewässer des Golfes, die Hügel strahlten von einem sanften Scheine, alle Glocken läuteten, die Schiffe begrüßten mit ihrem Geschütze die beiden im Triumphe einherziehenden Jungfrauen, Bänder flatterten von allen Masten, Weihrauch erfüllte die Luft, und als nun mitten darunter das Ave maris stella im vollen Chor erschallte, da fühlte Van Dyck Thränen in seinen Augen und ein Beben in seinen Gliedern. Der Pallast Doria öffnete seine Thore dem Clerus von San Lorenzo, das Ave maris stella ertönte in den Säulengängen, die sich über das Wasser heraus erheben, die jungfräuliche Hymne hallte von allen nachbarlichen Schiffen wieder, es schien, als ob Himmel, Erde und Meer in einem ungeheuern Chor die junge Braut begrüßten, welche wie ein Stern unter dem Portikus des herrlichen Pallastes Doria glänzte.

Van Dyck trat aus den Reihen und ging nach den einsamen Gärten, welche sich amphitheatralisch hinter dem Pallaste erheben. Dort sammelte er sich, um nachzudenken, was ihm zu thun übrig bleibe. Er liebte die Gräfin, nicht mit einer gemeinen Liebe, sondern mit der Leidenschaft eines Künstlers; er liebte sie schon seit zwei Jahren, er hatte diese herrliche Blume in dem Pallaste Tursi in Mitte von Fontainen und Zitronenbäumen sich entfalten gesehen. Der Maler hatte den genuesischen Familien, reicher oft als Könige, nichts anzubieten, er besaß weder Pallast noch Marmor, weder Schiffe im Hafen noch auf offener See. Er hielt sich also abgesondert mit dem Geheimnisse seiner Liebe im Herzen. Nur ein Mensch besaß sein volles Vertrauen und dieser war der Graf Pallavicini, ein edler und großmüthiger Mann, er hätte gerne für ihn viel, — Alles gethan, aber sein Pallast und seine prächtige Villa hatten ihn zu Grunde gerichtet.

Das Fest, der Gesang, die Glocken, der Lärmen hatten Van Dyck noch etwas zerstreut, jetzt aber allein in dem Garten der Doria fühlte er das ganze Gewicht seiner Leidenschaft. Er sah auf's Meer hinaus, ein herrliches Schauspiel, das öfters traurig macht und nie tröstet. Er blickte auf das prächtige Genua, welches da sitzt an der Sonne auf seinen Bergen, singend seine Freude mit erzenen Glocken. Van Dyck schloß seine Augen und schlug sich vor die Stirne. Dann trug ihm ein Luftzug den entfernten Gesang der Prozession zu, weich, sanft, gereinigt in der Ferne, und ihm war, als hauchten die Lippen der Angebeteten ein o Dio! aus. Van Dyck erhob sich lebhaft und ergriff seinen Degen, den er abgelegt und an das Blatt einer Aloe gehängt hatte.

Er stieg von dem Gipfel des pyramidenförmigen Gartens herab, ging über die Brücke, welche diesen von der Straße scheidet, und trat in die Gallerie, wo er den Grafen Pallavicini gelassen hatte. Die Gallerie war leer. Van Dyck würdigte weder die herrlichen Fresken des Pernino di Vaga, noch die Statuen des Filipo Carlone eines Blickes, er folgte nur dem Zuge auf seinem mit Blumen bestreuten Pfade. Der Clerus von San Lorenzo war schon lange in die Kathedrale zurückgekehrt, die Menge hatte sich verloren, nur auf dem Platze l'Annunziata standen noch einzelne Gruppen. Van Dyck hörte, als er an ihnen vorüber ging, den Namen der Gräfin nennen und ihre Schönheit mit einem so lauten Enthusiasmus preisen, wie er allen Italienern eigen ist. Er eilte weiter, die Nacht war schon hereingebrochen, und hielt erst an, als er sich in der Strada Balbi befand, da faßte ihn aber eine heftige, fürchterliche Bewegung, als er den Pallast Durazzo beleuchtet, und alle Terrassen, den Balkon und die beiden Pavillons mit schönen geschmückten Damen besetzt sah. Der Ball hatte bereits begonnen, der prächtige Pallast schien zu erzittern unter den Wogen des Tanzes. Van Dyck stützte sich an die Mauer des gegenüber stehenden Pallazzo Serra und blieb wie versteinert stehen. Er litt jenen Schmerz eines Künstlers, den Worte nicht zu beschreiben, Zungen nicht auszudrücken vermögen; jenen Schmerz, den die Natur grausam eigens erfunden zu haben scheint, um jene Auserwählten zu strafen, die sie anderseits mit großen Gaben bedacht hat, um welche sie der große Haufe thöricht beneidet, der solchen Schmerz nie empfunden hat.

Er erwachte aus seinen quälenden Träumen, als ihm Fackellicht in die Augen blitzte und er bei demselben den Grafen Pallavicini erblickte, dem man über die breite Treppe herableuchtete. Lebhaft faßte er ihn beim Arme und zog ihn ungestüm in die kleine Straße San Ciro. „Rede mir von jenem Weibe!“ rief er ihm zu, „hast du sie gesehen?“

„Ich habe so eben mit ihr getanzt,“ antwortete ziemlich gleichgiltig Pallavicini.

„So laß mich deine Hand küssen, sie hat die ihrige berührt.“

„Künstler! du bist ein Narr!“

„Ich bin ein Verzweifelnder.“

„Die Zeit wird dich heilen.“

„Niemals!“

„Ah! sie hat auch mich geheilt, ich habe ein wenig mehr als ein Weib, ich habe zwei Palläste verloren.“

„O! ich gäbe die ganze Strada Balbi für einen einzigen Kuß dieses Engels.“

„Wenn die Strada Balbi dir gehörte, würdest du dich wohl noch besinnen, will ich zu deiner Ehre hoffen.“

„Ich gäbe selbst mein Leben!“

„Schweige mit deinen Übertreibungen. — Was willst du machen? Sie ist verheirathet.“

„Noch nicht.“

„Wie? Ich selbst habe ja den Ehekontrakt mit unterzeichnet.“

„Noch nicht, sag' ich dir!“

„Ah! ich begreife! — Horch, jetzt schlägt's 10 Uhr

in San Karlo. In zwei Stunden wird sie also verheirathet seyn.«

»Ja. Tod und Verdammniß über den elenden Grafen. Was macht er? Rede!«

»Er macht den Ehemann. Er folgt seiner Frau bei allen Tänzen, er verschlingt sie mit den Augen, er zischelt ihr einzelne Worte in die Ohren, er hat die Hänguhr im großen Saale um eine halbe Stunde vorgerückt, er ist glücklich, er ist ein Narr.«

»Und die Frau?«

»Die Frau tanzt, und das Entzücken, tanzen zu können, strahlt ihr aus den Augen, ich glaube, sie tanzte die ganze Nacht fort und den morgigen Tag auch noch dazu.«

»Scheint sie Liebe zu fühlen für ihren« —

Sie tanzt, sag' ich dir, und wenn eine junge Frau tanzt, so denkt sie nur an den Tanz, an ihre Toilette und an ihren Tänzer.«

»Wahnsinn! — und für diese Wesen verzehren wir uns, richten unsere Körper zu Grunde, und vielleicht auch unsere Seelen, und dann wagen sie noch zu sagen, sie lieben stärker als wir. Ihre Liebe als Mädchen ist nur Eigenliebe, ihre Liebe als Gattin nur eine Toilette-Conspiration, ihre Mutterliebe nur ein gemeiner Instinkt der Natur. O mein Kopf brennt, unterstütze mich, oder ich zerschmettere mir die Stirn am Pflaster.«

»Armer Freund! — laß uns von etwas andern sprechen. Hast du das Seestück von Arazzi gesehen, das man in der Villa Scoglietto aufgestellt hat?«

„Nein! — Arazzi macht Seestücke? — Und ich kann nicht hinein in den Pallast, kann sie ihm nicht entreißen?“

„Er war darin nicht sehr glücklich.“

„Er ist in gar nichts glücklich.“

„Ach das ist ungerecht, sein Schlachtgemälde ist ein Meisterstück!“

„Falsches Kolorit. — Hörst du, die Musik hat aufgehört, der Ball ist zu Ende. — Komm, laß uns in die Strada Balbi zurückkehren.“

„Das ist nur ein kleines Ruhestündchen, jetzt rasten sie ein wenig aus, und dann tanzen sie gewiß bis zum Morgen.“

„Ja, die Andern, aber Sie.“

„Sie? — Sie tanzt auch. — Wie findest du denn die Fresken von Perino di Vaga?“ —

„Gemein, plumpe Ausführung! Ich höre noch immer keine Musik, das ganze Fest ist zu Ende, — zu Ende!“

„Wird schon wieder anfangen. Ich werde dir ein Geschenk machen, das letzte Gemälde, das ich noch besitze, eine heilige Jungfrau von Giordano.“

„Komm zu dem Pallast Durazzo. — Behalte dein Gemälde. Mein Gott! welch ein fürchterlicher Tag! Die Kirche, die Hitze, die Blumen, das **Ave maris stella**, das Meer, das Gebet, der Ball, die Liebe, die unerbittliche, verzehrende Liebe! Höllenflammen beleuchten mir diesen Tag, und andern bringt er paradiesische Rosen. Fort nach dem Palazzo, fort!

Sie kehrten dem Gäßchen San Ciro wieder den Rücken und setzten sich auf einen Marmorblock vor dem Pallaste

Serra. Die Tanzmusik ertönte auf's Neue, aber auf den Terrassen waren schon weniger Leute, weniger Lärmen. Endlich sprang Van Dyck auf. „Sieh einmal, dort werden vier Jalousien geschlossen — Pallavicini, bist du mein Freund?"

„Mit Leib und Seele."

„Wohlan, so höre mich. Die Nacht verrinnt, die Wunde brennt, das Blut kocht in meinem Herzen, ich vergehe, wenn du mir nicht beistehst. Geh hinauf in den Pallast, fordere mit dem Grafen allein zu sprechen; laß nicht nach, du mußt ihn sprechen, im Saale oder schon in seinem Zimmer, auf oder schon zu Bette. Sage ihm, der Feind seines Vaters, der seinige, der Marchese Gippino erwarte ihn augenblicklich beim Brunnen Lerbino, er erwarte ihn mit dem Degen in der Hand. Es stünden Gippino nur Augenblicke zu Gebote sich mit ihm auf Leben und Tod zu schlagen, und würde er sich nicht stellen, so sei er eine Memme, seine Ehre auf immer verloren, sein Name auf ewig besudelt. Geh, geh, die Lichter erlöschen schon, — geh', sag' ich."

Der Graf Pallavicini seufzte und ging.

Der Graf Brignoli begleitete eben einige seiner innigsten Freunde aus dem Saale, als er Pallavicini geheimnißvoll eintreten und ihm winken sah. Sie traten bei Seite und Pallavicini sprach: „Ist Euch der Marchese Gippino bekannt?"

„Ich kenne ihn zwar nicht," antwortete der Graf, „aber ich weiß, daß ein tödtlicher Haß zwischen unsern beiden Familien herrscht."

„Wohlan, sein Sohn erwartet Euch am Brunnen von Lerbino. Er hat mich zu seinem Sekundanten gewählt, erwählt auch Ihr den Eurigen, bevor sich Eure Freunde entfernen.“

Der Graf Brignoli stand stumm.

„Graf Brignoli! Ihr habt doch verstanden, was ich Euch gesagt habe?“

„Ich habe es und bin bereit einem Gippino zu stehen. — Morgen!“

„Morgen wird Euer Feind schon auf dem Wege nach Florenz seyn, und Eure Schande überall verkünden.“

„Wahrlich ein seltsamer Augenblick zu einer Ausforderung. Also in einer Stunde“ — und der Graf wendete sich gegen sein Gemach, aus welchem ihm eben die Cameriera der Gräfin entgegentrat.

„Eine Stunde,“ rief Pallavicini und hielt ihn zurück, „ich habe nicht Vollmacht Euch auch nur eine Minute Aufschub zu gönnen, wir haben bis jetzt schon zu viele Zeit verloren. Nehmt augenblicklich Eure Waffen, und folgt mir.“

„Daran erkenne ich die Gippino, wie sie mir von meinem Vater sind beschrieben worden. — San Gallo! Ich bitte Euch mich bis zur Kirche Consolazione zu begleiten,“ und mit diesen Worten nahm er seinen Degen, Pallavicini und San Gallo folgten ihm und alle drei gingen stillschweigend bis zum Brunnen. Dort fanden sie einen Mann in seinen Mantel gehüllt, der sie zu erwarten schien. „Das ist wohl mein Gegner,“ fragte Brignoli, und Pallavicini bejahte. Ihr kanntet also Gippino schon früher?“ fragte jener weiter. — „Nein,“ antwortete

Pallavicini, „er begegnete mir in der Strada Balbi, fragte mich ob ich vom Adel sei, trug mir seine Angelegenheit vor und bat mich um meinen Beistand. Ich durfte nicht ablehnen.“ — „Ihr habt Recht und ich danke Euch, Ihr bürgt mir in jedem Falle für einen rechtlichen Zweikampf.“

Sie gingen weiter gegen das Freie, Van Dyck 20 Schritte voraus; er stand in einem kleinen Gehölze von Tamarinden stille, deren Zweige die Dunkelheit der Nacht noch vermehrten. „Marchese Gippino,“ sagte Brignoli, „Ihr wollt also den Haß unserer beiden Familien fortsetzen?“ Van Dyck antwortete nicht und zog seinen Degen. „Ich muß Euch erinnern,“ fuhr Brignoli fort, indem auch er den Degen zog, daß ich mich heftig und kräftig vertheidigen werde, denn ich bin nicht Willens meine Braut am ersten Tage zur Witwe zu machen.“ Und alsbald stürzten die beiden Gegner auf einander los. Das Gefecht währte nicht lange. Van Dyck erhielt einen Stich in den rechten Arm. Schwach, wie er schon von Natur aus war, denn in seinem Körper lag schon der Keim zur Schwindsucht, die ihn noch jung wegraffte, erschöpft von allen Qualen dieses Tages, fiel er auf den Rasen hin. „Ich werde Euch einen Wundarzt senden,“ sagte Graf Brignoli kalt und entfernte sich mit San Gallo.

Pallavicini leistete dem armen verwundeten Künstler Hilfe. „Freund,“ sagte Van Dyck zu ihm, „ich besitze Vermögen genug, um dir deinen Pallast und deine Villa wieder zu kaufen und ich will es. Aber eile diesem Manne nach und schlage dich mit ihm, du wirst glücklicher seyn als ich, und ihn tödten.“

„Dein Blut fließt stärker, mäßige dich und lasse mich erst für dich sorgen.“

„Laß mein Blut fließen, laß mich sterben. Ha, ich sehe ihn, wie er triumphirend in seinen Pallast zurückkehrt, wie viele Thränen der Freude, wie viele feurige Umarmungen erwarten ihn, der Himmel öffnet sich für ihn, für mich die Hölle. Eile! sag' ich.“

„Beruhige dich, um Gotteswillen. Morgen, was du willst, aber heute hab' ich mit dir zu thun.“

„Du willst nicht, wohlan! so will ich selbst — fort von mir, laß mich!“ und seinen Degen ergreifend, hob er sich mit der letzten Kraftanstrengung empor und fiel dann wieder ohnmächtig nieder.

Als er zu sich kam, fing der Tag über der Bergkette der Apenninen zu grauen an. Was war das für ein fürchterlicher Traum?“ waren seine ersten Worte, und er ließ seine Blicke über die Landschaft schweifen und küßte die Hand Pallavicini's, sie mit Thränen benetzend, dann mit dem Finger auf den blutigen Wasen deutend, lächelte er bitter und hob die Augen zum Himmel mit einem Ausdrucke, den nur tiefe Gemüther ihrem Antlitze geben können in der Stunde der höchsten Resignation.

„Findest du dich stark genug, um in die Stadt zurückzukehren?“ fragte ihn Pallavicini.

„Ja — aber was jetzt in der Stadt machen? Alles ist verloren. Sieh, wie sich die Sonne herrlich erhebt, wie die ganze Natur erwacht und ihr freudig entgegenjauchzt. Ach, was kümmert sich auch die Natur um mein zerrissenes Herz? Wenn sie trauern sollte, so oft ein Wesen leidet, so wäre das eine ewige Trauer. Gut! gut! kleide dich in Gold und Azur, du schöner Himmel Italiens, und strafe so das Elend deiner Feinde Lügen.“

„Ich glaube, wir können jetzt gehen,“ bemerkte Pallavicini.

„O du! — du bist ganz von Marmor. — Hast du denn jemals geliebt?“

„Hundertmal, aber so wie du, nie!“

„Hast du ein Weib geliebt, das sich mit einem Andern verheirathete?“

„Auch, auch!“

„Nun, und was hast du gethan?“

„Ich habe mich getröstet.“

„Sieh, deine Worte machen mich lächeln. Wohl hast du nicht Unrecht, sie sind es nicht werth.“ —

„Sieh da! mir scheint, das stürmische Blut ist fortgeflossen und die Vernunft kehrt wieder. Du bist auf dem Wege der Besserung, Freund. Hänge dich in meinen Arm und laß uns ganz gemächlich nach der Stadt schlendern. — Hör' einmal Brüderchen, die Gräfin Bri...“

„Nenne mir diesen Namen nicht.“

„Also ohne Namen. Die Gräfin ist schön, sehr schön, das ist wahr. Sie hat eine Haut wie Alabaster, Augen wie Sterne, Lippen wie Korallen, Zähne wie Perlen, einen Nacken wie Elfenbein, und einen Wuchs — einen Wuchs — ich kenne nur ein Weib, das einen solchen Wuchs hat, und das ist die Venus deines Freundes Tizian. Aber von ihrem Geiste, von den Eigenschaften ihrer Seele und ihres Herzens hast du nie gesprochen, mir scheint, du hast dich au-

nicht sehr darum bekümmert. — Wohlan, gib mir 24 Stunden Zeit, und ich schaffe dir eine andere Gräfin Brignoli."

"O schweig, schweig, das ist unmöglich."

"Unmöglich! — ja ich schaffe dir noch was Besseres. Sieh, ich habe meinen Pallast verloren; aber soll mir Einer nur einen bessern anbieten, ich nehme ihn auf Ehre an, und werde gleich getröstet seyn. — Ich sehe, du lächelst. — Nun das freut mich — es geht besser, es wird Alles gut werden. Laß du deine trauernde Natur und dein zerrissenes Herz, und sei vernünftig. Glaube mir, alle Gräfinnen von ganz Italien zusammen sind nicht eines Tropfens des Künstlerblutes werth, welches dir entfließt."

"Aber laß einmal hören, von welcher andern Frau wolltest du mir denn sagen?"

"Gelobt sei Gott, du bist geheilt; denn du bekümmerst dich schon um eine andere Frau."

"Bloße Neugierde."

"Ich begreife, die ganze Liebe eines Künstlers, glaube ich, ist nur eine phantastische Neugierde. Wenn die Venus aus der Villa Adriani tausend Fuß unter der Erde steckte, ich glaube, du würdest sie bei hellem Tage ausgraben, um sie der Erste sehen und umarmen zu können."

"Da hast du Recht."

"Ihr seid Menschen, die nur von ihren Sinnen geleitet werden, darum ist auch Eure Unbeständigkeit zum Sprichwort geworden. Ihr macht Euch ein Museum von Geliebten, wie ein Kabinet von Bildern, ihr findet und studiert die schöne Natur, wo wir nur eine häßliche sehen, ihr rast vor

Entzücken und findet ein Ideal, wo wir übrigen höchstens ausrufen würden: Nu, sie ist nicht übel! und träumt gleich von einer ewigen treuen Liebe. Nun wohl, ich will dir ein Modell geben, das du gleich als Aphrodite auf die Leinwand hin malen kannst.“

„Und ihr Name?“

„Du sollst ihn morgen erfahren, heute schlafe und heile dich von deinem Fieber.“

Unter diesem Gespräche waren die beiden Freunde zu ihrem Hause gekommen. Die Stadt lag noch im Schlummer. Es wurde sogleich ein Wundarzt gerufen, er fand Van Dyck's Wunde sehr leicht, und ordnete nur für's Erste Ruhe an.

Vier Tage nachher, um Mittag, trat ein Diener in der Livree des Grafen Brignoli in Van Dyck's Gemach. Pallavicini war eben beschäftigt, den Künstler anzukleiden, der zwar schon außer Bette, aber noch schwach war, und blaß aussah. Der Graf Brignoli ließ Van Dyck bitten, ihn mit einem Besuche in seinem Pallaste zu beehren.

„Wahrlich sonderbar!“ sagte der Maler. „Was will der Graf von mir? Er kennt mich nicht, er hat mich nie gesehen.“

„Du mußt doch hingehen,“ meinte Pallavicini. „Willst du, daß ich dich begleite?“

„Freilich. Ich gehe nicht allein. Mir scheint das eine Falle. Hätte der Graf vielleicht — fort, fort nach dem Pallaste Durazzo!“

„Das ist mir sehr unlieb, ich fürchte einen Rückfall für dich, du wirst sie sehen, und —"

„Sie sehen — Sie? Nimmermehr! Ich will nur den Grafen sehen, nur mit ihm sprechen. — Komm!"

„Du bist noch nicht ruhig genug, um diesen Besuch so zu beeilen. — Morgen oder übermorgen ist ja auch noch Zeit."

„Nein, gleich — gleich auf der Stelle."

„Nun da haben wir's, — nun wird er wieder recidiv."

„O, du kennst mich nicht. Es ist vorbei, sag' ich dir — fort zum Grafen."

„Nun in's Himmels Namen."

Van Dyck hatte sich prächtig kleiden lassen, aber der äußere Glanz war doch nicht vermögend, seine leidenden Züge und seine innere Bewegung zu verbergen. Er war entsetzlich blaß, und sein Gang, den er fest und kühn zu machen sich zwingen wollte, war schwankend. Er hatte die Hand seines verwundeten Armes zwischen die Schnüre seines Überwurfes gesteckt und mit der andern stützte er sich auf das vergoldete Gitter, das längs der Treppe im Pallaste hinanlief. Pallavicini folgte ihm seufzend.

Er wurde in die Bildergallerie gewiesen, wo sich der Graf nicht lange erwarten ließ. „Signor Van Dyck," redete ihn dieser höflich und freundlich an, „ich bitte Euch, meine Unbescheidenheit zu entschuldigen. Ich hörte, daß Ihr wieder in unsere Stadt zurückgekehrt seid, ich hatte leider nicht das Vergnügen, bei Eurer ersten Anwesenheit hier mit Euch bekannt zu werden und beeilte mich daher, Euch mein Haus und meine Freundschaft anzubieten. Durazzo war ja immer das Absteigequartier großer Künstler, nicht wahr, Conte Pallavicini?

Van Dyck verneigte sich und schwieg, er war ganz erschüttert.

„Ich bitte Euch, Platz zu nehmen," fuhr der Graf fort, „ich habe mit Euch über eine kleine Angelegenheit zu sprechen, mit Euch, Signor Van Dyck. Ich habe mich vor wenigen Tagen verehligt, und ich kann sagen, es ist eine Vereinigung aus Neigung. Nun wünschte ich, daß Ihr mir das Porträt meiner Frau maltet. Wohl weiß ich, daß wenn ich auch die ganze Leinwand mit Goldstücken überlegte, ich doch noch Euer Schuldner bleiben würde, allein ich rechne auf Eure anerkannte Willfährigkeit und das Original wird Eures Pinsels nicht unwerth seyn."

Van Dyck verbeugte sich auf's Neue, und sein Stillschweigen ward als Künstlerschüchternheit gedeutet.

„An welchem Tage soll das Modell zu Eurer Disposition seyn?" fragte der Graf.

„Heute, jetzt, ich bin bereit," antwortete Van Dyck mit fast versagender Stimme.

„Ihr seid sehr liebenswürdig, und kommt allen meinen Wünschen zuvor. Ihr werdet in meinem Atelier grundirte Leinwand finden. Ich wünsche ein Porträt in ganzer Figur, wie jenes der Marquesa Velletri, welches ein Meisterstück ist, wie alles, was Ihr gemalt habt. — Ah! sagt mir Graf Pallavicini, wie habt Ihr denn unsern Helden von Lerbino verlassen? Gebt mir doch Nachricht von ihm?"

„Er ist gleich am nächsten Morgen nach Florenz abgereist.“

„Nun, die Gippino's werden mich nicht sobald wieder beunruhigen. Seid so gütig, meine Herren, und erwartet mich hier nur un momentino, ich will Euch meine Gemahlin vorstellen.“

Und der Graf ging.

Van Dyck und Pallavicini sahen sich einige Zeit schweigend an.

Endlich brach Pallavicini das Stillschweigen. „Van Dyck, willst du einen guten Rath?“

„Ja.“

„So geh!“

„Unmöglich, was würde der Graf sagen?“

„Was kümmert dich das?“

„Er müßte mich für närrisch halten.“

„In einer Viertelstunde bist du's vielleicht auch wirklich.“

„Ich überlasse mich meinem Schicksale.“

„Aber bedenke doch, daß du verwundest bist, daß deine Hand den Pinsel nicht führen kann.“

„Ich werde mit der linken Hand malen.“

„Du bist blaß, du leidest, du bist so schwach, daß du vielleicht unter der Arbeit ohnmächtig niedersinkest.“

„Desto besser.“

Die Thüre öffnete sich und die Gräfin trat ein.

Man konnte sagen, sie beleuchtete die ganze Gallerie durch die Strahlen ihrer Schönheit. Pallavicini selbst unterdrückte einen Ausruf der Bewunderung, der ihm schon auf die Lippe getreten war, denn er hatte sie nie so schön gesehen. Sie trug ein schwarzes gesticktes Kleid, ihre Schultern und Arme waren unbedeckt und die Farbe des Stoffes hob ihre Weiße noch mehr hervor. Mit einem himmlischen Lächeln begrüßte sie die beiden Fremden und sich zu Van Dyck wendend, sprach sie zu ihm mit unvergleichlicher Anmuth: „Meister! ich bin zu Euren Diensten, es ist viel Ehre für mich, von Eurem Pinsel gemalt zu werden.“

„Laßt uns in's Atelier gehen,“ fiel der Graf ein. Signore Van Dyck soll sich dort Alles wählen, was er nöthig hat.“

Sie gingen in das Atelier, welches sich an die Gallerie anschloß.

„Jetzt,“ sagte der Graf, „seid ihr zu Hause, Meister. Wollt Ihr uns erlauben, bei der Arbeit gegenwärtig zu bleiben?“

Van Dyck gehörte der Erde nicht mehr an, er antwortete kein Wort, aber Pallavicini, Mitleid mit seinem armen Freunde fühlend, sprach zum Grafen: „Ich kenne Van Dyck, er liebt es nicht, vor Zeugen zu malen; laßt uns gehen, Graf.“

Die Gräfin und Van Dyck blieben allein im Atelier.

„Ich kenne nichts Schöneres als Euer Porträt der Marchesa Velletri,“ nahm die Gräfin das Wort, um gleichsam die Conversation zu beginnen.

„Ich werde alle meine Kräfte aufbieten, um auch Euer Vertrauen zu verdienen,“ antwortete der Künstler schüchtern.

„Ihr besitzt es schon im voraus. Ich kenne sie nicht die Marquesa, ist sie schön?“

„Ich habe sie nie gesehen.“

„Wie, nicht gesehen und doch gemalt?“

„Ah! die Marquesa, meint Ihr? verzeiht, ich war ganz mit meiner Pallete beschäftiget. Sie ist recht hübsch, glaube ich.“

„Es scheint, daß Ihr Eure Modelle sehr schnell vergeßt. — Ihr werdet mich doch nicht sitzend malen, Meister — das ist nicht hübsch, ich möchte aufrecht stehend, lächelnd gemalt seyn, eine Blume in der Hand, das fällt mehr auf. — Gefällt Euch mein Kleid?“

„Nein, Gräfin.“

„Ihr findet es vermuthlich zu düster.“

„Jenes, welches Ihr vor einem Jahre trugt, bei dem Feste im Pallaste Doria, gefiel mir besser.

„Ihr wart auch dort beim Rogationsfeste? Ah! Ich hab' Euch nicht gesehen.“

„Ich hatte die Ehre mit Euch zu sprechen, zu tanzen. Es scheint, daß Ihr Eure Tänzer eben so leicht vergeßt, Gräfin, als ich meine Modelle.“

„Ach! ich hatte ja auch eine Menge Tänzer. Damals habe ich mich auch ganz herrlich unterhalten. — Aber wir sprechen zu viel, mein Porträt wird nicht vorwärts gehen.“

„Euer Porträt ist vollendet, Gräfin.“

„Vollendet? Ihr habt ja noch nicht einen einzigen Pinselstrich gemacht.“

„Vollendet seit einem Jahre. Wir können gehen.“

Van Dyck stand auf, verbeugte sich vor der Gräfin und schritt gegen die Thüre.

„Ernstlich? — Ihr geht?“ fragte die Gräfin.

„Ja, wenn Ihr es gestattet. Erlaubt mir zugleich den Schlüssel des Ateliers mit mir zu nehmen, ich will diesen Abend wieder kommen, um die letzte Hand an Euer Porträt zu legen.“

„Muß ich sitzen?“

„Nein. Ich habe Euch schon gesagt, das Porträt ist fertig.“

„Hm! — ein wahres Räthsel, wann werdet Ihr mir es lösen?“

„Morgen.“

„Darf ich mit meinem Gemahl davon sprechen?“

„Wie es Euch gefällt.“

„Ich werde ihm nichts sagen.“

„So wird es ihn mehr überraschen.“

Van Dyck verschloß die Thüre des Ateliers, steckte den Schlüssel zu sich und suchte auf der Terrasse den Grafen Pallavicini auf. — „Die erste Sitzung war sehr kurz,“ bemerkte der Graf Brignoli. „Ich werde dennoch diesen Abend schon zur letzten kommen,“ antwortete Van Dyck. „Das ist ja eine unerhörte Schnelligkeit,“ erwiederte der Graf.

Van Dyck und Pallavicini verließen den Pallast, und als sie einige Schritte davon entfernt waren, fragte Pallavicini seinen Freund: „Nun, wie geht dir's, mein armer Van Dyck?“

„Ich bin genesen.“

„Vollkommen?“

„Es fehlt mir nichts mehr, als das Mittel, welches du mir versprochen hast.“

„Sollst es bekommen.“

„Eine Närrin — eine Kokette, die mit jedem Worte verletzt.“

„Bravo bravissimo! bleibe nur dabei.“

„O sei ruhig. — Wie nennt sich die Person, von der du mir gesprochen hast?“

„Heute Abends sollst du sie sehen, ich verspreche es dir.

„Wohl denn, so erwarte mich diesen Abend um 7 Uhr vor der Kirche San Carlo, ich habe noch vorher ein Geschäft abzumachen.

Van Dyck eilte nach Hause und nahm aus seinem Alkoven von der Mauer ein verschleiertes Bild ohne Rahmen herab, es war das Bild der Gräfin Brignoli, welches er aus dem Gedächtnisse gemalt hatte. Ein herrliches Kunststück im höchsten Feuer der heftigsten Leidenschaft ausgeführt.“

Van Dyck warf seinen Mantel über das Bild und eilte damit in den Pallast Durazzo. Er ging hastig durch die Gallerie, ohne sich anmelden zu lassen, öffnete das Atelier und schloß das Bild in einen Rahmen. Dann rief er einen Diener, befahl ihm, dem Grafen zu melden, daß das Porträt seiner Gemalin vollendet sei und entfernte sich wieder.

Einige Wochen nachher vermählte sich Van Dyck mit der Tochter des Lord Ruthwen, derselben Person, die ihm Pallavicini versprochen hatte. Aber der arme Künstler lebte nicht lange, er starb an der Schwindsucht im vierzigsten Jahre. Die Frauen haben viele Künstler getödtet, aber nie ein Künstler eine Frau.

Diese Geschichte wurde Herrn Mary im Pallazzo Durazzo in Genua erzählt, als er vor dem Porträte der Gräfin Brignoli, gemalt von Van Dyck, stand, und es bewunderte.

Drei komische Gespenstergeschichten.

Als ich am Sylvesterabende mit einigen Freunden bei einer Bowle Punsch beisammen saß, der Eine mit seinen Liebesabenteuern, der Andere mit seinen Witzspielen und Anekdoten fertig war, und auf diese Art die Conversation einige Minuten lang in's Stocken gerieth, rief ich: „He da! Brüder, weßwegen denn mit einmal so stumm?“

„Ja, da hat gewiß wieder einer aus der Gesellschaft die Füße kreuzweis über einander gelegt!“ rief L*. Wir sahen alle zugleich unter den Tisch, und sieh da, ich selbst war es, der einen Fuß über den andern geschlagen hatte. Wir lachten Anfangs darüber, sprachen aber dann über den Grund und Ursprung dieses Volksglaubens, daß, wenn in einer Gesellschaft plötzlich Alles stumm sei, einer davon die Füße gekreuzt halten müsse. Unser Gespräch lenkte sich von diesem Gegenstand weiter auf Aberglauben, Volksmährchen, Ahnungen, Träume, Gespenster u. s. w. Einer erzählte eine unerklärliche Geschichte, der Andere folgte, es war stille geworden, und man las in allen Gesichtern die Theilnahme am Wunderbaren und Außergewöhnlichen. Einer aus der Gesellschaft behauptete ganz steif und fest, er habe seinen Freund doppelt gesehen. Kurz, Erzählungen, Punsch und

Erhitzung im Gespräche regten unsere Gemüther immer mehr auf, und jeder fühlte wohl mit mir, es sei nöthig, die gesteigerte Phantasie wieder einiger Maßen herabzustimmen. Ich kam also nur dem allgemeinen Wunsche entgegen, als ich rief: „Stille jetzt mit derlei Dingen, wir schrauben uns dadurch selbst hinauf, und wer weiß, ob dies nicht Manchem unter uns heute seine nächtliche Ruhe raubt; darum trag' ich darauf an, wir sollten wieder zum Scherze unsere Zuflucht nehmen, und uns die Stunde bis zur Mitternacht damit wegschwätzen, daß wir uns Gespensterhistörchen erzählen, denen es zwar anfänglich an Schauer nicht mangelt, welche aber am Ende mit irgend einer lächerlichen Pointe schließen. Allons! wer weiß eine solche, wem ist etwas Ähnliches begegnet?“

„Mir! mir! mir!“ riefen L., C. und R. Wir füllten unsere Punschgläser, stopften die Pfeifen frisch, und L. fing zu erzählen an:

I.

Die Erscheinung.

Ihr wißt, liebe Freunde, daß ich die Sommerszeit jedes Jahres in dem kaiserlichen Lustschloß zu Schönbrunn zubringe. So befand ich mich auch im Sommer des Jahres 1818 daselbst. Vom Mai bis zum September verwandte ich die Abende zu Spaziergängen in die Umgegend, worunter mein Weg mich am öftesten nach dem herrlichen Hütteldorf führte, als aber im Herbste die Abende kühler, nebliger und kürzer wurden, und die Blätter zu fallen begannen, brachte ich die Stunden von 8 bis 11 Uhr Abends gewöhnlich in dem sehr besuchten Kaffehhause zu Hietzing zu, wo ich eine angenehme Gesellschaft gefunden hatte. Wir schwätzten, tranken unsere Kaune Bier, und gingen meistens erst gegen Mitternacht aus einander. Um dann nicht den längern, oft sehr staubigen und holprigen Weg um den Garten nehmen zu müssen, hatte ich mir einen Schlüssel zum kleinen Gartenthürchen — welches um 10 Uhr geschlossen wird — zu verschaffen gewußt, und ging auf diese Art durch die lange Linden- und Kastanienallee, welche mit der Gartenmauer eingeschlossen, schnurgerade zum Schlosse führt. Die Bäume, welche diese Allee bilden, sind sehr alt und stark, und die Allee ist daher selbst bei hellem Tage dunkel, des Nachts, besonders wenn die Laternen schon verlöscht sind, sieht man keinen Stich, und muß sich sorgfältig hübsch in der Mitte halten, um sich den Kopf nicht gegen einen Baum zu stoßen.

Es war gegen Mitternacht, als ich in einer trüben, nur sehr spärlich vom Wolken-verschleierten Monde erleuchteten Nacht, das Kaffehhaus verließ, und mit meinem treuen Begleiter, meinem Pudel Castor, durch die Allee dem Schlosse zuwandelte. Castor war also dressirt, daß er immer vor, nie hinter mir lief, und nur manchmal in Sprüngen wieder zu mir zurückkehrte, um zu sehen, ob ich ihm nachkomme, und gleichsam auch mir die Überzeugung zu verschaffen, daß er sich nicht verloren habe. Wir hatten diesen Abend eben im Kaffehhause über Gespenster gesprochen, mehre Histörchen dieser Gattung waren erzählt worden, und ich schlenderte, von dem Abenteuerlichen noch erfüllt und aufgeregt, langsam meine dunkle Bahn dahin. Da schlug die Thurmuhr des Schlosses Mitternacht, und noch hallte der letzte Schlag dumpf nach, als ich mit einem Male aus meinen Träumereien durch ein lautes Gebelle meines Castor's geweckt wurde. Diesem Gebelle folgte, bevor ich noch Zeit gewann dem Hunde zu pfeifen, ein Geheul, und also heulend und winselnd lief der Hund an mir vorüber, und hinter mich zurück, so weit er nur konnte. Jetzt rief ich ihn beim Namen, ich pfiff ihm, aber der sonst sehr gehorsame Hund war nicht mehr zu bewegen zu mir hervorzukommen, sondern immer heulend schlich er zwar näher, blieb aber in einer Entfernung von einigen Schritten hinter mir zurück. Dadurch aufmerksam gemacht, blieb ich stehen, sah vor mir in die Dunkelheit hin und lauschte: da vernahm ich fernen dumpfen Schall, wie Tritte eines ungewöhnlich kräftigen Wesens, und alsbald wurde ich auch in einer Höhe von anderthalb Klafter ein Lichtlein gewahr, welches sich also bewegte, als ob es von Jemanden getragen würde, der sich gegen mich bewegte. Ich stutzte, mir schauerte es eiskalt über den Rücken, aber gewohnt, selbst wenn mir Unbegreifliches begegnet, nie zu entfliehen, sondern dem Schreckenhaften kühn entgegenzugehen, blieb ich, unverwandten Blickes auf das ferne Lichtlein starrend, das mir jetzt wie ein rollendes Feuerauge vorkam, mitten im Wege stehen. — Und langsam bewegte sich nun das Flämmlein immer näher, und näher schallte auch der dumpfe Tritt, welcher Schall sich auch mit einem Schnauben vermengte, das ich jetzt ganz deutlich vernahm. — Und jetzt kam es noch näher — und ein ungeheurer behaarter Kopf wurde mir im Dunkel sichtbar, der sich hin und her bewegte. Er schien einem ganz behaarten Manne anzugehören, der jenes Lichtlein auf einer Stange trug, und noch ängstlicher heulte mein Castor, und jetzt öffnete das Ungethüm einen fürchterlichen Rachen — ich aber war meiner nicht mehr mächtig, und stürzte seitwärts auf eine steinerne Bank, unter welche sich zugleich der Hund heulend verkroch.

Als ich meine Hände, die ich unwillkürlich vor die Augen gedrückt hatte, wieder wegnahm, war das Ungethüm schon an mir vorüber. Neuer Muth beseelte mich jetzt, ich trat einige Schritte nach, und rief: „Wer ist da?“ — Da antwortete eine Stimme von oben herab: „Nun — ich bin's — der Kamehl-Joseph!“ und plötzlich erklärte sich mir das ganze Räthsel. Man hatte in der Stadt diesen Abend ein Prunkstück auf dem Theater aufgeführt, wozu man aus der Menagerie von Schönbrunn das Kamehl gebraucht hatte. Das Stück endete erst um halb 11 Uhr, und der Wärter kam mit dem schwerfälligen Thiere, auf welches er sich, seine Laterne in der Hand haltend, gesetzt hatte, erst um Mitternacht nach Schönbrunn zurück.

Heute konnte ich unmöglich mehr lachen, aber am folgenden Tage lachte ich über mein Abenteuer recht herzlich. Wer hätte aber auch in Österreich Nachts um 12 Uhr vermuthen können, einem Kamehle zu begegnen?“

Nun nahm C. das Wort und erzählte:

II.

Die alte Mühle.

„Als ich noch mit wandernden Schauspielertruppen herumzog, und auf diese Art die elendeste, aber zugleich lukigste Zeit meines Daseins verlebte, ging es unserer Bande (wir nannten sie freilich Gesellschaft) in einem kleinen Landstädtchen so schlecht, daß uns eines Abends der Direktor in seiner Stube versammelte, und also zu uns wie ein Vater redete: »Kinder! unsers Bleibens ist in diesem Neste länger nicht mehr, die Knöpfe hier haben gar keinen Kunstsinn. — Ihr habt es selbst gesehen, wenn wir des Abends 10 bis 12 kleine Buben und Mädchen in unserm Musentempel haben, wovon jedes einen Groschen bezahlt, so dürfen wir uns schon glücklich schätzen. Also heißt's aufbrechen. — Aber da ist denn noch ein nisi. Ich glaube kaum, daß uns der Wirth, der Fleischer und der Bäcker ganz unangefochten im Triumphe werden zum Stadtthore hinausfahren lassen, daher habe ich beschlossen, wir nehmen die dunkle Nacht zu Hilfe, und Jeder von uns sieht zu, wie er allein aus diesen Schreckensmauern entwischen kann. Unsere Dekorationen und die Garderobe wird ein Bauer heute Morgen um 2 Uhr still aufladen und fortführen. Ihr übrigen, meine Kinder, sucht auch in dieser Nacht oder am nächsten Morgen ein Loch zu finden, wo ihr hinausschlüpfen könnt, und in — (der Name des Städtchens, welches er uns nannte, fällt mir nicht mehr bei) treffen wir wieder zusammen. Lebt indessen wohl, liebe Kinder, Geld kann ich euch nicht geben, aus der ganz einfachen Ursache, weil ich selbst keines habe, aber dem Schutze des Himmels und der Musen seid ihr alle bestens von mir empfohlen, und — daß ich euch dort in *** Alle wieder finde, daß ich Keinen von euch vermisse, das sei mein Segen.“

Mit diesen Worten, aus seiner Lieblingsrolle: jener des alten Dallner in der Dienstpflicht, der einzigen die er auswendig wußte, entließ uns der Direktor, und Keiner fand darin etwas Sonderbares, da wir uns an mehren Orten auf dieselbe Art von unserm zweiten Vater getrennt hatten.

Ich ging, indem ich die Gewohnheit der Franzosen nachahmte, welche pfeifen, wenn sie nichts zu essen haben, nach Hause, und dachte bei mir darüber nach, wie ich denn meine Flucht aus Kenilworth zu Stande bringen werde, und übersah die Schwierigkeiten nicht, welche sich vor allen Andern mir entgegenstellten, da ich eben das Unglück hatte, bei dem Bäcker des Städtchens, der eine der größten Forderungen an uns zu machen hatte, einquartiert zu seyn.

Mein Plan war bald gemacht, und damit ich in meiner Erzählung nicht zu lang werde, sag' ich euch zugleich auch, daß ich ihn glücklich ausführte. Mein Zimmerchen, oder besser zu sagen, Schlafloch, ging in den Garten, das Fenster war zwar klein, aber für einen solchen Zahnstocher, wie mein Leichnam damals war, noch immer breit genug. Ich schlüpfte also mit Sack und — — nein ohne Pack da hinaus, nachdem ich einen Zettel auf dem Tische liegen gelassen, worauf ich die Worte schrieb:

Der Güter höchstes ist das Brot zwar nicht,
Der Übel größtes aber ist die Schuld.
Nimm, theurer Bäckersmann,
Dank statt Bezahlung an!

Als die Sonne emporstieg, hatte ich bereits das Städtchen eine Meile hinter meinem Rücken. Der Hunger stellte sich ein, aber der Sack war so leer als der Magen; in eine

Herberge durfte ich mich daher nicht wagen. Endlich ging ich an einer Kastanienallee vorüber, welche zu einem artigen Landhause führte. In der Allee auf einer Bank sah ich ein Mädchen sitzen, welches in einem Buche las. „Hollah!“ dachte ich, das lesende Kind ist gewiß eine Gönnerin der Musen, und bei ihr kannst du dir vielleicht ein Glas Wein erwerben. Ich trat demüthig vor sie und fragte, ob sie einem reisenden Künstler erlauben wolle, ihr etwas zu deklamiren? Recht freundlich lud sie mich in's Haus ein, und ich ging mit ihr hinein. Man setzte sich da eben zum Frühstück, lud mich dazu ein, und drei Tassen vortrefflichen Kaffeh's sammt vier Semmeln, hinten nach noch eine Schale Milch, stärkten meinen Magen. Zum Dank deklamirte ich dann den Taucher von Schiller mit der stärksten Kraft meiner Lunge. Die Mama des Mädchens reichte mir noch ein fleischiges Schinkenbein und ein grosses Stück Kuchen, und nachdem ich ihr gewiß sechsmal die Hand geküßt hatte, welches ihr sehr angenehm zu seyn schien, drückte sie mir auch noch einen Guldenzettel in die Hand.

Die Arie: „Ach wie herrlich ist das Reisen!“ trillernd, schlenderte ich nun gesättigt weiter, allein ich hatte mich in jenem Hause zu lange aufgehalten, und sah wohl bei der einbrechenden Dämmerung, ich könnte heute das Städtchen, welches uns der Direktor zum Versammlungsorte bestimmt hatte, nicht mehr erreichen. Der Abend war kalt (es war im Oktober), und ich dachte eben nach, welche mitleidige Seele mir denn ein Nachtlager geben würde, als ich nicht ferne von mir an einem Bache eine einsame Mühle stehen sah, deren Räder lustig klapperten. Das Haus selbst hatte etwa

Unheimliches. Die Wände sahen schwarz und düster her, die untern Fenster waren mit starken Eisengittern verwahrt, und zwei Fenster im ersten Stockwerk mit roth angestrichenen Brettern vernagelt. Rund um das Haus hoben sich schwarze Fichten in die Höhe, und beiläufig 200 Schritte von der Mühle blinkte im Mondenstrahl ein halbverfallener Galgen. Der Weg führte mich hart an der Mühle vorüber, und ich sah eine alte Frau, die eben beschäftigt war, einige Kolben von türkischem Weizen, welche vor der Hausthüre in der Sonne gelegen hatten, in ihr Vortuch zu nehmen, um sie in's Haus zu bringen. Ich bot ihr einen guten Abend, und sie erwiederte ihn freundlich. Da trat ich näher, setzte mich ein wenig auf die Bank vor der Hausthüre, und es entspann sich ein Gespräch zwischen uns, worin ich ihr meine Noth klagte, daß ich ein armer Künstler sei, der nicht wisse, wo er heute Nacht sein müdes Haupt hinlegen sollte. Ich nahm einige Kotzebue'sche rührende Floskeln und meinen ganzen sentimentalen Ton zu Hilfe, und erweichte die gute Alte so sehr, daß sie mir freiwillig eine Lagerstelle in ihrer Mühle anbot.

Wer war froher als ich. Wir traten in's Haus. Der Sohn der Alten, der Müller, war heute eben nach jenem Städtchen gefahren, in welchem wir zunächst unsern Musentempel aufschlagen wollten, und wurde erst morgen wieder zurück erwartet. Die Alte machte Feuer, kochte mir eine warme Suppe und Kartoffeln, und wir setzten uns dann zusammen und verzehrten das freundlich Gegebene mit großem Appetit, ein Krug vortrefflichen Biers schmeckte mir herrlich. Während des Essens sprachen wir von Diesem und Jenem, und die Alte sagte mir, ich müsse in der hintern Stube schlafen;

es ginge freilich die Rede, es sei darin nicht recht geheuer, weil den vorigen Müller, der ein reicher Geizhals gewesen sei, in dieser Stube der Schlag getroffen habe, aber das sei nicht wahr, sie wäre zu allen Zeiten des Tages und der Nacht in der Stube gewesen, und habe nie etwas gehört noch gesehen. Bei diesen Worten stellte ich den Bierkrug, den ich eben zum Munde bringen wollte, wieder nieder, und ich glaube fast, mein Gesicht habe sich etwas verlängert. — Aber ich nahm mich recht zusammen, und als die Alte hinzu setzte — es stehe ein vortreffliches Bett oben, und wer reines Herzens sei, habe nirgend etwas zu fürchten, überredete ich mich, daß ich wirklich reines Herzens sei, und fügte mich in die Nothwendigkeit.

Um halb 9 Uhr nahm meine freundliche alte Wirthin das Licht, und leuchtete mir in meine Schlafkammer. Wir gingen durch die Mühle, dann über einen langen Gang, an dessen Ende das Gemach sich befand. Es war klein, hatte weiße Wände und ein Fenster. Die Alte wünschte mir gute Nacht und ging.

Da stand ich nun, und die Worte der Wirthin beim Abendmahl fielen mir wieder bei. Ich durchsuchte mein Zimmerchen, sah zuerst unter das Bett, dann öffnete ich das Fenster, welches ich mit einem starken Eisengitter versehen fand, aber gleich wieder sammt dem Laden schloß, da mir der vorerwähnte Galgen im hellen Mondenlicht entgegenleuchtete; riegelte dann die Thüre sorgfältig zu, legte meinen Hirschfänger neben das Bett auf einen Stuhl, entkleidete mich, stieg vermittelst des Stuhls in das hohe Bett, in welches ich wie in frischen Schnee tief hineinfiel, löschte das

Licht aus, zog die Tuchet (so nennt man bei uns das Federnüberbett) mit großer Mühe herauf, denn sie war ungeheuer schwer, und drückte die Augen zu. Schon hatte der Schlummer angefangen, seine milden Flügel über mich zu breiten, als mich plötzlich ein Gerassel, jenem ähnlich, welches entstehen würde, wenn die Kette einer großen Thurmuhr abliefe, und hierauf ein starker Schlag wieder erweckte, zu gleicher Zeit ward mir die Tuchet vom Bette gezogen. Ich riß die Augen auf und starrte in die Nacht, ich horchte, — und Alles war stille. Da griff ich an das untere Ende des Bettes, um zu fühlen, wo denn meine Tuchet sei, ich erfaßte einen Zipfel davon, und zog sie mit noch größerer Anstrengung als das erste Mal zu mir herauf. Kaum war ich einige Minuten so gelegen, und ließ die Tuchet eben aus, um die Arme unter dieselbe zu stecken, als sich dasselbe Gerassel, derselbe Schlag und das Wegziehen der Tuchet wiederholte. Gleich darauf war wieder Alles still. Nun fing mir im Ernste an, bange zu werden, große Schweißtropfen standen mir auf der Stirne, ich wußte nicht, was ich beginnen sollte. Noch einmal zog ich in der größten Angst die Tuchet zu mir herauf, und hielt sie fest, erwartend, ob man mir sie noch einmal entziehen würde; ich fühlte wohl, daß am untern Ende eine Gegengewalt sie ebenfalls festhielt: da zog ich die Füße, so viel ich konnte, herauf, und blieb in dieser unbequemen Stellung liegen, bis der Schlummer auf's Neue mich überwältigte, ich die Tuchet etwas los ließ, und sich das vorige gräßliche Spiel noch einmal wiederholte. Nun — ich kann es nicht läugnen, — fingen sich an, mir einige Härchen auf dem Kopfe emporzusträuben; ich zog meinen Hirschfänger, sprang mit beiden Füßen aus dem Bette, riegelte die Thüre auf, stürzte über den Gang durch die Mühle, wo mich mein Engel geleitete, daß ich keinen Fehltritt machte, von da in den Hof, und schrie nun aus Leibeskräften um Licht. Da öffnete meine Alte das Fenster, fragte, was mir geschehen sei, und als ich ihr mein Abenteuer erzählte, weckte sie zwei Mühlknechte, und mit einer Laterne kehrten wir in meine Schlafstube zurück. Freunde! Brüder! Was sahen wir? — Lacht mit mir. Zu den Füßen meines Bettes stand eine große eiserne Kaffetruhe welche noch dem vorigen Müller gehört, und worin er seinen Mammon verschlossen hatte. Meine Tuchet hatte sich mit einem Zipfel in den Ring, bei welchem man die Truhe anfaßte, um den Deckel zu öffnen, verwickelt; so oft ich sie nun zu mir emporzog, öffnete ich zugleich den schweren Deckel der Truhe, der dann mit Gerassel und einem Schlage zufiel, und mir natürlicher Weise das Federbett wieder entzog. Ich wurde wie natürlich von der Alten und den Mühlknechten ausgelacht, konnte aber nicht selbst mitlachen, da mir der Schrecken noch alle Glieder lähmte, doch verschlief ich ihn wieder bis zum andern Morgen.

„Meine Erzählung," nahm jetzt R. das Wort, „ist ganz kurz, ich will sie

III.

Das Schlittengespenst

nennen; hört sie geduldig an:

Ich war in meinem 15. Jahre als Cadet in das **sche Regiment eingetreten, hatte viel guten Willen, ein rech tapferer, unerschrockner Held zu werden, konnte es aber anfangs nicht recht damit vorwärts bringen, da die Erziehung in meinem väterlichen Hause nicht dazu geeignet war, mich dafür zu bilden, im Gegentheil wurde ich dort von meiner Mutter und ihrer Schwester verweichlicht, und durch Erzählung von Ammenmährchen so furchtsam gemacht, daß ich noch in meinem 12. Jahre nicht ohne Licht einschlafen wollte.

Als ich die Uniform anzog, und mir selbst überlassen war, mußte das freilich anders werden; ich hätte mich geschämt, meine Furchtsamkeit blicken zu lassen, und unterdrückte sie mit Gewalt, aber ich zitterte oft wie ein Espenlaub, wenn ich laut über Etwas lachen mußte, und an unheimlichen Orten verläßt mich selbst noch am heutigen Tage ein gewisses Grauen nicht, worüber ich übrigens ganz Herr geworden bin.

Meine Compagnie war im Jahre 18** in einem Dörfchen einquartiert, und ich hatte mein Quartier in einem Pachthofe in einem Nebengebäude hinter dem Wagenschuppen erhalten, worin sich, kurz bevor ich ankam, ein Knecht erhenkt hatte. — Der Strick, welchen er dazu gebraucht hatte, lag noch in einem alten, mit vergoldetem Schnitzwerk verzierten Schlitten, der in dem Wagenschuppen stand. Der Knecht war schon alt und hatte, wie mir die Hausleute erzählten, weiße Haare und einen langen weißen Bart.

An diesem Schuppen mußte ich nun, wenn ich des Nachts nach Hause kam, vorübergehen, und immer warf ich einen Blick auf den Schlitten, und stets fiel mir der Gehenkte ein. Eines Abends war ich mit meinen Kameraden länger im Wirthshause beisammen gesessen, denn Einer davon, der Unteroffizier geworden war, hatte ein gutes Abendessen bezahlt, und vom Wein erhitzt, ging ich erst um Mitternacht nach Hause. Wieder warf ich einen Blick auf den Schlitten, und — o Himmel! — gewahrte beim hellen Mondschein einen weißbehaarten Kopf mit einem weißen Barte, der mich fürchterlich anglotzte. Ich starrte betroffen hin, — ja es war keine Täuschung meiner Sinne oder des Mondlichtes, der Kopf bewegte sich; ich faßte mir ein Herz und schrie mit zitternder Stimme: „Wer da? wer da?" — Da scholl es mir entgegen: „Weh! Weh! Weh!" Ich zog den Säbel, fiel aber halb ohnmächtig zu Boden. Über mein Geschrei fing der Haushund zu bellen an, Knechte wurden wach, und kamen mit einer Laterne mir zu Hilfe. Da sahen wir denn, daß das Gespenst ein — Bock war, den man einzusperren vergessen hatte, und dessen „Meh" mir wie „Weh" geklungen hatte.

Die Mordhöhle.

Kriminalgeschichte.

Bei den Assisen des Departements de l'Ardeche wurde ein entsetzlicher Kriminalfall verhandelt. Der Gastwirth Martin zu Peyrabelle, seine Frau, und ein Paar Helfershelfer ermordeten seit 23 Jahren alle diejenigen, welche die Nacht zwang, bei ihnen einzukehren.

Das Wirthshaus, oder vielmehr diese Mordhöhle stand allein, abgelegen und von aller menschlichen Hilfe fern. Martin sagt man, hat das Haus vor 25 Jahren eigens zu dieser entsetzlichen Bestimmung aufführen lassen. Es war ganz so eingerichtet, daß der, welcher sich einmal darin befand, ohne Willen des Eigenthümers nicht mehr herauskommen konnte. Unter dem Vorwande der Sicherheit waren fast alle Fenster mit Gittern versehen, allein diese dienten eigentlich nur dazu, die Flucht der unglücklichen Schlachtopfer zu verhindern. Das ganze Gebäude glich einer kleinen Feste aus dem Mittelalter. In diesem Hause fand Alles sein Grab, was die Geldsucht seiner Besitzer erregte, und hierzu waren 50 Franken schon hinreichend.

Durch lange Straflosigkeit verwegen, durch den Reichthum, welchen sie sich erwarben, stolz gemacht, ihre ganz verlassene und erbärmliche Umgegend durch Schrecken und Ruchlosigkeit beherrschend, waren die Mörder in der letzten Zeit so weit gekommen, daß sie die Fortsetzung ihrer Schändlichkeiten gleichsam wie ein wohlerworbenes Recht ansahen, sie verschmähten es sogar, ihre Opfer in Geheim abzuschlachten, und gebrauchten nur ganz schwache Vorsicht, um sich vor Entdeckung zu bewahren. Sie mordeten einen Reisenden zehn Schritte von einem Andern, den sie leben und aus ihrer Höhle entkommen ließen. Entfloh ihnen ein Opfer zufällig, so setzten sie ihm nicht nach. Niemand wagte es, gegen sie seine Stimme früher zu erheben, als bis man sie in Ketten sah, so groß war die Furcht, welche sie einflößten, oder auch die moralische Erschlaffung, eine Folge der Unwissenheit und außerordentlichen Armuth dieser Gegend.

Vier Personen erschienen auf der Bank der Angeklagten: Martin, sein Weib, einer seiner Neffen mit demselben Namen und Rochette, sein Diener. Aller Augen richteten sich auf sie und man suchte in ihrem Gesichte den Wiederschein ihrer Lasterhaftigkeit. Martin ist ein Mann von mittlerer Größe, mit einem regelmäßigen Gesichte, welches selbst zu seinem Vortheile sprechen könnte. Betrachtet man ihn indessen aufmerksamer, so bilden seine starken Züge, seine lebhaften durchdringenden Blicke, und sein bitteres, widerliches Lächeln ein Ensemble, welches zurückschreckt. Auf die Vorfragen des Präsidenten erklärte er, daß er sich Pierre Martin, genannt Blanc, nenne, 60 Jahre alt sei, und in Peyrabelle eine Schenke gehalten habe. Das Gerücht sagt, daß sein Bruder auf die Galeere verwiesen und sein Vater gehangen worden sei. Frau Marie Martin, geborne Breyße erklärt, sie sei 45 Jahre alt. Sie ist, wie ihr Mann, von gemeinem Wuchse, ihre Züge sind stark markirt, die muskulösen Glieder geben ihr ein starkes und fast männliches Ansehen. Augenzeugen sagen, sie sei eben so häßlich und zurückstoßend, wie die Bancal, schändlichen Andenkens, welcher sie auch ähnlich sehen soll. André Martin, der Neffe, ist 32 Jahre alt, klein und scheint mehr von schwächlicher Leibesbeschaffenheit, sein Gesicht hat nichts Bemerkenswerthes, seine kraftlose und furchtsame Haltung kontrastirte mit der Keckheit seinen Mitangeklagten. Er erklärt, daß er ein Bauer, und im Augenblick seiner Verhaftung in der Gemeinde Larnas ansäßig gewesen sei. Jean Rochette ist 47 Jahre alt. Er ist groß und sehr kräftig gebaut, die Haare hängen wild um sein Haupt, sein Blick ist durchbohrend, sein Gesicht fürchterlich, alles an ihm zeigt den Mörder und Räuber. Alle vier Angeklagten sind einfach aber reinlich, und so, wie die Gebirgsbewohner der Gegend von Ardeche gekleidet.

Die Anklagepunkte sind folgende:

Am 12. Oktober 1831 kam Antoine Enjolras von dem Markte zu St. Cirgues, eine junge Kuh mit sich führend, die er daselbst gekauft hatte; mehre Personen begegneten ihm auf der Straße, die ihm bemerkten, es sei für ihn schon zu spät, um noch nach Hause zu kommen, er aber antwortete ihnen, daß er nur bis Peyrabelle gehe, wo er bei Martin übernachten wolle, mit welchem er noch Rechnungen abzuschließen habe. Zeugenaussagen haben bestätiget, ihn bis in das Haus Martin's gehen gesehen zu haben, woraus er aber nicht mehr lebend hervorkam. Seine Familie, unruhig über sein Ausbleiben, stellte umsonst Nachforschungen an, bald aber verbreitete sich das Gerücht von seiner Ermordung bei Martin in Peyrabelle und nahm eine solche Wahrscheinlichkeit an, daß der Friedensrichter von Concourres es für seine Pflicht hielt, dort Untersuchung vorzunehmen, welches auch am 25. Oktober geschah. Dieser Beamte, schlecht unterrichtet, machte einen Besuch in Martin's Schenke, welche damals an einen gewissen Galland verpachtet war, aber kam nicht in jene Abtheilung des Hauses, welche Martin selbst bewohnte, und wo, nach allen Anzeichen, der Mord geschehen seyn, und der Leichnam sich vorfinden mußte. Die Mörder, durch die Nachforschungen von der Gefahr unterrichtet, trugen den Leichnam auch in der Nacht vom 25. auf den 26. Oktober an den Fluß Allika, wo er am Morgen gefunden wurde. Arzt und Wundarzt erkannten, daß Enjolras Tod gewaltthätig gewesen sei, und daß einige Wunden dem Leichnam erst nach dem Tode beigebracht seyn mußten, und zwar mit der Absicht, die Leute glauben zu machen, daß er durch einen Sturz von dem Felsen, an dessen Fuße er gefunden wurde, den Tod gefunden habe. Pierre Martin, sein Weib und sein Diener Rochette wurden allgemein dieses Mordes beschuldigt. Man vernahm, daß man in der Nacht vom 25. auf den 26. Oktober Martin und Rochette auf der Straße nach dem Allica gesehen habe, indem sie auf dem Rücken ihres Pferdes einen Leichnam gebunden hatten.

Am 1. September 1830 begegneten auf dem Jahrmarkte zu Langogne Martin, Rochette und André dem Herrn Jean-Baptiste Bourtoul, den sie kannten und ihn in eine Schenke führten. Nachdem sie ihn dort zum Trunke und Spiel verleitet, sagten sie ihm; sie hätten ihn nicht hieher geführt, um sich mit ihm zu unterhalten, sondern um ihm das Geld zu nehmen, was er bei sich habe. Bourtoul, darüber erschrocken, wollte aus dem Fenster springen und um Hilfe rufen, allein Rochette faßte ihn beim Genicke und in demselben Augenblicke gab ihm André einen Stoß mit einem Dolche, der ihm nur die äußerste Haut des Bauches aufschlitzte. Bourtoul wurde so gezwungen, ihnen seine Börse auszuliefern, welche 500 Fr. enthielt, und wagte es nicht, bis zur Verhaftung der Verbrecher, von dieser Begebenheit zu sprechen.

Vor beiläufig zwei Jahren begab es sich, daß die Witwe Bastidon, welche von Meyres nach Peyrabelle ging, an die Schenke des Pierre Martin klopfte. Während sie wartete, bis man ihr öffnen werde, glaubte sie mehre Personen zu hören, welche unter sich zu berathen schienen, und unter welchen sie Martin's Stimme erkannte. Er sprach: „Wo tragen wir ihn hin?“ und eine andere Stimme antwortete: „Die Gruben um das Haus sind noch frisch, da scharren wir ihn ein.“ Man zögerte lange, bis man der Bastidon öffnete; und diese, nicht wissend, wie sie diese Worte deuten sollte, verbarg sich auf dem Heuboden in's Heu und schlief dort ein. Um Mitternacht wurde sie durch einen Jammergeschrei geweckt, welchem die Worte folgten: „Um Gottes willen tödtet mich nicht!“ worauf Martin's Stimme antwortete: „Hilft nichts, du mußt hinüber!“ Von Angst ergriffen, beeilte sich die Witwe Bastidon zu entfliehen, und kaum war sie außer dem Hause, als der Mann, dessen Geschrei sie vorher vernommen, aus dem Fenster sprang und vor ihr niederfiel. Dieser Mann, der in Hemdeärmeln war, und der vierzig Jahre alt gewesen seyn mochte, sagte der Bastidon weder seinen Namen noch seine Wohnung, aber er erzählte ihr, daß, während er schon zu Bette gegangen war, aber noch nicht schlief, Pierre Martin und ein anderer Mann, den er nicht nannte, in seine Kammer getreten seien, mit Messern bewaffnet, um ihn zu ermorden, und daß er ihnen nur durch einen Sprung aus dem Fenster entkommen sei.

Nachdem der Präsident die gewöhnlichen Fragen gestellt, schreitet er zum Zeugenverhör. Es waren 109 Zeugen zugegen, wovon 17 von den Angeklagten als Zeugen ihrer Unschuld zitirt waren.

Wir wollen hier besonders die Aussage von zwei Zeugen anführen, die auf das ganze Auditorium einen Schauder bewirkten, welcher schwer zu beschreiben ist. Die erste legte Vincent Bover, ein Klempnergeselle, 29 Jahre alt, ab. Er erzählte folgendermaßen:

„Eines Tages, es war im Winter 1824, wollte ich mich zu meiner Familie nach Aubenas begeben, wurde aber von einem stürmischen Schneewetter überfallen, und gezwungen, Herberge in Martin's Schenke zu Peyrabelle zu suchen. Ich sah dort mehre Personen und hierunter einen alten Mann, der ebenfalls die Nacht dort zubringen wollte. Die Frau Martin lud mich ein, am Ofen Platz zu nehmen, und ließ sich mit mir in ein Gespräch ein, was mir mein Handwerk wohl eintragen könne, und was ich für Geld bei mir trage. Sie sagte mir, es existire in der Nähe eine Räuberbande, und fragte mich, was ich denn thun würde, wenn sie mich auf der Straße anfielen. Ich würde ihnen, antwortete ich, in Gottes Namen die elenden 30 Sous überlassen, die mir noch übrig bleiben werden, wenn ich mein Nachtmal bezahlt haben werde. — Aber wenn sie Euch ans Leben wollten, was dann? — Dann würde ich es ihnen so theuer verkaufen als möglich. — Wenn man aber in dieser Herberge — versteht mich gut, ich setze nur den Fall — wenn man zum Beispiel hier Jemand ermorden wollte und Euch verschonte, wie würdet ihr Euch benehmen? — Ich würde diesen Armen mit Gefahr meines eigenen Lebens vertheidigen, wenn ich anders die Möglichkeit einsähe, ihn zu retten, wo nicht, so würde ich mich ruhig verhalten. — Habt ihr einen festen Schlaf? — Sehr fest, so daß ich kaum zu erwecken bin, wenn ich schlafe, ich glaube, man könnte das Haus davon tragen. — Diese sonderbaren Fragen erschreckten mich, und ich sah wohl, daß ich mich in einer Mordhöhle befinde, suchte aber so viel möglich meine Angst zu bemeistern und frohen Muths zu scheinen. Die Frau Martin wandte sich nun zu dem Alten und fragte ihn um den Zweck seiner Reise. Der Unglückliche sagte ohne Mißtrauen, daß er eine Kuh verkauft habe, und das Geld dafür auf's Amt tragen wolle. Als ich diese Worte vernahm, verdoppelte sich meine Angst, und ich sah wohl ein, daß unser beider Leben nur an einem Faden hänge, doch hielt ich an mich was ich konnte, und vermied es von diesem Augenblicke an, mehr ein Wort mit dem unklugen Fremden zu wechseln. Indessen war die Stunde zum Schlafengehen herbeigekommen. Die Leute vom Hause gaben uns in einem befehlenden Tone (denn sie verstellten sich jetzt gar nicht mehr) zu verstehen, daß wir in die für uns bestimmten Kammern hinaufgehen sollten. Der Alte schien nun auch seine thörichte Offenherzigkeit einzusehen, und verlangte, man möchte ihn mit mir in einem Zimmer schlafen lassen, allein man erklärte ihm sehr trocken, er müsse allein schlafen. (Allgemeine, aber stillschweigende Bewegung unter den Zuhörern. Die Angeklagten blieben kaltblütig.) Ich mischte mich gar nicht in die ganze Verhandlung. Man führte uns beide in abgesonderte und von einander entfernte Gemächer. Als der Alte in das seinige getreten war, vernahm ich, daß er neuerdings Umstände machte, in demselben zu schlafen, allein eine Stimme antwortete ihm: „Behilf dich, wie du kannst, du mußt hier bleiben.“ Dann hörte ich die Thür dieses Gemaches sich schließen, und Jenen, der den Alten begleitet hatte, wieder hinabgehen. Mich hatte eine der Töchter Martin's in mein Zimmer geführt, und mir empfohlen, meine Thür ja nicht offen zu lassen. Als sie fort war, untersuchte ich mein Bett und die Haare sträubten sich auf meinem Kopfe empor, als ich darin große Blutflecken gewahrte. (Allgemeines Grauen, aber Stillschweigen.) Ich legte mich mehr todt als lebend nieder. In Zeit von einer Stunde beiläufig kam Jemand in mein Zimmer, glaubend, daß ich schlafe (denn ich stellte mich so), durchsuchte meine Kleider, und da er wirklich nur 30 Sous darin fand, steckte er sie wieder hinein, und entfernte sich.

Zwei oder drei Stunden mochten hierauf verflossen seyn, als ich wiederholt an jener Thüre schlagen hörte, welche zu dem Zimmer des Alten führte. „Auf, auf! es ist Zeit!

wiederholte man einige Male, aber immer fruchtlos. Die Personen, welche dieses Getöse machten, stiegen dann wieder in das Erdgeschoß hinab, kamen aber nach einer halben Stunde wieder herauf, schlugen neuerdings an die Thür und wiederholten dieselben Worte. Da der Alte nicht öffnen wollte, brachen sie die Thüre ein. Hierauf vernahm ich den Ruf: »Zu Hilfe! zu Hilfe!« Aber bald folgten nur unartikulirte Töne, die ich mit nichts Anderm vergleichen kann, als mit denen eines abgestochenen Schweins. (Allgemeines Erbeben.) Während dieses geschah, hörte ich die beiden Töchter Martin's, 25 bis 30 Jahre alt, vor meiner Thüre stehen, gleichsam als ob sie mich bewachen wollten, und laut lachen und singen. Dieser Gesang und dieses Gelächter schallte wie ein Gesang und Gelächter der Verdammten in meine Ohren. (Aller Blicke wenden sich auf die Bank der Angeklagten und scheinen zu fragen, warum Martin's Töchter nicht ebenfalls hier zu finden sind.) Am andern Morgen stand ich etwas später auf, um den Ungeheuern Zeit zu gönnen, die Spuren ihres Verbrechens so viel möglich zu verwischen, und so mein eigenes Leben zu retten. Die Frau Martin stellte neuerdings mehre Fragen an mich, ob ich gut geschlafen und nichts gehört hätte. Ich sagte ihr, ich wäre alsogleich, wie ich in's Bett kam, vor Müdigkeit eingeschlafen und erst jetzt erwacht. Endlich verließ ich — Gott sei Dank, — das Haus, hatte es aber kaum hundert Schritte hinter mir, als ich zu laufen anfing, so lange es mir meine Beine gestatteten, und wurde erst dann wieder ruhig, als ich vor den Nachstellungen der Räuber sicher zu seyn glaubte.«

Diese, im einfachen aber lebhaften Tone gemachte Aussage, machte einen tiefen Eindruck auf alle Zuhörer. Die Angeklagten läugneten Alles keck, ihre Advokaten schwiegen.

Die zweite sehr umständliche Aussage kam aus dem Munde eines Bettlers von 56 Jahren, genannt Chaze und wohnhaft in Souche.

„Es war," sprach er, „vor zwei Jahren im Monate Oktober, als ich, zurückkehrend von Louvese, zur Nachtzeit an die Schenke Pierre Martin's kam. Ich blieb an der Thüre stehen und bat demüthig um eine Nachtherberge. Die Frau Martin sagte mir, bei ihnen sei kein Platz für mich, ich sollte wo anders Unterstand suchen. Ich antwortete, ich würde mein Lager auf dem Heu und etwas Nahrung schon bezahlen. Darauf ließ sie mich eintreten, und ihr Mann fragte mich: Ihr wollt Euch also mit einem Lager auf dem Heu begnügen? „ich antwortete, ich würde überall schlafen, wohin man mich weisen würde. Ich fand im Zimmer die hier anwesenden vier angeklagten Personen und Marie Armand (einen der Zeugen). An einem andern Tische saßen drei Männer, deren Einer mich fragte, wer ich sei. Ich wohnte damals in Saint-Cirgues-de-Prades und sagte es ihm. Er antwortete mir, daß er den Ort kenne, und fügte bei, daß er von dem Jahrmarkte zu Saint-Cirgues-en-Montagne komme, daß ihm auf dem Wege eine junge Kuh entkommen sei und daß er bei Martin eingesprochen habe, der sein Freund sei. Einer der drei Männer begehrte noch eine Bouteille Wein, welche ihm aber Frau Martin verweigerte, weil es schon zu spät sei. Dann gingen die andern zwei Männer und jener, welcher mit mir gesprochen hatte, blieb noch, er aß noch eine volle Schale Suppe, und ging dann schlafen. Man sprach zu ihm: „Ihr wißt schon, wo Euer Bett ist?“ er antwortete „Ja,“ und Martin's Diener nahm das Licht, ihm zu leuchten.

Enjolras (so hieß der Mann, denn man nannte mir später seinen Namen) sagte zu den Wirthsleuten noch: „Ich werde erst morgen bezahlen; denn ich werde morgen noch mit einer Person hier frühstücken.“ „Schon recht,“ antwortete Martin. Der Diener, nachdem er dem Herrn auf sein Zimmer geleuchtet hatte, kam zurück, erklärte mir es sei schon spät genug, um schlafen zu gehen, und wies mich auf mein Lager im Heu. Ich stieg in Begleitung des Dieners auf den Heuboden und sah bei dem Scheine der Lampe den Ort, wo Enjolras lag. Seine Lagerstätte, ebenfalls auf dem Heu, war nur acht oder zehn Schritte von der meinigen entfernt. Nicht lange nachher stiegen die drei Männer über die Treppe herauf und erschienen auf dem Boden neben Enjolras. Sie hatten kein Licht, und Einer von ihnen sagte: „Wir müssen eine Lampe abwarten.“ Wirklich kam Frau Martin gleich darauf mit einer Lampe und einem Topfe, welche beide sie den Männern übergab, und wieder hinabstieg. Ich stellte mich an, als ob ich schliefe, beobachtete aber schweigend alle Bewegungen der drei Männer, welche die hier gegenwärtigen Angeklagten waren. (Allgemeine Bewegung. Der Neffe Martin's horchte mit ganz auffallender Aufmerksamkeit auf die Worte des Erzählers.) Sie warfen sich auf Enjolras und sagten zu ihm: „Das mußt du trinken." Dann hörte ich einen Hammerschlag auf den Kopf eines Menschen. Zu gleicher Zeit vernahm ich den Schmerzensruf des Schlachtopfers: Oh! — oh! — oh! — Wenige Augenblicke nachher traten zwei der Männer zu mir, sahen mich an und sagten zu sich: „Der schläft fest!" Dann verließen sie mich, faßten alle drei den Leichnam an, und trugen ihn vom Heuboden hinab. Einer von den dreien sagte: „Halt fest, Hasenfuß." Ich hörte dann, wie sie sagten: „Diese Nacht hat uns 100 Thaler eingetragen." Bald hernach kamen die drei wieder auf den Heuboden herauf, setzten sich um die Lampe, und schienen mich aufmerksam und stillschweigend zu betrachten. So kamen sie zwei- oder dreimal auf den Boden herauf.

Als es endlich Tag wurde, stand ich auf. Der Diener war da allein auf den Boden neben der Lampe, welche eben erlosch. Ich dankte ihm für seine Barmherzigkeit, und bot mich an, mein Nachtlager zu bezahlen, er sagte mir, es sei bei ihnen nicht gebräuchlich, eine so armselige Lagerstätte auf dem Heu sich bezahlen zu lassen, und fragte mich, ob ich gut geschlafen habe. Ich antwortete: Ja; denn ich war sehr ermüdet." Ich stieg hinab in die Küche, wo ich Frau Martin beim Feuer fand, neben ihr stand ein Mädchen. Ich dankte ihr, bot auch ihr an, mein Nachtlager zu bezahlen und da sie nichts darauf antwortete, ging ich aus dem Hause und schlug den Weg nach Marce ein. Ich erzählte auf dem Wege mehren Personen, welche mir begegneten, einen Theil der Begebenheiten dieser Nacht, das ausführliche Ganze aber behielt ich mir vor der Gerechtigkeit mitzutheilen, wie ich es so eben gethan habe.

Diese Aussage des Chaze, eines ehrwürdigen, obschon mit Lumpen bedeckten Mannes machte auf das ganze Auditorium einen tiefen Eindruck. Ein Umstand war von besonderer Wichtigkeit für die Richter. Marie hatte in vielen geschriebenen Aussagen und auch im mündlichen Verhör angegeben, daß sie am Tage dieses Mordes nicht in Martin's Hause gewesen sei. Sie wurden mit Chaze konfrontirt. „Nicht wahr, ich war es nicht, die Ihr in der Küche bei Frau Martin saht?" — sprach sie mit außerordentlicher Keckheit zu Chaze. Der Bettler aber antwortete mit feierlicher Stimme, indem er ihr die Hand auf die Schulter legte: „Ja, du warst es!" und Marie Armand wurde blaß und antwortete, wie von einem Blitzstrahl getroffen, kein Wort. Alles war überzeugt, daß ihr das erwachende Gewissen den Mund geschlossen, und daß Chaze die Wahrheit gesagt habe.

Noch eine große Anzahl von Zeugenaussagen bestätigten das gräßliche Hauptfactum, daß Martin's Schenke eine Mörderhöhle war.

Unter jenen Aussagen, deren Verdächtigkeit beweiset, daß die Zeugen mehr wissen, als sie sagen wollen, ist eine der bemerkenswerthesten jene der Marie Armand. Dieses Mädchen, beinahe 25 Jahre alt, klein, aber mit einem ausdrucksvollen Gesichte, zeigte eine Gegenwart des Geistes, eine Lebhaftigkeit und einen Verstand, die bei Leuten ihrer Klasse nicht gewöhnlich sind. Sie ist die geheimnißvolle Person, die Manson in diesem blutigen Drama. Sie scheint wirklich bei der Ermordung Enjolras gegenwärtig gewesen zu seyn, wenigstens ist es bewiesen, daß sie diese

Nacht in Martin's Hause zugebracht habe. Moulin und Reynaud, welche ebenfalls diese Nacht im Hause waren, bestätigen, sie gesehen zu haben, allein sie behauptet immer hartnäckig, nichts davon zu wissen, und sagt, sie habe in dieser Nacht, wo der Mord begangen worden seyn soll, nicht bei Martin, sondern zu Hause geschlafen. Auf die Gegenbehauptung der Zeugen antwortete sie mit unerschütterlicher Ruhe: „Es scheint, diese Leute müssen zwei Seelen haben, deren eine sie der falschen Aussage opfern wollen, ich habe nur eine Seele und will diese retten.“ Sie blieb dabei stehen, sie habe jene Nacht in ihrer Wohnung zu Saint-Cirgues zugebracht, sie führte auch Personen an, die sie daselbst gesehen haben sollten, konnte aber ihr Alibi nicht beweisen; sie entfernte sich an diesem Tage ganz zerknirscht, und von dem öffentlichen Unwillen begleitet.

Am folgenden Tage aber änderte sich die ganze Scene. Marie Armand erschien schwankend, mit blassen Wangen und gesenktem Kopfe, sie schien endlich eine wahre und klare Aussage thun zu wollen. Aufgerufen hiezu von dem Präsidenten, und beschworen von ihm, Alles zu sagen, was sie wisse, gesteht sie endlich mit zitternder Stimme, daß sie in jener Nacht, in welcher Enjolras verschwunden, zu Peyrabelle gewesen sei. Bei diesen Worten, welche der Eingang zu einem vollkommenen Geständniß zu seyn schienen, erreichte die allgemeine Aufmerksamkeit den höchsten Grad, man hörte keinen Athemzug — eitle Hoffnung! Die Wahrheit, welche auf Marien's Lippen sich endlich Luft zu machen schien, trat auf einmal wieder in ihre ver schlossene Seele zurück, keine Gewalt, weder die Beschwörung des Präsidenten und der Geschwornen, noch die Furcht vor den Folgen, welche eine falsche Aussage für sie haben könnte, konnten sie zu mehr als den Worten bringen: „Ich war dort, aber ich weiß nichts von einem Morde, ich habe keinen Schrei gehört, als etwa jenen, welchen Rochette von sich gab, weil er heftige Zahnschmerzen hatte.

Ich habe zwar einen alten Bettler dort gesehen, allein mir scheint, das war nicht jener Mann (Chaze), der mir viel größer vorkommt.“

Das Zeugenverhör wurde erst am siebenten Tage geschlossen. In den ersten vier Tagen erschienen die vier Angeklagten wie zu einem Triumphe gehend im Saale, man sah sie bei den gewichtigsten Beschuldigungen lächeln, ihre kecken und beinahe beleidigenden Blicke schienen Richter und Zuhörer zu höhnen, aber diese Sicherheit verschwand in den letzten drei Tagen, ihre Haltung war nicht mehr dieselbe und die Angst malte sich in ihren Gesichtern. Der Neffe Martin's zeigte übrigens nicht so viel Übermuth, und Thränen näßten oft seine Augen und Wangen.

Nach einer langen Berathschlagung der Jury wurden Pierre Martin, sein Weib und Jean Rochette als des Mordes an Enjolras schuldig und zum Tode verurtheilt.

Als sie zum Richtplatze geführt wurden, versammelte sich eine außerordentliche Volksmenge auf den Straßen. Mehre Stimmen riefen den auf den Wagen sitzenden Delinquenten die Namen: Mörder! Ungeheuer! zu. Auf der Brücke von Bainne stand ein elender Bierfiedler, welcher sich an die Spitze des Zuges stellte, und ihn lange unter dem Spiele auf seiner Geige begleitete.

Zu Chavade sah Rochette einen armen Burschen aus seiner Bekanntschaft, dem er seinen Mantel mit den Worten zuwarf: „Da nimm diesen Mantel, ich brauche ihn nicht mehr, und bitte Gott für mich.“

Pierre Martin sah die andern mit kaltem Blute hinrichten.

Ein muthwilliger Jugendstreich.

Skizze aus dem Leben.

Unter den jungen Leuten, welche mit mir jene glückliche Zeit verlebten, wo man alles rosenfarben sieht, über einen Graben springt, anstatt vorsichtig darüber zu schreiten, weder Erhitzung noch Zugluft scheut, kurz wo man so eigentlich nur lebt, um das Leben auf's Spiel zu setzen, war auch Einer, den wir zum Stichblatte aller unserer Scherze machten. Er war ein guter Kerl, und das ist eigentlich das beste und einzige Lob, was man ihm geben kann. Er war einfach und einfältig, leichtgläubig und unwissend. Die Natur hatte ihn eigentlich mit einem Rücken erschaffen, um Lasten zu tragen, er aber hatte sich mit all seiner Schwere auf die Literatur gelegt und war — Commis in einer Buchhandlung geworden. Was sein Physisches betrifft, so hatte er, außer jenem großen Rücken, einen großen Kopf, große Augen, eine große Nase und große Lippen, alles dies mit großen Pockennarben durchlöchert. Mit allem diesem kann man ein sehr braver Mensch, und ein brauchbarer Buchhandlungs-Commis seyn. Das war er auch; denn sein Prinzipal rühmte von ihm, daß er es aus der Kunst verstehe, den Leuten die bei ihm verlegten, aber leider verlegenen Waaren aufzuheften, aber unser Mann besaß dabei auch eine ziemliche

Portion Eigenliebe und eine dito Anmaßung, welche zu dem Bilde, das ich so eben von ihm entworfen habe, nicht paßten. Er hielt sich für den Gegenstand der verliebten Blicke und Wünsche aller Mädchen, und wenn er uns seine verliebten Abenteuer erzählte, so nannte er sich selbst einen Schmetterling. Jetzt bitte ich um's Himmelswillen, sich einen solchen Schmetterling zu denken.

Seit einiger Zeit hatten wir bemerkt, daß unser Kamerade, den ich Kurz nennen will, um Euch seinen langen Namen nicht zu sagen, daß Kurz auf ein kleines, junges, liebliches Bäckermädchen, welches immer im Laden ihres Vaters saß und Brot ausgab, seine verliebten Blicke schoß und Seufzer ausstöhnte gleich Zehnpfündern. Da dies mehre Tage dauerte, so beschlossen wir uns auf Kosten unsers verliebten Gecken zu unterhalten, und wir kamen überein, ihm in Nettchen's Namen (so hieß die Mehlerzeugte) ein Briefchen zu schreiben.

Ich übernahm die Korrespondenz, und noch an demselben Mittag brachte der Briefträger Kurzen ein Billetchen auf rosenrothem Papier und mit den gehörigen orthographischen Fehlern ausgestattet, um die Sache ganz wahrscheinlich zu machen, folgenden Inhaltes:

„Wollgeborner Herr!

Ich bemurke, daß sie mich immer so keck anschauen und das ist nicht schön von ihnen. Sie wollen mich conbromidiren — o Mansbilder! was seyd ihr für Innsekten! Ich bitte Sie Herr von Kurz treiben sie das Anschauen nicht länger so fort, denn ich halt's nicht aus

Nette.“

„N. S. Wen sie mich beantworten wollen, so schicken sie den Prif nicht in den Laden sondern schreiben sie mir bost reh stante, ich werd schon hinschicken danach.“

Ich kann Kurzen's Gesicht nicht beschreiben, als er diesen Brief erhielt. Er bekam ihn um 2 Uhr und las ihn noch um 7 Uhr Abends. Wie wir wohl vermutheten, so fanden wir schon am folgenden Morgen eine Antwort auf der Post, womit ich meine Leser verschonen will, da sie volle vier Seiten hatte.

Nun folgte ein neuer Brief Nettchen's, in welchem das schüchterne Kind nicht die Kraft hatte, sich über Alles das, was ihr der zu liebenswürdige Bösewicht gesagt hatte, böse zu zeigen, aber in welchem sie ihre bescheidenen Zweifel über die Treue des glücklichen Commis ausdrückt. In einem Postscriptum wie bei dem ersten Brief wird um Frankirung der Briefe ersucht. Die Korrespondenz konnte sich verlängern und es war natürlich, daß er die Kosten davon bezahle.

Nichts war nun komischer als Kurz, wenn er vor Nettchen's Laden vorüberging und im Selbstgefühle seines Sieges Blicke des Einverständnisses auf das Mädchen warf und telegraphische Zeichen seiner Liebe gab, indessen jene gar nicht darauf achtete, oder wenn sie es zufällig bemerkte, sich umwendete, um recht herzlich zu lachen.

In der Freude seines Herzens konnte Kurz sein neues Abenteuer nicht bei sich behalten, der Glückliche will sich mittheilen. Er erzählte uns also alles, und machte uns auch zu Vertrauten des ganzen Ganges.

Um uns etwas für die Mühe schadlos zu halten, welche uns Nettchen's Briefe verursachten, glaubten wir, es sei billig, daß uns der glückliche Kurz einmal ein recht gutes Mittagsmahl bezahle, und kamen durch folgende List dazu.

Eines Tages, als er uns den letzten Brief Nettchen's zeigte, sagte ich kopfschüttelnd zu ihm: „Lieber Kurz! ich weiß nicht, aber der Styl deiner Geliebten kommt mir in diesem Brief weniger zärtlich vor, als in den vorhergehenden."

„Ach! was fällt dir ein?" antwortete er lächelnd und las uns den Brief noch einmal vor, indem er auf jedes Wort einen eigenen Nachdruck legte.

„Ja, ja," fuhr ich fort, „gewiß, es ist nicht mehr dasselbe Feuer, nicht mehr jene Leidenschaftlichkeit, welche beim Anfange eurer Korrespondenz aus jeder Zeile sprach. Ich meine, Kurz, deine Geliebte wird kälter."

„Nichts wird sie kälter, heftiger wird sie," schrie Kurz.

„Höre mich," versetzte ich, „nach diesem letzten Briefe geh' ich mit dir eine Wette ein, daß sie dir drei Tage nicht schreibt."

„So? recht! was soll's gelten?"

„Ein Mittagsmahl für uns fünf."

„Gut, es gilt," und er schlug ein.

„Es ist heute Mittwoche, und jetzt 10 Uhr. Wenn du Sonnabend um dieselbe Stunde keinen Brief von Nettchen empfangen hast, so sind wir Sonntags deine Gäste, im entgegengesetzten Falle du der unsrige."

„Recht! Ich fange schon heute an mich auszuhungern."

Es geschah, wie es nicht anders geschehen konnte. Die zehnte Stunde schlug am folgenden Sonnabenbe, ohne daß Kurz einen Brief erhalten hatte. Ich hatte einen um 10 Uhr auf die Post gegeben, damit er ihn erst um 11 Uhr erhielt;

die Wette war verloren, und wir bemerkten, daß Kurz diesen Brief Nettchen's nicht mit derselben Freude empfing.

Der Monat Februar kam heran und mit ihm die Lustbarkeiten des Faschings. Dies war eine gute Gelegenheit einmal eine Abwechslung in die Eintönigkeit der Mystifikation zu-bringen, welche auch uns schon ermüdete.

Ein Brief Nettchen's benachrichtigt Kurzen, daß sie Sonntags auf die Redoute gehen wird. „Ich werde," sagt das Billet, „als Milchmädchen erscheinen, und wünsche, daß auch sie in der Maskera (Maske) kommen. Setzen sie eine rothe Barrocken auf und nehmen sie wenigstens eine falsche Nase mit einem großen Schnurbart, damit wir uns erkennen."

Kurz zeigte uns diesen Brief nicht, er fürchtete vermuthlich, wir würden alle auf den Ball gehen, und ihn stören. Unter unsern Freunden war auch ein Jüngling von zartem und schlanken Bau und mädchenhafter Gestalt, wir nannten ihn nur immer die Eduard. Der mußte seine Taille durch ein Schnürleibchen noch verschmälern, atlassene Schuhe anziehen, den Kopf mit Seidenlocken schmücken, das bezeichnete Milchmädchen-Costume anziehen, und als Nettchen auf der Redoute erscheinen.

Kurz war schon da und stieg in einem ganz neuen Anzuge gravitätisch im Saale herum, er trug hochgelbe Handschuhe, eine Nase, wenigstens eine halbe Elle lang, und eine Perrücke, die dem ersten Bürgermeister gut gestanden hätte. Unser Eduard — wie er uns dann erzählte — nahm seinen Arm und ein zärtlicher Druck dankte ihm für sein pünktliches Erscheinen.

Um die Rolle eines schönen Mädchens ganz zu spielen, hatte Eduard die ganze Nacht Launen und Grillen. Er begehrte Eis, Orgeade, Punsch, Orangen, Zuckerwerk, und ließ endlich nicht undeutlich vernehmen, daß ihm im Speisesaal ein Fasanchen gar lieblich in das Näschen gerochen habe, und daß der Champagner eigentlich der wahre Damenwein sei. Der Verliebte wurde zudringlich und wollte mit Gewalt, daß Eduard seine Maske wenigstens beim Essen abnehme, allein Eduard that es natürlich nicht, und schluckte doch unter einem kleinen Tafftvorhängelchen ein Erkleckliches in sich.

Am Morgen nach dem Balle kam wieder ein Billet von Nettchen. Nachdem Kurz zwanzig Mal seine Lippen darauf gedrückt hatte, las er es uns.

„Mein deurester Freind,“ schrieb man, „ich bin seit gestern nicht mehr die nempliche selbe, ich weis nicht was in mir vorgeht, aber sie wissen es lippenswürdiger Besenwicht.“ —

Hier küßte der Leser den Brief zärtlich und fuhr fort:

„Ich habe eine Bitte an sie zu thun. Ich will mir ein Braselett von Haaren machen lassen, und die Haare sollen die deinigen seyn, du Entsetzlicher. Schicke mir sie so bald und so lang als möglich; denn ein Braselett frißt viel.“

Dieser letzte naive Ausdruck entzückte Kurz und begeistert rief er aus: „Ist das ein Mädchen!“

„Was wirst du thun?“ fragte ich ihn.

„Was ich thun werde? Ist das eine Frage? Ich werde der Himmlischen Haare senden, so viel sie will.“

„Aber du hast so wenig und trägst sie so kurz.“

„Einerlei, ich opfere ihr alle mit der Wurzel, und sollte ich eine Perrücke tragen;“ und er stürzte fort.

Eine halbe Stunde nachher sahen wir ihn wieder auf der Straße. Sein Hut war bis zu den Augen in den Kopf gedrückt und er hatte ein weißes Papier in der Hand, welches etwas Wichtiges vorsichtig einzuschließen schien, denn die vier Ecken waren aufgebogen und mittelst einer Stecknadel zusammengeheftet. Er tritt in den Bäckerladen, in welchem sich Nettchen so eben allein befand, legt sein kostbares Packet vor ihr nieder, wirft ihr eine Kußhand zu, und entfernt sich wieder, indem er sich gerade gegenüber an den Eckstein stellt, um die Wirkung seines Geschenkes zu beobachten.

Wir saßen gerade hinter ihm an einem Fenster des Kaffehhauses und hatten Mühe das Lachen zurückzuhalten. Nettchen blieb Anfangs starr stehen, ohne zu begreifen, wie sie das Benehmen des Fremden deuten sollte. Endlich entschloß sie sich das Papier zu öffnen, und als sie den Inhalt sah, machte sie eine Geberde des Ekels, nahm Papier und Inhalt und warf es in den Kehricht, der im Hintergrunde des Ladens lag. Kurz sah dieses kaum, als er zornentflammt in den Laden stürzte, seinen Kopfschmuck aus dem Kehricht zog, mit dem Hut, den er bisher auf dem Kopfe behalten hatte, wüthend auf Brot und Semmeln schlug, und dann wieder herausstürzte. Wir konnten uns eines helllauten Gelächters nicht mehr enthalten, als wir den rasirten Kopf sahen, und der Arme bemerkte nun erst, daß er bei der ganzen Scene Zuseher gehabt habe.

Am Abend kam der Postbote und brachte wieder ein Briefschen. Kurz stürzt darauf und liest:

„Kecker, aber doch immer gelippter Mann!“

„Was haben sie gethan? Bei hellichten Tag bringen sie mir ihre schenen Haare, und legen sie mir auf die Budel hin, so daß es mein Vater, der hinten war hätt sehen können. Sie wollen also ihre Nette da forsch unglücklich machen? Ich mußte sie in diesem Augenblicke wegschmeissen, aber ich wußte wohl, daß sie sie wieder aufklauben werden. Behalten sie mir die lieben Haare gut auf oder noch besser, lassen sie mir selbst Braseten daraus machen, das Band welches ich ihnen schicke, enthält meine Weite.

Sie sehen was ich Alles für Sie thu, und ich hoffe, ich werde es nicht bereien müssen. Ich denk sie werden röthliche Absichten haben. Ich habe mit meinem Vater geredt. Er war nicht bös und läßt sie auf künftigen Suntag zum Essen einladen. Kommen sie gewiß und zu rechter Zeit, daß in der Kuchel nichts anbrennt zu ihrer

Nette.“

Ich muß Kurzen zur Ehre nachsagen, die „röthlichen Absichten“ und das Hindeuten derselben auf eine ernstliche Verbindung machten ihm bange, und er zog uns über die ganze Sache zu Rathe. Wir, die wir wußten, das es keine Gefahr habe, forderten ihn auf, die Einladung des Papa anzunehmen, er könne ja, meinten wir, nichts desto weniger noch immer abbrechen, wenn ihm die Propositionen nicht anständig wären. Er war derselben Meinung.

Am Sonntag um 11 Uhr schon begab sich Kurz ganz

neu und elegant gekleidet zu Nettchen's Vater. Der alte Bäcker saß im Laden und zählte seine Semmeln.

„Mein Herr!" sagte Kurz, ich habe die Ehre Ihnen meine Aufwartung zu machen, und bin erfreut einen wackern Bürgersmann kennen zu lernen."

„Gehorsamer Diener, aber wer sind wir denn?"

„Ich bin Joachim Kurz, im Buchhandel angestellt."

„Ganz gut, aber ich entsinne mich nicht."

„Wie? ich bin derselbe, der Ihre schöne Tochter liebt und von ihr wieder geliebt wird."

Der Papa Bäcker machte bei diesen Worten seine Augen weit auf, stand auf und sagte gleichsam drohend: „Mein Herr?"

„Nun, was haben Sie denn? Ich komme ja, um mich dem Vater meiner Angebeteten vorzustellen. Hat Ihnen denn Nettchen nichts gesagt?"

„Nun, ich wollte sehen, daß sich meine Tochter ohne meine Erlaubniß untersinge, eine solche Bekanntschaft zu machen?"

„Eine solche? — Mein Herr, ich habe honnette Absichten, der Beweis davon liegt schon darin, daß ich ungeachtet vieler Briefe, die sie mir geschrieben, nicht einmal noch einen Kuß von ihr begehrte."

„Briefe? — von meinem Mädel?"

„Allerdings, — viele — sehen Sie selbst!" und mit diesen Worten übergab er dem Bäcker die ganze untergeschobene Korrespondenz.

„Herr!" rief hierauf der Bäcker, „Sie sind ein elender Verläumder, diese Briefe sind nicht von meiner Tochter, es ist gar nicht ihre Schrift. Ich sehe wohl, Sie sind ein schändlicher Verführer, der so keck ist zu glauben, der Vater selbst würde vielleicht noch die Hand dazu bieten. Allein Sie müssen wissen, ich bin ein Mann von Ehre, war Soldat, und Sie müssen mir Genugthuung geben.“

Der arme Kurz stand wie aus den Wolken gefallen. Einige Minuten brachte er kein Wort hervor, endlich stotterte er mehr todt als lebendig: „Ich sehe, wir verstehen uns nicht und habe also die Ehre“ — Mit einem Sprunge war er bei der Thüre draußen.

Was das Spaßigste bei der Sache war, ist das, daß Kurz nie muthmaßte, daß wir ihm den Streich gespielt hatten. Sein ganzer Zorn fiel auf den Vater Nettchen's, und diese glaubte er ewig unglücklich, weil sie von ihm getrennt worden war.

Das Bild.

Eine kleine Novelle.

Als ich noch jung war — so erzählte mir ein Freund, — brachte ich mehre Jahre in Italien, diesem Garten Europas, diesem Schauplatz der Künste zu. Ich besuchte alle geschichtlichen Monumente, und alle Werkstätten der berühmtesten Maler und Bildhauer. Auf diese Art lernte ich zu Rom auch Rinaldi, einen jungen Künstler von ausgezeichnetem Talente und vielem Geiste, kennen. Wir wurden bald Freunde. Ich war fast täglich bei ihm, saß neben ihm bei seiner Arbeit und folgte mit großer Theilnahme so zu sagen jedem seiner Pinselstriche, ich sagte ihm über Zeichnung und Kolorit, über Anordnung und Wirkung aufrichtig meine Meinung, welche er gerne hörte und oft auch zum Nutzen des Bildes anwandte.

Die Mönche von Monte-Cassino hatten bei Rinaldi eine Verkündigung Mariä bestellt und ihm ein bedeutendes Honorar versprochen, wenn er das Bild binnen einer gewissen Zeitfrist in ihre Hände liefern würde. Rinaldi machte sich daher auch sogleich an die Arbeit.

Man weiß, daß die Ateliers der Künstler in Rom häufig von Fremden besucht werden, und daß es für Jene oft unerträglich wird, sich immer so in ihrer Arbeit gestört und von aufgeblasenen Kunstfreunden beurtheilt zu sehen, welche nur Alles sehen wollen, um es gesehen zu haben, und ihre Unwissenheit in alle Länder tragen. Sie müssen oft das Geschwätz von zwanzig Überlästigen erdulden, bis endlich ein Mann kommt, welcher die Kunst wahrhaft zu würdigen versteht, und auf dessen Urtheil sie stolz seyn können. So ging es auch Rinaldi, er bekam Besuche von allen Seiten, jeder gab seine Meinung ab, und der arme Künstler wußte kaum mehr, woran er sich halten sollte. Einer fand die Farben seien zu lebhaft, der Andere meinte es fehle an gehörigem Ton, so daß mein Freund wie verzweifelt den Pinsel wegwarf und Thränen ihm in das helle schwarze Auge traten.

Eines Tages, ich war eben bei Rinaldi, kamen wieder mehre Personen in das Atelier und ihre Bemerkungen dienten neuerdings nur dazu, die Geduld meines Freundes auf die Probe zu stellen; aber als sie fort waren, bemerkten wir noch einen Mann von beinahe 50 Jahren, welcher starr vor der Staffelei sitzen geblieben war, und mit Thränen in den Augen das Bild betrachtete, welches der Vollendung nahe war. Er schien uns längere Zeit gar nicht zu bemerken, aber endlich seufzte er tief und wandte sich zu uns mit den Worten:

„Was setzen Sie für einen Preis für dieses Bild, mein Freund? ich bin Käufer."

Rinaldi bemerkte dem Fremden, daß dieses Bild bereits verkauft sei, bot sich aber an, eine Copie desselben für ihn zu malen.

„Nein," antwortete er, „dieses will ich haben, dieses und kein anderes," und dabei warf er so fürchterliche

Blicke auf das Bild und meinen Freund, daß dieser, um sich nur seiner zu entledigen, ihn bat, am folgenden Tage wieder zu kommen. Er stand auf, grüßte uns, machte einige Schritte gegen die Thüre, kehrte dann wieder um, und betrachtete noch einmal das Bild, seufzte, zerdrückte mit dem Finger eine Thräne, drückte Rinaldi die Hand und entfernte sich.

Wir schwätzten noch lange über dieses sonderbare Ereigniß, und suchten uns zu erklären, welch ein außerordentliches Interesse denn dieser Mann an dem Bilde nehmen könne, endlich kamen wir überein, es müsse in dem Kopfe des Fremden nicht ganz richtig seyn. Rinaldi meinte, er werde wohl nicht wieder kommen.

Aber sieh da, schon am frühen Morgen des folgenden Tages fand er sich wieder im Atelier ein, und so betrachtete er eine ganze Woche hindurch täglich einige Stunden das Bild, so daß uns seine Gegenwart schon sehr lästig wurde.

Eines Tages sprach er: „Das Bild ist nun fertig, es gefällt mir, ich werde es morgen abholen lassen. Ich nenne mich Giulio Leoni," und bevor noch Rinaldi antworten konnte, war er schon fort. Am folgenden Tage kamen wirklich zwei Bediente, nahmen das Bild und legten eine doppelt so große Summe dafür in Rinaldi's Hände, als ihm die Mönche von Monte-Cassino versprochen hatten. Dieser beschloß daher eine Copie für diese zu machen, er arbeitete angestrengt, um das Bild in das Konvent zur gehörigen Zeit abzuliefern, allein wie er sich auch Mühe gab, und wie schön es auch wurde, es war dennoch nicht mit jenem zu vergleichen, welches Leoni bekommen hatte.

Ich verließ zu dieser Zeit Rom und sah Rinaldi erst nach einem Jahre wieder.

Kaum in der ewigen Stadt wieder angelangt, eilte ich in das Atelier meines Freundes und war nicht wenig verwundert, das einst von dem Grafen Leoni gekaufte Bild wieder daselbst zu finden. Meine erste Frage an Rinaldi, als wir uns herzlich bewillkommt hatten, war auch, wie denn dieses Bild wieder in seine Hände komme? Mein Freund zeigte mir ein kleines Packet, das er von Leoni, welcher in der verflossenen Nacht gestorben war, erhalten hatte, und sprach: „Lies dies, mein Freund, und es wird dir Alles klar werden. Es ist der letzte Wille des Grafen.“

Ich setzte mich und las folgende Geschichte:

„Ich werde sie nie vergessen. Noch jetzt steht sie vor mir in all ihrem Zauber, mit ihren langen kastanienbraunen Haaren, mit ihren himmlisch blauen Augen, von schwarzen Brauen überschattet. O diese Augen, sie bestritten den Sternen am azurnen Himmel ihren Glanz. Ach Isabella, meine erste, meine einzige Liebe! du warst zu schön für diese Erde, in welcher du nichts dir Ähnliches zurückließest! Nein, nie werd' ich dich vergessen, Isabella!

„Ich liebte sie leidenschaftlich. Ich war eifersüchtig auf jeden ihrer Blicke, auf jedes ihrer Worte. Eines Tages ging sie in den Gärten von Florenz spazieren. Ein Kind fiel vor ihr nieder und verwundete sich am Arme. Da setzte sie sich zu dem Kleinen auf den Rasen, nahm es auf ihren Schooß und küßte es weinend. Ich eiferte sogar mit diesem Kinde. Schließt daraus auf die Heftigkeit meiner Leidenschaft. Ich beneidete selbst die Nadel in ihrem Haare um da-

Glück sich auf diesem seidenen Schmucke zu wiegen. Kurze Zeit nachher wurde ich ihr vorgestellt und ein Theil meiner Wünsche dadurch erfüllt. Ich hatte mich unaussprechlich darnach gesehnt mit ihr nur einmal sprechen zu können, und jetzt war ich mehre Tage unvermögend auch nur ein Wort hervorzubringen, ich, der in der Welt für einen geistreichen jungen Menschen galt, stand da, wie ein blöder Dummkopf.

„Ich heftete meine Blicke so fest an die ihrigen, daß ich sie erröthen sah, aber dennoch war kein Ärger zu sehen, es war nur die holde Scham eines jungen Mädchens über eine zu leidenschaftliche Bewunderung. Von nun an beschäftigte ich mich ausschließend mit ihr, ich war ihr so ergeben, daß sie mich bald vor allen übrigen jungen Männern, welche sie umgaben, auszeichnete.

„Isabella lebte mit ihrer Tante, der Marchese Grimani, welche keine böse, aber eine schwache und eitle Frau war; sie schmückte sich eigentlich selbst mit dem Range und der Menge von Isabellens Anbetern, und — ach warum muß ich es gestehen? — sie pries ihr Idol so sehr, daß Isabella kokett werden mußte.

„Als ich ihr diesen Fehler vorhielt, heftete sie ihre sanften und beredten Augen auf mich, und lispelte mir zu: „Ich wollte wohl gerne Allen gefallen, aber ich liebe doch nur dich allein.“ Ich beklage mich ferner nicht mehr.

Eines Abends im Pallaste Mozzi, wo ein Konzert gehalten wurde, suchte ich vergebens mich meiner Angebeteten zu nähern, sie wurde von dem Grafen Adolfo Visconti begleitet. Wuth und Eifersucht bemächtigten sich meiner, und klammerten sich furchtbar an meine Seele.

„Als Isabella und ihre Tante sich zu gehen anschickten, bot ich mich an sie zum Wagen zu begleiten. Isabella dankte mir kalt, ging an mir vorüber und nahm den Arm Visconti's, der mich triumphirend anblickte.

„Ich stand da wie vom Blitze gerührt, dann stürzte ich ihnen nach, fest entschlossen von dem Grafen Rechenschaft über sein Lächeln zu fordern, aber ich kam eben noch zurecht, als der Graf, der mit in der Marchese Wagen gestiegen war, Befehl gab, fort zu fahren.

„Ich kam in einer Art Wahnsinn zu Hause an. Ich stampfte mit den Füßen, ich geberdete mich wie ein dem Tollhause Entsprungener. Mein Bedienter horchte erschrocken an der Thüre und meinte, ich habe den Verstand verloren, und als den Verwünschungen und Ausrufungen endlich plötzlich eine Grabesstille folgte, ich sei todt, trat in's Gemach und fand mich in einem hitzigen Fieber auf dem Bette ausgestreckt liegen. Man ließ einen Arzt kommen und mehre Tage hindurch hatte man wenig Hoffnung mich zu retten. Ach warum nahm mich der Tod nicht damals fort, wie viel Unglück hätte er mir erspart?

„Ein ganzer Monat verfloß, bis ich das Bett wieder verlassen konnte. Meine ersten Schritte wendeten sich zur Wohnung der Marchese, ich näherte mich Isabellens Boudoir mit so starken Herzschlägen, daß ich anhalten mußte, um nur nicht umzusinken. Sie saß, als ich eintrat, auf einem Ruhebette nahe am Fenster, und nie waren ihre Blicke sanfter, obschon ihre Wangen mir blässer vorkamen, als sonst. Neben ihr lag ihre Guitarre. Und ihre Augen, ihre himmlischen Augen, waren mit Thränen gefüllt.

„Ich sprach sie an; als sie den Ton meiner Stimme vernahm, schien sie zu erbeben und stand auf. Ich wollte ihre Hand fassen, allein sie wich zurück und sprach zu mir: „Graf Leoni, gehen Sie, Ihre Gegenwart hier darf ich nicht dulden,“ und dabei wollten sich ihre Lippen gewaltsam zu einem höhnischen Lächeln zusammenziehen, aber ihre Augen widersprachen, Thränen rollten daraus hervor.

„Mein Leben! meine Seele! meine angebetete Isabella!“ rief ich. „Wie haben Sie sich so verändert, seit jenem schrecklichen Konzert? Sie wissen wohl, wie sehr mich jene Nacht ergriff, ich habe seitdem mein Bette nicht verlassen, war krank, sterbend. O wäre ich hinüber gegangen, mir wäre besser.“

„Krank? — sterbend?“ rief Isabella. — „Und man sagte mir, Sie hätten mich verlassen um eine Liebschaft mit der Tänzerin Lauretta anzuknüpfen?“

„Mein Vetter hatte wirklich solch eine entehrende Liaison angeknüpft, und er trug auch meinen Namen, ich konnte also Isabellens Irrthum begreifen und suchte ihr denselben zu benehmen. Ich faßte ihre Hand, küßte und leistete ihr die heiligsten Schwüre meiner ewigen Liebe und Treue, als plötzlich der Graf Adolfo Visconti eintrat, sein Auge funkelte vor Zorn, meines glänzte nicht weniger, und auch mein Blick war nicht weniger drohend als der seinige. Ich ließ Isabella's Hand nicht fahren, welche blaß wie eine Statue auf ihr Bett sank mit dem Ausrufe: „Mein Gemahl!“

„Isabella war wirklich verheirathet, und ich zu einem Leben voll Qual verurtheilt.

„Visconti zog seine Gemahlin aus dem Gemache und ich verließ das Haus. Ich schrieb an Visconti und forderte ihn zu einem Zweikampfe auf Tod und Leben. Mein Bote brachte mir den Brief unerbrochen zurück. Visconti hatte mit seiner Gattin Florenz verlassen und Niemand wußte wohin sie gezogen seien. Die Marchese Grimani war nach Paris abgereist einige Tage nach der Verlobung. Nichts gab mir Aufschluß, wo ich das Ehepaar finden könnte. Ich sank in dumpfes Brüten, in eine gänzliche Abgespanntheit, nichts machte mehr Eindruck auf mich; denn mein Herz war nur von einem einzigen Gefühle voll.

„Ich durchreiste ganz Italien, um Isabellen zu finden. Sie noch einmal zu sehen und dann zu sterben, war mein einziger Gedanke, mein einziger Wunsch. Ich bestimmte mich dann nach Paris zu gehen, um vielleicht von der Marchese Grimani den Aufenthalt ihrer Nichte zu erfahren. Als ich schon Vorbereitungen zu meiner Abreise traf, las ich in den Zeitungen den Tod des Grafen Adolfo Visconti. Er war in Neapel vom Pferde gestürzt und augenblicklich todt geblieben.

„Noch ein Funke von Hoffnung fiel in meine Seele. Ich eilte nach Neapel, ich reiste Tag und Nacht, als ich ankam — war Isabella nicht mehr. Der Anblick ihres zerschmetterten Gatten hatte einen solchen Eindruck gemacht, daß sie an einer zu frühen Entbindung starb, indem sie einem Kinde das Leben gab, das seine arme Mutter nie kennen sollte. —

„Gott! mein Gott! wie kommt es, daß ich noch lebe?“ — — — —

Als ich dieses gelesen hatte, wandte ich mich zu Rinaldi und er sprach zu mir: „Höre mich nun und preise mit mir die Wege der Vorsehung. Ich bin der Sohn Isabellens. Ich besitze ein Porträt meiner armen Mutter, die ich nie gekannt, und dieses diente mir zum Vorbilde meiner Maria. Die Aufregung des Grafen Leoni, als er meine Verkündigung sah, beweist dir die Ähnlichkeit mit dem Porträt.“

„Drei Wochen sind es nun, daß mich der Graf zu sich rufen ließ. Ich fand das Bild neben dem Bette, in welchem er lag, aufgestellt, seine Blicke hingen starr daran, und so blieb er bis zu seinem Tode. Oft lispelte er kaum vernehmbar: O meine Isabella! bald werden wir nun auf ewig vereinigt seyn.

„Ich sagte ihm, es sei doch sonderbar, daß der Name Isabella, den er so oft ausspreche, auch der Name derjenigen Person sei, nach deren Bilde ich meine Verkündigung gemalt habe.

„Ich habe Sie nie gefragt, wo Sie das Original zu diesem herrlichen Bilde hergenommen haben. Ich fürchtete zu erfahren, es sei eines jener gewöhnlichen Frauenzimmer, welche sich die Künstler ob eines oder des andern körperlichen Reizes zum Modelle wählen. Es würde mich unangenehm berührt haben, hätte ich denken müssen, ein weniger reines Wesen, als der Gegenstand meiner Liebe, habe so zauberische Formen besessen.“

„Ich sagte ihm, daß das Urbild nicht mehr auf Erden wandle, und daß es meine Mutter gewesen sei. Er drückte mir heftig die Hand und bat mich ihm das Porträt zu zeigen. Er erkannte es auf der Stelle. „Ja sie ist es," rief er, preßte es an seine Lippen, und wandte sich dann mit den Worten zu mir: „Sie haben also Ihren Namen verändert?"

Ich erklärte ihm, wie meine Armuth mich gezwungen habe, Hilfe bei meinem Künstlertalent zu suchen, und wie ich geglaubt habe, meinen Namen verändern zu müssen, um nicht den Stolz meiner Familie zu beleidigen.

Er umarmte mich, hielt mich lange an sein Herz gedrückt, und als er fühlte, daß dies bald zu schlagen aufhören werde, ließ er einen Notar rufen, um ihm seinen letzten Willen zu diktiren. In der verflossenen Nacht ging er hinüber, und als sein Testament geöffnet wurde, fanden sich darin folgende Verfügungen:

1. Eine prächtige Kapelle soll gebaut, und das Bild der „Verkündigung Mariä" darin als Altarblatt aufgestellt, darin sollen jeden Tag drei Messen zum Seelenheil meiner bis in den Tod geliebten Isabella gelesen werden.

2. Mein ganzes übriges Vermögen vermache ich dem Sohne Isabellens, welcher unter dem Namen Rinaldi jenes Bild gemalt hat.

„Gott segne meinen Wohlthäter!" setzte Rinaldi mit einer Thräne im Auge hinzu, und drückte mir gerührt und schweigend die Hände.

Das letzte Mittagmahl.

Eine kleine Erzählung.

Zwölf Freunde, fast gleichen Alters und gleicher Fröhlichkeit, und welche ihren Familienverhältnissen zu Folge hoffen durften, ihr Leben lang in der Hauptstadt zu bleiben, saßen eines Tages in der Herberge zum Kniebande in Richmond beisammen und betrachteten bei vollen Bechern die herrliche Landschaft, welche sich aus den Fenstern dieser Herberge ihren Blicken darbot. Sie waren so recht herzlich vergnügt, recht innig fröhlich und wollten daher das Andenken dieses Tages auch für die Zukunft bewahren. Auf den Vorschlag des Einen kamen sie in folgenden Bestimmungen überein: Am letzten Abende jeden Jahres und am folgenden Morgen, dem ersten Tage des neuen Jahres, sollten die zwölf Freunde immer mit einander zechen, und zwar abwechselnd in dem Hause eines Jeden. Die erste Bouteille, welche bei dem ersten dieser Gelage entpfropft würde, sollte sogleich wieder zugemacht und sorgfältig verwahrt werden. Diese sollte dann nur derjenige trinken dürfen, der die andern alle überleben wird. Nie soll ein Fremder zu diesen Gelagen zugelassen werden. Wenn Einer von ihnen stirbt, so sollen die andern Eilf diese Versammlungen fortsetzen, sodann zehn, neun, und immer so fort, und wenn dann der letzte übrig bleibe, so müsse dieser allein an einem Tische dieses Erinnerungsfest durch die gewöhnlichen Stunden feiern, dann die erste, beim ersten Male zur Seite gestellte Bouteille öffnen und das erste Glas derselben auf das Wohl seiner vorangegangenen Freunde leeren. Es war in dieser Idee etwas so Originelles und Bizarres, daß sie die tollen Jünglinge mit Freuden annahmen.

Dieser Vertrag wurde geschlossen, während sie auf der Themse nach London zurückfuhren. Sie sprachen nur immer von den lustigen Zechgelagen, welche sie alljährlich machen würden, und selbst die Veränderungen, welche die Zeit auf sie ausüben würde, gaben ihnen nur Stoff zu muthwilligen Scherzen. Sie sahen schon, wie der Eine mit Gicht behaftet, auf dem Stocke daher wackeln, der Andere mit seinem dicken Bauche und Unterkinn in ihrer Mitte sitzen, der Dritte eine Knotenperrücke tragen werde u. s. w.

„Was dich betrifft, Georges," rief Einer der Zwölf sich zu einem Jünglinge wendend, „so seh' ich dich in ein paar Jahren gewiß so dürr und ausgetrocknet, wie eine alte Schlangenhaut," und dabei gab er ihm einen Klaps auf die Schulter. Georges Fortescue beugte sich in diesem Augenblicke gerade über Bord der Gondel und lachte ganz unbändig darüber. Der unerwartete Klaps machte ihn das Gewicht verlieren und er fiel in das Wasser. Man kann sich denken, welche Bestürzung dieser Unfall hervorbrachte, da man aber wußte, daß Georges ein guter Schwimmer sei, so hoffte man, er werde den Nachen wieder gewinnen. Allein vergebens, er wurde wohl einige Male sichtbar, verschwand aber gleich wieder; zwei Freunde warfen sich in die See, um ihn zu retten, konnten ihn aber nicht erreichen, und erst nach einer Stunde gelang es ihnen mit einem Netze den Leichnam ihres Freundes heraus zu fischen. Schweigend fuhren sie mit diesem nach London zurück.

Die Monate entflohen und der kalte Dezember kam herbei. Eilf der Freunde versammelten sich am letzten Tage des Jahres, aber mit gepreßten Herzen, des schmerzlichen Verlustes ihres zwölften Freundes gedenkend, setzten sie sich zu Tische. Selbst die Unregelmäßigkeit der Gedecke, deren auf der einen Seite sechs, auf der andern fünf waren, rief ihnen unwillkürlich diese traurige Begebenheit in das Gedächtniß zurück. Übrigens gibt es keinen so hartnäckigen Schmerz, der nicht dem Einflusse des Weines in einem Kreise ausgewählter Freunde wiche. Nachdem sie des armen Georges gedacht und ihm einige Seufzer der Freundschaft geweiht, und einige Bouteillen Rhein- und Madera-Wein hiuntergeschlürft hatten und endlich den wahren Sorgenbrecher aus der Champagne in den Gläsern perlen sahen, erblickten sie nichts Widerliches mehr in den ungleichen Gedecken. Der Rest des Abends verstrich ihnen so fröhlich, als sie es nur wünschen konnten. Die Conversation erhielt sich gleich lebhaft unter einer Menge Calembourgs, Anekdoten, Austausch von politischen Meinungen, Toast's, Späßen, Gelächter und fröhlichen Liedern. Sie erkannten, als sie aus einander gingen, einstimmig, daß sie nie einen angenehmern Abend zugebracht hatten, wünschten sich Glück dazu, ein solches Fest eingesetzt zu haben, und versprachen sich wechselseitig, das neue Jahr morgen eben so fröhlich zu begrüßen.

Sie versammelten sich wirklich am 1. Jänner und ihre Lustbarkeit war ohne Beimischung von Schmerz. Nur bei ihrer ersten Vereinigung nach Georges Tode hatte die Erinnerung an diesen ihr Vergnügen etwas trüben können, jetzt nahm schon jeder seinen Platz am Tische ein, als wenn er schon zehnmal an demselben gesessen wäre, und als wenn sie nie mehr als eilf gewesen wären.

Mehre Jahre verflossen, und unsere eilf Freunde fuhren fort, ihr doppeltes Jahresfest feierlich zu begehen, ohne daß eine bedeutende Veränderung vorging. Aber ach! endlich erschien ein Fest, welches durch einen so schrecklichen Unfall verdunkelt wurde, daß Keiner früher auch nur eine Idee davon hatte. An demselben Tage nämlich wurde Einer der Freunde — aufgehenkt. Ja, Stephan Rowland, der Schöngeist, das Orakel ihres Cirkels, hatte an demselben Tage auf dem Schaffote sein Leben geendet, weil er mit der Feder einen einzigen Zug an einer Stelle gemacht hatte, wo er ihn nicht hätte machen sollen. Mit andern Worten, ein Wechselbrief, der mit dem Werthe von 700 Pfund Sterling in seine Hände kam, ging mit jenem von 1700 Pfund Sterling aus denselben hinaus. Er hatte diese unbedeutende Einheit vor die Hunderte gesetzt, die Verfälschung wurde entdeckt und Stephan mußte baumeln. Alle Welt beklagte ihn, und Niemand konnte sich den Beweggrund erklären, welcher ihn zu diesem Verbrechen gebracht hatte. Seine Geschäfte waren in Ordnung, er war kein Spieler, er hatte keine thörichten Spekulationen gemacht, man nahm also seine Zuflucht zu dem Systeme des Doktor Gall. Als man seinen Schädel untersuchte, fand man das Organ der Habsucht so groß wie ein Ei. Der arme Mensch! es war also nicht seine Schuld.

Wir würden die übrig gebliebenen zehn Freunde verläumden, wenn wir nicht aufrichtig bekennten, daß weder der Wein noch das Gespräch, noch irgend etwas anderes die Wolken von ihren Stirnen vertreiben konnte. Sie sprachen nur sehr wenig, und da brachen sie oft mitten in einer Rede ab, weil Jeder vermeiden wollte, auch nur die entfernteste Anspielung auf dieses traurige Ereigniß zu machen. Der Champagner war eben heute von schlechter Qualität, aber Niemand wagte zu bemerken, daß er spinne, weil Stricke auch gesponnen werden. Ein herrliches Gemälde von Van Dyck befand sich im Speisesaale, aber Niemand wollte sagen, daß es im schlechten Lichte aufgehängt sei, und Keiner erlaubte die herrliche Ausführung des großen Meisters zu loben. Ja sie glaubten sogar ihre Glückwünsche gegen einen ihrer Kameraden zurückhalten zu müssen, welcher erst gestern das Band der Ehe geknüpft hatte.

Fünfzehn Jahre nach dem Tode Rowland's ergab sich kein neuer Verlust in dem Cirkel der Freunde, aber die Hand der Zeit hatte auf sie selbst ihre Macht ausgeübt. Die schwarzen Haare des Einen waren mit Grau vermischt, zwei oder drei Köpfe waren fast ganz kahl geworden, ein vierter trug eine Perücke, die ihn fast unkenntlich machte. Der alte Portwein und der Madera-Sec erhielten den Vorzug vor den weniger feurigen Rhein- und Bordeaux-Weinen, die Ragouts und suppigen Speisen wurden lieber gegessen; als der Käse kam, schnitt man sich dazu die Krume statt der Kruste des Brotes, die Conversation war weniger lärmend und beschränkte sich auf politische Ereignisse und das Steigen und Fallen der Fonds; man entschuldigte sich, daß man in wollenen Strümpfen erschienen sei, und Fenster und Thüren waren sorgfältig geschlossen. Das Feuer im Kamin wurde besser unterhalten, und eine solide Partie Whist trat an die Stelle lustiger Burschengesänge. Drei Robbers, dann eine Tasse Kaffeh und um 11 Uhr nach Hause, das war das Ende des Festes, und da hatte man noch im Vorhause genug zu thun, um sich recht gut zuzuknöpfen, die Kragen der Mäntel und Pelze über die Köpfe zu ziehen und den Stock zu suchen, den man zur Stütze nöthig hatte.

Das fünfzigste Jahresfest erschien, und diesmal hatte der Tod starke Ernte gemacht. Einer von der Gesellschaft war auf der Deligence umgekommen, auf welche er sich gesetzt hatte, um zu dem Feste herzureisen, und welche unglücklicher Weise sammt den Pferden in einen Abgrund stürzte. Ein Anderer war am Steinschnitt gestorben, ein Dritter war dem Grame über den Verlust seiner einzigen Tochter erlegen. Ein Vierter war der Colera anheim gefallen. Einen Fünften hatte die Lungenschwindsucht weggerafft, und ein Sechster war ermordet worden.

Vier kleine alte Männlein, voll Runzeln im Gesichte, abgelebt und hinfällig, mit hohlen Augen, setzten sich mit der Erbarmniß Gottes um den Tisch, wo sonst zwölf saßen, am fünfzigsten Neujahrstage, um den Vertrag getreu zu halten, den sie ein halbes Jahrhundert vorher in der Herberge zum Knieband zu Richmond geschlossen hatten. Sie tranken ihren Wein, den sie nur zitternd zum Munde führten, und hatten immer noch ein Lächeln vorräthig, und ein lustiges Wort, obschon sie dies sehr schwer aussprachen. Sie schwätzten, lachten, und als der Wein ihre eisigen Glieder zu erwärmen anfing, sprachen sie von der Vergangenheit, als ob sie nur einen Tag von einander getrennt gewesen wären, und von der Zukunft, als ob noch ein Jahrhundert vor ihnen läge.

Es war noch die rechte Zahl, um eine Partie Whist zu machen, und sie machten diese wirklich noch drei nach einander folgende Jahre. Im vierten waren sie gezwungen, sich mit dem Strohmann zu behelfen. Das fünfte Jahr kam, und es blieben nur mehr zwei übrig, welche Piquet spielten, oder vielmehr sie versuchten es zu spielen, denn ihre Hände konnten die Karten nicht mehr recht halten, und ihre Augen die Farben nicht mehr recht unterscheiden.

Endlich kam das letzte Festmahl, und der einzige noch Lebende von den zwölf Freunden, auf dessen Haupt 90 Winter ihren Schnee zusammengehäuft hatten, speiste allein. Der Zufall wollte, daß es in seinem Hause und an seinem Tische war, wo das erste Mal nach geschlossenem Vertrage servirt wurde. In seinem Keller ruhte sei 58 Jahren die Bouteille, welche an jenem Tage aufgemacht, wieder zugepfropft wurde, und welche er heute zum zweiten Male entstöpseln mußte. Sie stand an seiner Seite. Er sah dieses gebrechliche Ding lange an, es erinnerte ihn an eine lange

Reihe von Jahren. Er sah seinen Lenz heiter und kräftig, seinen Sommer hell und warm, seinen Herbst reif und gemäßigt, seinen Winter kalt, aber nicht zu eisig. Er sah wie in einen Spiegel alle seine eilf Freunde, Einen nach dem Andern, hinübergehen in die Ewigkeit. Er fühlte ganz seine einsame Stellung, denn er hatte nie geheirathet, und es existirte kein Wesen in der Welt, in dessen Adern ein Tropfen seines Blutes floß. Als er das Glas auf die Gesundheit derjenigen trank, welche ihm vorangegangen waren, flossen große Thränen langsam durch die tiefen Furchen seiner Wangen.

Er hatte also den ersten Theil des Vertrages erfüllt und er schickte sich auch an, den zweiten zu erfüllen, indem er durch die festgesetzten Stunden bei dem Tische sitzen zu bleiben sich vornahm. Mit gepreßtem Herzen überließ er sich seinen trüben Gedanken, bald bemächtigte sich seiner ein lethargischer Schlaf — und er erwachte nimmer.

Der Altar des Künstlers.

Legende.

Der Architekt Nilsen zu Oxford, der daselbst die prächtige Kirche und das Kloster Sankt Asaph fast vollendet hatte, schiffte sich zu Anfange des siebzehnten Jahrhunderts auf der Themse nach Greenwich ein, um sich von dort nach Genua zu begeben und einen Altar zu suchen, welcher würdig wäre, in dem herrlichen Tempel, den er aufgeführt hatte, zu prangen. Nilsen war schon bejahrt, und seine Frau, die stolze Editha Kilmore, seit Langem gestorben, indem sie ihn als Vater einer einzigen Tochter, der sanften, blonden Marie zurückgelassen hatte. Das Mädchen war so hübsch, daß sie die Studenten die Perle von Oxford nannten, und alle Mütter stellten sie ihren Töchtern als ein Muster von Liebenswürdigkeit und Sittsamkeit vor. Bevor Nilsen diese Reise unternahm, deren Dauer und Ausgang er nicht voraussehen konnte, hatte der gute Vater alles Mögliche gethan, um seine Tochter zu verheirathen und ihr einen Schützer zu geben, und so die Reise unbesorgt für das Wohl desjenigen Wesens, das er nun allein auf der Welt liebte, unternehmen zu können. Allein Marie blieb gegen Alle gleichgiltig, welche sich um ihre Liebe und um ihre Hand bewarben, alle ihre Liebe schien sich nur in einem Gegenstand zu vereinigen, in ihrem Vater. Den Wünschen Nilsen's, in England zurückzubleiben, setzte sie Bitten und Thränen entgegen, und der alte Architekt, als er sie seine Knie umklammern sah, und sie als eine Bedingung ihres Lebens die Bitte thun hörte, ihm überall folgen zu dürfen, als sie dieses im Namen ihrer Mutter als ein ihr gebührendes heiliges Recht ansprach — der alte Architekt, dem die Trennung von Marien selbst durch das Herz stach, weinte Freudenthränen, und willigte endlich ein, zu thun, was sie begehrte. Sie reiseten also beide mit einander ab, und kamen nach einer glücklichen Fahrt in Genua an.

Kaum in der herrlichen Stadt angelangt, machte sich Nilsen schon auf den Weg, alle Kirchen zu besehen, sie zu vergleichen, zu studieren, und jeder eine Schönheit zu rauben für das Werk, welches er selbst schaffen wollte. Als er in einem Monate fast die Zeichnung zu dem Altare vollendet hatte, suchte er einen Bildhauer zu erforschen, der geschickt genug wäre, sie auszuführen, aber dabei auch so jung und unbekannt, daß der Name Nilsen nicht Gefahr liefe, bei einer Vereinigung mit einem bereits berühmten Meister in den Schatten zu treten. Diese Nachforschungen waren aber leider fruchtlos. Genua zählte mehre, aber bereits schon mit Lorbeern bekränzte Künstler, und solche wollte er vermeiden; denn er hätte sein Leben darum gegeben, die Kirche von St. Asaph zur schönsten und vollkommensten von ganz England zu machen, allein er hätte auch seine Seele dafür verpfändet, daß bei Bewunderung dieses

Meisterwerkes die ganze Welt keinen andern Namen, als nur den seinigen nenne.

Eines Abends kam Nilsen, erschöpft von dem, was er gesehen, nach Hause, und stellte sich mit Ängstlichkeit selbst die Frage, ob der Künstler das Recht habe, den guten Bürger, den Patrioten schweigen zu machen, und ob es nicht eine Gewissenssache für ihn sei, seine persönliche Eitelkeit dem Ruhme aufzuopfern, seinem Vaterland ein Meisterstück zu verschaffen, wie er deren schon von den großen Künstlern Genua's gesehen? Er war schon fast zur Entsagung und Selbstverläugnung entschlossen, als Marie ihm bis in die Hälfte der Straße entgegen kam und ihm meldete, wie ein Mann aus der Stadt schon lange auf ihn warte. Er beeilte seine Schritte, indem er nur noch einen Blick der Bewunderung auf die Statuen Simon's und Juda's warf, welche nicht weit von seiner Wohnung aufgestellt waren und deren Meister er noch nicht hatte erfahren können. Als er in sein Vorzimmer trat, fand er daselbst einen jungen Mann, welcher aufmerksam eine Zeichnung des heiligen Asaph betrachtete, die an der Wand aufgehängt war. Bei dem Geräusche, welches der Architekt beim Eintritte machte, wendete sich der junge Mann, wankte dem Alten einige Schritte entgegen und grüßte ihn tief, dann stand er wieder aufrecht und schweigend, indem er zu erwarten schien, daß Nilsen ihn um die Ursache seines Besuches fragen werde.

Der Fremde sah sehr elend aus. Er war groß, gebeugt, mager und erbärmlich angekleidet. Man konnte sein leidendes Gesicht nur mit Bedauern ansehen; scharfe und ausdrucksvolle Linien durchzogen es. Jeder, der ihn gesehen, würde gesagt haben: Der Mensch hat Hunger, und nichts, um ihn zu stillen, und doch würde es Niemand gewagt haben, ihm ein Mittagsmahl oder Geld zu einem solchen anzubieten, so viel Stolz und Unabhängigkeit lag in diesem blassen und magern Gesichte, und so klar wurde es Jedem beim ersten Anblick, daß dieser lange Körper sich bei einem solchen Anbote zurückweisend emporgehoben, und diese matten, fast erloschenen Augen dann Blitze des Unwillens von sich geschossen haben würden.

Nilsen bemerkte Alles dieses und wußte nicht, wie er es anfangen sollte, dem armen jungen Manne Hilfe anzubieten; denn er hielt sich fest überzeugt, daß nur die Bitte um ein Almosen den Fremden hieher geführt habe. Er wartete, daß dieser sich erklären sollte, und der Fremde im Gegentheile hoffte, daß ihn der Architekt aus der Verlegenheit reißen werde, das Gespräch zu beginnen. Nachdem nun das Schweigen, welches etwas Feierliches an sich hatte, einige Minuten gedauert hatte, begann Nilsen damit, auf die delikateste Art zu fragen, was der Fremde mit ihm zu verkehren wünsche, und womit er ihm dienlich seyn könne, indem er sich zugleich entschuldigte, daß er ihn so lange habe warten lassen, da er nicht Herr seiner Zeit sei.

„Ich weiß das," antwortete der Jüngling mit zitternder Stimme und indem er auf Nilsen fast flehende Blicke haftete. „Ich weiß, daß Ihr seit einem Monate in Genua einen Bildhauer sucht, der eine Arbeit für Euch übernehmen soll."

„So ist es," antwortete Nilsen, „und wißt Ihr auch, daß ich bisher nicht gefunden, was ich gesucht?"

„Ja, Signor!"

„Könntet Ihr mir vielleicht zufällig Jemanden anrathen, mein Freund?"

„Ja, Signor!"

„So seid so gut und führt mich zu dieser Person auf der Stelle, ich werde dafür erkenntlich seyn. Marie, geschwind meinen Stock und meinen Hut."

„Ihr dürft Euch nicht bemühen," versetzte der junge Mann, dessen Gesicht bei den letzten Worten zu glänzen anfing, „diese Person ist zu Euch gekommen. Ich bin es." Und das Genie, welches aus seinen Augen strahlte, bewies, daß er wahr gesprochen.

Nilsen, verlegen, daß er sich geirrt hatte, ergriff die Hand des Jünglings und wollte sich mit Worten entschuldigen, die er aber nicht hervorbrachte.

Marie, welche aus Verlegenheit ebenfalls die Augen niederschlug, benützte diese Gelegenheit, um zu entwischen.

„Wo ist Euer Atelier? wo wohnt Ihr?" fragte der Engländer, noch nicht ganz überzeugt.

„Ich habe kein Atelier, nicht einmal eine Wohnung," antwortete der Jüngling wehmüthig lächelnd. „Des Tages arbeite ich, wo man mich braucht, des Nachts theile ich das Lager mit einem armen französischen Maler."

„Welchen Lehrer habt Ihr gehabt?"

„Den großen Michel Angelo Buonarotti."

Nilsen verbeugte sich tief, ohne zu bedenken, daß dieser außerordentliche Künstler schon lange todt war. Diese

Überlegung stellte sich erst spät bei ihm ein, und, indem er dem Genueser einen ironischen Blick zuwarf, versetzte er etwas heftig: „Mein Freund, Ihr seid noch etwas zu jung, um einen Graubart, wie mich, zum Besten zu haben.“

„Bei meiner Seele, Signor!“ erwiederte der Fremde, „seit meinem 10. Jahre, — und jetzt zähle ich zwei und zwanzig — waren nur Michel Angelo's Werke meine Vorbilder, ich habe nur durch das Studium dieser unsterblichen Werke gelernt, und nie hat ein Mensch mich den Meißel führen gelehrt oder mir Fehler ausgebessert.“

„Und welche Werke habt Ihr denn auf diese Art der Welt schon geschenkt?“ fragte Nilsen etwas spöttisch.

„Bisher noch wenig, Signor, aber ich fühle Kraft und Willen in mir, Vieles und Gutes zu machen.“

„Kennt Ihr Genua genau?“

„Ich bin hier geboren.“

„Könnt Ihr mir sagen, von wem die beiden Statuen des Simon und Juda sind, welche mir täglich beim Aus- und Nachhausegehen in die Augen fallen?“

„Sie sind von mir,“ antwortete schüchtern der Jüngling.

„Wie? — von Euch? Und wie nennt Ihr Euch?“ rief Nilsen aufstehend.

„Pietro Tadolini.“

Es war zum ersten Male, daß der Engländer diesen Namen nennen hörte. Diese beiden herrlichen Statuen also, die er nicht zu theuer gefunden haben würde, wenn sie mit Gold aufgewogen worden wären, diese beiden sublimen Verwandlungen des Steines in Leben, die Alles hinter sich zurückließen, was England Vorzügliches aufzuweisen hatte, diese göttlichen Werke, vor denen er jeden Tag sich versucht fühlte, niederzuknien, hatte ein armer, unbekannter, in Lumpen gehüllter Jüngling gemacht, und dieser Jüngling suchte Arbeit bei ihm. Nilsen war außer sich.

Die Zeit zum Abendessen war gekommen. Nilsen nöthigte Pietro, dieses mit ihm einzunehmen. Marie, deren Augen freudig glühten, bediente sie. Sie kannte Pietro schon. Sie hatte ihn oft auf der Gasse bei ihrem Hause gesehen, wenn sie ausging; er hatte sie immer freundlich gegrüßt, und seine Blicke hatten ihr gesagt, daß er wohl nur hier stehe, um sie zu sehen. Heute war er gekommen, und hatte sie bescheiden um die Erlaubniß gebeten, ihren Vater erwarten zu dürfen. Er hatte ihr mit süßer bebender Stimme gesagt, daß er, um sie öfters zu sehen, sich bei ihrem Vater zur Arbeit verdingen, daß er für dieses Glück gerne die Hälfte seines Lebens und seiner Kunst hingeben wolle. Marie, ganz verwirrt, hatte weder etwas erlaubt, noch versagt, sondern war nur mit glühenden Wangen ihrem Vater entgegengeeilt, den sie eben durch's Fenster die Straße daher kommen sah, aber es machte ihr doch Freude, zu wissen, daß ein Herz, wenn auch unter dem Kleide der Armuth, für sie schlug.

Der junge Tadolini wurde also der Mitarbeiter Nilsen's. Der Engländer zeigte ihm seine Plane, denen der Bildhauer mit einigen kleinen Abänderungen, welche er vorschlug und die neue Beweise seines Genies waren, zu folgen versprach. Die beiden Künstler besahen und wählten die schönsten carrarischen Marmorblöcke, denn die Mönche von St. Asaph hatten Nilsen mit Summen versehen, welche hinlänglich waren. Nilsen hatte ein großes Atelier gemiethet, dort schloß sich Pietro ein und arbeitete so angestrengt, daß er sich kaum Zeit zum Schlafen vergönnte. Marie aber wußte ihn zu entschädigen, indem sie ihm in seinem Atelier oft stundenlange Besuche mit ihrem Vater machte. In 2 Jahren stand das Werk vollendet da, groß, erhaben, sublim. Ein Auferstehungsaltar, mit 18 herrlichen Statuen und 4 Basreliefs geziert, welche dem Besten gleich kamen, was man Antikes aufzuweisen hatte. Das Dach des Ateliers wurde emporgehoben, das Werk mit einem Schleier bedeckt, und am 15. Sept. 1628, Mariens Namensfeste, feierlich vor Vater und Tochter enthüllt, welche sich in ihrem Entzücken davor auf ihre Knie warfen. An demselben Abende wurde auch in Nilsen's Hause die Verlobung zwischen Pietro und Marie gefeiert, und 3 Tage nachher übernahm ein Schiff die kostbare Ladung, in einzelne Stücke zerlegt und gut in Kisten verpackt, um sie, von den drei Freunden begleitet, nach England zu bringen. Die Vermählung sollte dann zu Oxford, am Tage, wo der Altar in der Kirche daselbst inaugurirt werden würde, gefeiert werden.

Die Fahrt war anfangs sehr ruhig und glücklich. Schon traten die Küsten von England hervor, welche die Matrosen mit lautem Hurrah begrüßten, als in Folge eines kleinen Regens sich der Wind von Südost nach Nordost wandte und dann einen fürchterlichen Sturm nach sich zog. In wenigen Stunden waren alle Manövers vergeblich und die Masten lagen gebrochen auf dem Verdecke. Das Schiff wurde zu schwer befunden, und die Mannschaft bestimmte einstimmig, daß der Altar über Bord geworfen werden müßte. Diese Maßregel war nothwendig, wenn man sich das Leben erhalten wollte. Pietro, welcher in der Kajüte schlief, erwachte von dem Schwanken und Gekrache des Schiffes. Angstgeschrei tönte ihm in die Ohren. Er sah Marie, seine geliebte Marie, welche Nilsen in Verzweiflung fest an seinen Busen drückte, er sah den Himmel schwarz und mitten in diesem schwarzen Himmel den blutigen Mond, Blitze kreuzten durch die Lüfte, ungeheure Wellen erhoben, theilten sich und überstürzten das Schiff, das sich bald thurmhoch erhob, bald wieder in eine endlose Tiefe hinabsenkte. Da stürzte Pietro auf Marie zu, um sie mit seinem Körper zu bedecken; da kam ein zweiter Wasserberg, überflutete das Schiff, das ihm noch einmal widerstand; Pietro hielt seine ohnmächtige Geliebte noch in seinen Armen — aber Nilsen hatte die unbarmherzige Welle mit sich fortgerafft.

Diesem fürchterlichen Augenblicke folgte eine kurze Ruhe. Die Matrosen benützten diese, um ihren Plan auszuführen und Tadolini's Meisterwerk in's Meer zu werfen. Der Bildhauer, zu Mariens Füßen kniend, rang verzweiflungsvoll die Hände. Über ihr Antlitz hingebeugt, suchte er sie durch seinen Athem zu beleben, als das Knarren der Stricke in den Kloben einen Augenblick seine Aufmerksamkeit auf sich zog. Er traute seinen Augen kaum, als er sah, was vorging; die erste der Kisten, welche sein Meisterwerk enthielten, ward so eben aus dem untern Schiffsraum hervorgehoben. Wer könnte beschreiben, was der unglückliche Künstler fühlte? Wuth, Verzweiflung tobte in seinem Innern; sein Werk, sein Ruhm, sein Leben, das, worauf er stolzer war, als ein Eroberer, das ihn in seiner Seele zum Schöpfer emporhob, was ihm Marie gegeben, sein Altar, sein bewunderungswürdiger, herrlicher Altar, sollte wie eine gemeine Waare über Bord geworfen werden.

Zitternd vor Wuth erhob er sich, den Kopf emporgeworfen, das Auge glühend, hielt er mit allen seinen Kräften die Kiste zurück, dann riß er einem Nebenstehenden eine Hacke aus der Hand, welche dieser hielt, und mit einem heftigen Streich hieb er das Thau entzwei, an welchem die Kiste hinabgelassen werden sollte, so, daß es pfeifend zurückschnellte und die Kiste wieder mit fürchterlichem Getöse zurückfiel, dann rasend vor Wuth, kletterte er an dem großen Mast empor, klammerte sich daran und stieß Verwünschungen und Drohungen gegen die Schiffsmannschaft aus.

Die Matrosen, einen Augenblick betroffen, vereinigten sich im nächsten und wollten sich seiner bemächtigen. Er warf zwei zu Boden, und seine Hacke schwebte über dem Kopfe des Dritten. „Ha! Schändlicher!“ rief der Kapitän, „bevor du deine theuren Steine opferst, willst du lieber, daß dein Weib, daß wir Alle zu Grunde gehen? Wohlan! so sei sie die Erste, welche die Wellen verschlingen. Werft das Weib in die See!“

Nun folgte eine fürchterliche Scene; der Bildhauer stürzte sich vom Maste herab, gegen die arme Frau, welche starke Hände schon vom Verdecke empor rissen, auf welchem sie halbtodt lag. Pietro flehte, schrie, betete. Mit seinen Zähnen zerriß er gleich einem Löwen die Gesichter derjenigen, welche sich auf seine Geliebte niederbeugten, dann aber

— sah man nichts mehr, hörte nichts mehr, das Schiff war an einen Felsenriff geschleudert worden, und bevor dieser entsetzliche Streit noch entschieden war, hatte das Meer schon Alles verschlungen.

Dann, gleichsam zufrieden mit ihrem Werke, besänftigten sich die Wellen.

Am andern Morgen, bei ruhigem Wasser, sahen Leute aus Calais Schiffstrümmer auf dem Sande ihrer Küste. Zwei kleine Fahrzeuge wurden abgeordnet, um die Sache zu untersuchen, und brachten binnen einigen Stunden die Nachricht zurück, daß es eine italienische Brigg sei, welche diese Nacht gestrandet hatte. Man hatte ein Paar Pistolenschußweite vom Schiffe fünf menschliche Leichname gefunden, worunter ein weiblicher. Zwei Matrosen, welche noch Zeichen des Lebens von sich gaben, hatte man mit sich genommen und sie, nach dem damaligen Gebrauche, bei den Füßen aufgehenkt. Dadurch tödtete man den Einen vollends, brachte aber den Andern zum Leben, und von diesem erfuhr man die ganze Geschichte des Schiffbruches.

Man arbeitete dann daran, das Schiff emporzuheben und dessen Ladung zu gewinnen, und es glückte. Man fand die Kisten mit den einzelnen Stücken des Altars und berichtete diesen Fund an König Ludwig XIII., welcher sogleich durch eine Ordonnanz bestimmte, daß er den Altar sammt allen Statuen, Marmor- und Porphyrwerken, welche in dem Schiffe gefunden worden, der Kirche Notre Dame zu Calais zum Geschenke mache. Die Kisten, welche bisher mit dem königlichen Siegel belegt waren, wurden also in die Kirche gebracht, und der Baumeister der Stadt erhielt die Einladung, Alles an einander zu reihen und binnen einer Frist von drei Monaten aufzustellen.

Der Baumeister hatte schon durch zwei Monate studiert, geordnet, gearbeitet. Der Chor der Kirche, den Gläubigen jetzt verschlossen, barg die kostbaren Trümmer, welche auf dem Pflaster noch umher lagen; denn leider hatte der Meister ungeachtet seiner architektonischen Kenntnisse weder die richtige Vertheilung der einzelnen Stücke, noch den gehörigen Platz, um sie aufzustellen, gefunden. Immer näher rückte die festgesetzte Frist, er mußte das Räthsel lösen, oder sich entehrt sehen. Der arme Künstler strengte sich gewaltig an, allein vergebens. Einst um Mitternacht — noch wenige Tage vor der abgelaufenen Frist — ging der Baumeister, von der Mühe erschöpft und an dem Gelingen ganz verzweifelnd, nach Hause, fest entschlossen, am andern Tage heimlich Calais zu verlassen, um der öffentlichen Schande zu entgehen. Vor Müdigkeit entschlummerte er, allein kaum hatte er die Augen geschlossen, als ihn ein Traum in die Kirche mitten unter die einzelnen Trümmer des Altars versetzte, er sah aus dem Schiffe der Kirche die Gestalt eines Mannes herschreiten, jung, groß, den Kopf mit langen, schwarzen Haaren bedeckt, welche über sein blasses Haupt wie die Zweige einer Trauerweide über ein weißes Grabmahl herabhingen. Das Phantom ging gerade gegen den Hochaltar, ein blasser Schimmer, welcher von ihm selbst auszugehen schien, beleuchtete ihn. Er berührte die Wachskerzen mit seinem Finger und sie entzündeten sich. Dann trat er zu den Marmorstücken, welche umherlagen, und ordnete sie alle an ihren Platz ohne Anstrengung und ohne Geräusch. Als die Grundfeste zusammengesetzt war, bückte er sich bis zur Erde, um ein Gesimse, ein Basrelief, ein Fronton aufzuheben, und erhob sich dann mit seiner Last, um sie an den rechten Ort zu legen. Dieß geschah von Absatz zu Absatz bis zur Krone des Altars. Hier war noch eine Statue aufzurichten, die Statue des auferstandenen Erlösers, das Kreuz mit einer Fahne in der Hand. Allein die Kirche war nicht hoch genug dazu. Da nahm der Schatten die Statue Christus eben so ruhig als die übrigen und flog mit ihr gegen das Kirchengewölb empor, und das Gewölbe erhob sich von selbst zu einer Kuppel, um dem göttlichen Marmorbilde Platz zu gönnen. Als dies geschehen war, vernahm der Baumeister eine Stimme, welche sprach: „Dieß ist der Altar des Pietro Tadolini,“ und dann verschwand Alles plötzlich.

Beim Grauen des nächsten Morgens erwachte der Baumeister und traf Anstalten zu seiner Reise. Indessen konnte er nicht widerstehen, seinem Weibe seinen seltsamen Traum zu erzählen. Der Mann hatte kaum zu sprechen aufgehört, als sie ihn dazu aneiferte, einen letzten Versuch zu wagen; er könnte ja morgen auch noch auf und davon gehen, meinte sie, wenn dieser nicht gelänge.

Der gute Mann ließ seinen Reisestock liegen, und that nach dem Willen seiner Frau.

Als er den Chor öffnete, fand er die Leute, die ihm gewöhnlich bei der Arbeit halfen, und ihm, da sie sahen, daß die Arbeit nicht vorwärts gehe, etwas höhnisch einen guten Morgen boten. Ohne ihnen zu antworten, musterte er die Architekturstücke und, sich bis zu den kleinsten Nebenumständen seines Traumes bewußt, versuchte er zu thun, wie die

Nachtgestalt gethan hatte. Wunderbar! Alles glückte vollkommen. Erst die Grundlage, dann die Piedestale, dann die Statue, das Behältniß für das Allerheiligste, die Basreliefs, die Säulen, die Kapitäler, die Gesimse, Alles stand und behauptete seinen Platz. Die Gehilfen staunten. Der Baumeister, den der glückliche Fortgang immer mehr ermuthigte, war im Schweiße gebadet, während sein Antlitz eine Todtenblässe überzog. Um 11 Uhr Nachts stand die ganze Steinmasse an ihrem Platze mit Ausnahme der Statue des Erlösers, welche zu hoch für das Kirchengewölbe war.

„Wie wollt Ihr diese Statue noch hinaufbringen, Meister?“ fragten die Gehilfen.

Der Baumeister öffnete schon den Mund, um zu antworten: „Ich weiß es nicht,“ als eine Stimme, dieselbe, welche er bei Nacht vernommen hatte, ihm in das Ohr flüsterte: „Versuche!“

Er schauderte und befahl den Gehilfen, die Statue emporzuheben. Diese thaten lächelnd, was ihnen befohlen ward, und siehe da, das Gewölbe wich, und wich gerade so hoch, daß die Statue Platz fand.

Der Baumeister fiel aber betend auf sein Angesicht. In diesem Augenblicke erdröhnte eine ungeheure Stimme, welche die Kirche erzittern machte, und wiederholte langsam und feierlich die Worte: „Dies ist der Altar des Pietro Tadolini.“

Die Gehilfen wollten ihren Meister aufheben. Er war todt.

Die Zauberbrille.

Mährchen.

Zehn Jahre regierte Achmet das ungeheure Reich des halben Mondes; er besaß Tugenden, er war voll Muth, Redlichkeit und Güte, man nannte ihn Achmet den Guten, doch besaß er auch große Fehler, Vorurtheile übten große Gewalt über ihn aus; er war blind für den, den er liebte, und haßte den, den er nicht lieben konnte, und sein Haß so wie seine Liebe hingen oft nur von Launen ab. Er liebte die Schmeichelei, und glaubte unbedingt den Lobsprüchen, womit seine Höflinge bei jeder Gelegenheit einen günstigen Blick zu erhaschen suchten, und den Liebkosungen der schönen Frauen, deren sein Serail viele aufzuweisen hatte. Eigenliebe ist leichtgläubig; sie setzt lieber in sich selbst als in Andere Mißtrauen; sie glaubt leicht an die Aufrichtigkeit jener, welche ihr schmeicheln, und gleicht darin allen unsern übrigen Leidenschaften.

Wie Achmet auf einer Seite ein großes Vergnügen darin fand, sich Weihrauch streuen zu lassen, so war ihm im Gegentheile jeder Widerspruch unerträglich. Eine Wahrheit, welche seiner Neigung und seinem Willen zuwider lief, schien ihm hart und beleidigend, und er stieß sie gleich einer Lüge von sich. Übrigens war er wunderlich, wie es fast alle

Menschen sind. Er hörte keinen Laut an, außer wenn er mit seinen Launen und Neigungen im Einklang stand. Man sieht daraus, daß es jenen leicht wurde, ihn zu betrügen, die sich die Mühe dazu nehmen wollten, und an den Höfen der Könige finden sich immer Menschen, welche diese Mühe nicht scheuen.

Der gute Achmet hatte einen Wessir, Rustan genannt, der ihm seit seiner Thronbesteigung diente. Rustan hatte eine Ehrfurcht einflößende Gestalt; ein langer Bart, welchen die Jahre gebleicht hatten, gab seinem Gesichte ein strenges, rauhes Ansehen. Da er eine tiefe Geschäftskenntniß, eine große Erfahrung und 70 Jahre hatte, so glaubte er sich auch berechtigt, Alles zu sagen. Wenn der Sultan ein tolles Unternehmen begünstigte, so stellte ihm der Wessir ohne Scheu die Ungereimtheit desselben vor; wenn Achmet übermäßige Ausgaben machte, so machte ihn Rustan darauf aufmerksam, daß er seinen Schatz erschöpfen werde. Kurz, der Wessir widersprach dem Sultan oft; denn dieser war immer aufgelegt, närrische Streiche zu begehen: eine Lage, in welche wohl viele Menschen kommen möchten, wenn sie an der Spitze eines großen Reiches ständen, wie jenes des halben Mondes war.

Achmet hatte einen jungen Liebling und eine Favoritsultanin, die er bis zur Abgötterei liebte, und die auf die Regierung mehr Einfluß hatte, als der Wessir; bei den wichtigsten Angelegenheiten zog er nur seinen lieben Neissur und seine schöne Fatme zu Rathe, und faßte keinen Entschluß, als nach ihrer Entscheidung. Sein Liebling wurde von ihm mit Wohlthaten überhäuft, entriß ihm täglich neue kostbare Geschenke, und verfügte über alle Ehrenstellen des Reiches, über alle Ämter des Serails und über alle Kriegschargen. Achmet konnte ihm nie widerstehen. Er sprach: „Meissur liebt mich so sehr, wie kann ich ihm etwas verweigern; ihm, der nur meinen Ruhm und meine Ehre zu vermehren sucht?“ — Zutrauen ist die Gefährtin der Freundschaft.

Dasselbe glaubte er auch von der schönen Fatme, er flog allen Vergnügungen, die sie ihm mit schöpferischer Hand in Fülle zu bereiten wußte, entgegen, und gerne hätte er sein Reich und seine Unterthanen zu Grunde gerichtet, um den immer sich erneuernden Launen seiner schönen Sultanin Genüge zu leisten. Er sprach: „Fatme liebt mich so sehr, wie kann ich ihr etwas verweigern, ihr, die nur meinen Ruhm und meine Ehre zu vermehren sucht?“ — Die Sultane fühlen eben so, wie die gemeinen Menschen, das Bedürfniß sich geliebt zu glauben.

Man sieht wohl, daß Achmet bei einem solchen Charakter mit seinem Großwessir nicht oft einig seyn konnte. Es ergaben sich oft Streitigkeiten zwischen beiden, die nur von des Sultans Seite heftig waren; denn der Wessir überschritt nie die Gränzen der Ehrerbietung, die er seinem Herrn schuldig war; er sagte ihm die Wahrheit mit jener unerschütterlichen Ruhe, welche dem Rechte und dem Verstande gebühret. Doch Achmet, unsinnig in die Sultanin verliebt und leidenschaftlich für seinen Liebling eingenommen, sah Rustan nur für einen harten, strengen, düstern Mann an, der sich ein Vergnügen daraus macht, seinen unschuldigsten Freuden, seinen billigsten Wünschen und Neigungen zu widerstehen. Daher sah er ihn auch nur seit einiger Zeit mit Widerwillen, ließ ihm den Titel eines Großwessirs nur in Rücksicht auf seine vorhergegangenen treuen Dienste, und erwartete mit Sehnsucht eine schickliche Gelegenheit, sich seiner zu entledigen, und dann seinem geliebten Neissur seine Stelle zu übertragen.

Achmet lag einmal des Nachts neben seiner schönen Fatme. Diese schlummerte ruhig und der Sultan sah sie trunken von Liebe und Freude an, ohne ihren Schlummer zu unterbrechen. — „Wie schön sie ist!“ dies waren seine Gedanken, „Mahomet's Paradies schließt keine Huris ein, die mit Fatmen zu vergleichen wäre. Diese Rosen auf den Wangen, dieser Purpur auf den Lippen, dieser Alabaster ihrer Haut, und Rustan kann verlangen, daß ich diesem himmlischen Geschöpfe etwas verweigere? O, daß ich in einem Diamant alle Reichthümer des Weltalls besäße, um sie ihr auf einmal anzubieten. Dieser Rustan gibt vor, mich zu lieben, und haßt doch alles, was ich liebe, und verläumdet ohne Unterlaß Fatme und Neissur. Er sucht mich nur darum zu überreden, daß sie mich betrügen, um allein mein ganzes Zutrauen zu besitzen, und mit meiner Macht spielen zu können. Erhabener Sultan, sprach er noch gestern zu mir, wie blind bist du! Möchte Mahomet dir doch eine Brille senden, mit deren Hilfe du in den Herzen derjenigen lesen könntest, welche dich umgeben. O, wenn ich sie besäße, diese seltene kostbare Brille, wie viel Liebe würde schon Fatmens Herzen erblicken? Ich wette, daß sie in diesem Augenblicke von mir träumt, sie sieht nur mich im Schlummer, wie sie wachend nur an mich denkt, sie hat es mir so oft betheuert. O! könnte ich mir solche Brillen verschaffen, wie Rustan sie mir wünschte, ich wäre der Glücklichste aller Sterblichen, und die Gewißheit, die ich durch sie von meinem Glücke erhielte, würde dieses noch verdoppeln. Ja, ich will, ich muß trachten, solch ein wunderbares Instrument zu erhalten, und sei der Preis dafür auch ein Königreich, und wäre es auch nur darum, um Rustan wüthend zu machen vor Scham und Reue. — Noch einen Blick, in dem seine ganze Seele lag, warf Achmet auf die schöne Fatme, entschlummerte dann, und träumte von der Wunderbrille.

Zu selber Zeit lebte in Constantinopel ein berüchtigter Mathematiker, ein Araber, der sich durch algebraische Kenntnisse bis zur Astrologie hinaufgeschwungen hatte, die Zukunft vorhersagte, und so mancherlei Wissenschaften besaß, daß nicht nur das gemeine Volk von Constantinopel, sondern selbst unterrichtete Leute dieser Zeit zweifelten, ob er nicht weiser sei als der Prophet selbst.

Schon am folgenden Morgen befahl Achmet, daß man diesen wahrhaft weisen und mit Recht berühmten Mann zu ihm führe. — „Weiser Ezraim,“ sprach ihn Achmet an, „der Ruf deiner Kenntnisse ist bis zu mir gedrungen; du besitzest, wie man sagt, wunderbare Geheimnisse, und nichts auf dieser Erde ist dir verborgen. Ich berufe dich zu mir, um dich zu bitten, mir einen sehr wichtigen Dienst zu leisten.“ Ezraim neigte sich vor dem Sultan und erwiederte: „Befiehl, o Herr! du siehst den treuesten und bereitwilligsten deiner Sklaven zu deinen Füßen.“ — „Höre,“ nahm der Sultan das Wort, „ich wünschte Brillen zu haben, welche die Eigenschaft besitzen, daß man durch sie in den geheimsten Falten des menschlichen Herzens lesen kann. Antworte mir, kannst du eine solche Wunderbrille verfertigen?“ — „Erhabener Sultan,“ antwortete Ezraim, „morgen sollst du Besitzer eines solchen Schatzes seyn. Die Verfertigung einer solchen Brille ist für mich eine Kleinigkeit, im Vergleich mit jenen überirdischen Geheimnissen, die ich noch aufbewahre.“ Man sieht, daß zu Achmet's Zeiten die Gelehrten eben auch nicht gar sehr bescheiden waren.

Am andern Morgen löste Ezraim das Wort, welches er dem Sultan gegeben hatte. Achmet war im Besitze der verlangten Zauberbrille. Eben stand er im Thronsaal, von seinem ganzen Hofstaat umgeben, als er sie erhielt. Sogleich setzte er sie auf die Nase, und übersah damit die Schaar seiner Höflinge, welche mit gekrümmten Rücken vor ihm da stand. Er sah, und schauderte zurück. „Fort! schnell fort aus meinen Augen, ihr Elenden!“ rief er, „euer Anblick füllt mich mit Entsetzen!“

Die erstaunten und bestürzten Höflinge näherten sich ihm zitternd. „Was ist dir, Herr?“ sprachen sie, „woher dein Zorn gegen uns, sind wir nicht deine treuesten Diener?“ — „Treue, großer Prophet!“ schrie Achmet. „Ihr treu? Ich sehe in euren Herzen nur Neid, Eifersucht, Haß und Verrath. Fort, fort aus meinem Antlitz!“ — Bei diesen Worten zog er seinen Säbel, und stürzte damit auf sie zu, und sicher hätte er sie in seiner Wuth alle in Stücke zerhauen wenn sie nicht den klügern Theil gewählt, und den Saal schnell verlassen hätten.

Als sich der Sultan allein befand, sprach er zu sich selbst:

„Das sind also die Menschen, die mich stets ihrer Unterwürfigkeit, ihrer Liebe und Treue versicherten? Gerade die verderbtesten unter allen meinen Unterthanen wählte ich zu meiner Umgebung; ich lebe in der Mitte meiner Feinde, und werde nur dadurch von ihrer Wuth gerettet, weil sie einander wechselseitig selbst zu sehr verachten, um sich einzuverstehen, und gegen mich zu vereinigen. Die Habsüchtigen wollten mich und meine Unterthanen aussaugen, und ich glaubte ihren Schmeicheleien. Dank sei es dem Himmel! nun laß ich mich nie mehr von ihnen hintergehen. Mit Hilfe dieser Wunderbrille kann ich jene, die mich lieben, von denen, die mich hassen, leicht unterscheiden; ich darf nicht den Worten glauben, sondern kann in den Herzen lesen. — Neissur ist gewiß der Einzige, der mir aufrichtig und ohne Falsch zugethan ist; er ist weit entfernt, mich zu betrüben; sein Herz ist rein, wie ein heiterer Himmel, und sein Mund sprach nie eine Unwahrheit. An ihm will ich jetzt die Kraft meiner Brillen versuchen, nicht sowohl um mich zu überzeugen, was in seiner Seele vorgeht, denn sein Innerstes ist mir ja ohnehin bekannt, er verbirgt nichts vor mir, sondern um mich durch das Bild seiner Tugenden und seiner Freundschaft für den Gram zu entschädigen, den mir meine erste traurige Erfahrung verursachte.“

Der Sultan ließ sogleich Neissur rufen, und der Liebling erschien vor dem Antlitze seines Herrn. „Komm lieber Neissur,“ redete ihn Achmet an, „komm, um mich über die Treulosigkeit meiner Höflinge zu trösten. Ich kenne sie nun ganz; ich habe in der Tiefe ihres Herzens gelesen. — Welche Ungeheuer umgeben mich! — Ich habe sie alle aus meinen Augen verbannt, und will meinen ganzen Hofstaat nun neu bilden.“ — „Wie?“ versetzte der Liebling, „du hast sie verbannt, Herr? O wie sehr bewundere ich deinen durchdringenden Geist, und deine tiefe Weisheit! So hast du sie endlich entlarvt, diese falschen und lügenhaften Menschen, und siehst nun ganz ein, was an einem solchen Höfling ist? Gewiß, du hattest keine furchtbareren Feinde als sie. Ich zweifelte schon lange nicht mehr an ihrer Niederträchtigkeit, allein ich wagte es nicht mit dir darüber zu sprechen, denn du schienst Gefallen daran zu finden, ihre Schmeicheleien anzuhören. Achmet ist so gut, daß er keinem Menschen Böses zutraut, bis er davon überzeugt ist. O Herr! Neissur's Zuneigung, seine Liebe und Ergebenheit sind ohne Gränzen.“ — „Schweige Betrüger!“ fiel ihm der Sultan in's Wort, der während dieser Rede seine Brille aufgesetzt hatte, — „schweige, und klage jene nicht an, die noch mehr werth sind als du selbst. Elender, ich lese in diesem Augenblicke auch in deinem Herzen, ich sehe, daß du ein gleißnerischer Gauner bist, der mich in dem Innersten seiner Seele haßt, und der, wenn er zu meinen Füßen sinkt, mich lieber erwürgen möchte. So bin ich Unglücklicher denn von keiner Seele geliebt?“ — Neissur warf sich auf's Neue zu den Füßen des Sultans, und betheuerte mit den heiligsten Schwüren nochmals seine Anhänglichkeit, seinen unauslöschbaren Eifer im Dienste, und zum Wohle seines Herrn. — „Nein!“ erwiederte Achmet, „mir bleibt kein Zweifel mehr, du hintergehst mich. Nichtswürdiger! deine verführerischen, honigsüßen Reden sind heute vergebens, sie vermögen nicht diese Wunderbrille Lügen zu strafen, die ich von dem weisen Ezraim erhielt. Durch sie sehe ich dich, wie du bist, und ich bin nicht so glücklich, jetzt noch an deinem Undank zweifeln zu können." — „Wie Herr! dem Zauberer Ezraim schenkst du dein Vertrauen?" erwiederte Neissur. „Wohlan! so zweifle denn nicht länger, daß die Brille, welche dir der alte Betrüger gab, falsch ist. Du lesest Verrath und Lüge in diesem Herzen, in welchem nur Treue und Aufrichtigkeit wohnen. O könnte ich in diesem Augenblicke für dich, o Herr, mein Leben, meinen letzten Tropfen Blut hingeben, mit Freuden würde ich es thun, nur um dich vom Gegentheil zu überzeugen." — „Genug!" sprach der Sultan, „gehe! Ich sehe wohl, daß du heuchelst, und daß es dir um das letzte deiner Haupthaare leid seyn würde, das du für mich opfern solltest."

Neissur entfernte sich und der unglückliche Achmet ging in das Gemach der Sultanin. — „Ach Gott, gib doch, daß ich eine Seele finde, die mir treu ist. Ja, in Fatmen's Herzen werde ich alle die Liebe wiederfinden, die in meinem Herzen für sie glüht." — Er trat hinein und sah die schöne Fatme nachlässig auf Kissen von Eiderdunen ruhen. Sie erhob sich bei seinem Anblick, und trat ihm mit einem Lächeln voll Liebe, und Blicken voll Freude, Sehnsucht und Wollust entgegen. Doch wie erstaunte sie, als der Sultan sie mit einem zornigen verachtenden Blicke von sich stieß. Er hatte in Fatmen's Seele die grausamen Worte: Abneigung, Haß, Untreue, gelesen. Nun vermochte sich der unglückliche Achmet nicht länger mehr zurückzuhalten; seine Verzweiflung stieg auf's Äußerste, er zerbrach alles, was ihm in die Hände fiel und große Thränen stürzten über seine zornentglühten Backen. Er brannte vor Begierde sich zu rächen, und dies sollte öffentlich, schrecklich seyn. Er warf sich auf ein Sofa, die Zauberbrille in der Hand, blickte Fatmen an, die sich zu seinen Füßen geworfen hatte, schlug die Augen nieder, schwieg und weinte. — „Ist es möglich," sprach er endlich, „so viele Reize mit so viel Untreue vereinigt zu finden? Fatme, so viele Liebe konntest du hintergehen? O wie hing ich an dir, Undankbare! ich hätte dir gern die Welt zu Füßen gelegt, und du betrogst mich." — „Welch sonderbare Laune ergreift dich?" antwortete Fatme lachend, „du bist also eifersüchtig? Wer legte diesen Verdacht gegen mich in deine Seele? Schon dachte ich, ein großes Unglück sei meinem geliebten Achmet begegnet, und eilte dir entgegen, deinen Kummer zu theilen, noch ehe ich die Ursache desselben kannte. Allein es ist nichts als Eifersucht, ha! ha! ha!" — „Wie, du lachst Elende? lachst zu meinem Gram? suchst durch Scherz der Vertheidigung zu entschlüpfen? lachst, wenn der Blitz meiner Rache schon über deinem schuldigen Haupte schwebt?" — „Der Blitz? o ich fürchte ihn nicht; er zischt jetzt um mich, allein bald wird sich der Himmel wieder aufklären. Was hab' ich denn gethan Herr?" fügte sie hinzu, indem sie ihre Arme, weißer und blendender als der Schnee, um seinen Nacken schlang, „sprich, was hab' ich gethan, um diesen Zorn zu verdienen?" — „Was du gethan hast?" erwiederte Achmet. „Kannst du darum noch fragen? Wenn du mich mit Zärtlichkeiten überhäufest, wenn du die süßesten Namen mir gibst, glühen Haß und Untreue in deiner Seele, in welcher ich nun leider gelesen habe." — „Haß?" fuhr Fatme fort, — „ja, ja, du hast Recht. Ich habe dir ja schon so viele Proben von diesem Hasse gegeben, ja noch gestern, noch heute. — Achmet, du hast ganz Recht; ich glaube, daß ich dich aus ganzer Seele hasse.“ — Diese Worte begleitete Fatme mit so natürlichem und überredenden Gefühle, daß der gute Achmet sich nicht länger mehr hielt, und ausrief: Wie? du betrügst mich also nicht? O, wenn es möglich wäre!“ — „Ich dich betrügen? Glaubst du das? kannst du das glauben, geliebter Achmet?“ — In diesem Augenblicke drückte sie den Sultan an ihren Busen, lächelte, und eine Thräne aus ihrem großen himmelblauen Auge fiel auf die Stirne des Sultans. — „Großer Prophet!“ rief der Sultan außer sich, „wenn Neissur Recht hätte; wenn mich der Magier hintergangen hätte, wenn diese Brille falsch wäre!“ — „Von welcher Brille sprichst du?“ fragte Fatme, „und was kann eine Brille auf deine Geliebte für einen Einfluß haben?“ Alsobald erzählte der Sultan Fatmen, welche Eigenschaften dieser Talisman besäße und wie er dazu gekommen sei.

Kaum hatte Fatme dieses gehört, als die Thränen stromweise ihren Augen entstürzten. — „Grausamer,“ rief sie, „nun erblicke ich mein Unglück in seiner ganzen Größe. Ich habe auf immer deine Liebe verloren, da ich dein Vertrauen verlor. Du glaubst einem alten Betrüger mehr als meinen Thränen und den Beweisen meiner Zärtlichkeit. Das ist also der Lohn für meine Liebe? O warum hast du mir nicht ein Leben entrissen, welches dein Verdacht auf immer vergiftet?“ —

So sprach sie und fiel, vom herbsten Schmerz ergriffen, besinnungslos zu den Füßen des Sultans. Achmet stürzte zu ihr nieder, und suchte sie durch Thränen in's Leben zurückzurufen. Endlich kam sie zu sich, und der gute Sultan sprach ihr Trost zu, und schwur ihr, sie ewig zu lieben; denn er wußte schon nicht mehr, ob er seiner Brille glauben dürfe. Fatme, welche bemerkte, daß der Sultan erschüttert sei, führte nun den letzten Streich auf ihn, der ihr den Sieg ganz gewinnen sollte; sie sagte ihm, daß Ezraim's Brillen ein Werk des Wessirs seien, und schlug ihm vor, sich von ihrer Falschheit sogleich zu überzeugen. — „Du weißt,“ sprach sie, „wie sehr der hochmüthige Rustan dich haßt, wie sehr er deinem Glücke entgegenstrebt, wohlan! stelle auch ihn auf die schreckliche Probe, die du mit mir und Neissur vorgenommen hast, ich bin überzeugt, daß du in seiner Seele das Gegentheil von dem, was sie in sich schließt, und also nur das, was er will, lesen wirst.“ — Der Sultan ergriff begierig diesen spitzfindigen und treulosen Vorschlag; er umarmte die schöne Fatme, und ging alsobald in jenem Theile des Gartens spazieren, wo der Wessir sich gewöhnlich in dieser Stunde einzustellen pflegte. Dieser begegnete ihm bald, und fing an, dem Sultan auf seine gewöhnliche ernste Art Vorstellungen über verschiedene Geschäfte des Reichs und seine Lebensart zu machen. Allein Achmet hörte sie ruhig an, setzte seine Brille auf, und sah in das Herz des strengen Wessirs. Wer beschreibt sein Erstaunen, als er darin nur Eifer für sein Wohl und das Wohl seines Reiches, Zuneigung und unverbrüchliche Treue sah. „Nein,“ rief er aus, „ich kann nicht länger zweifeln, Fatme hatte Recht, meine Brillen zeigen falsch, sie ließen mich

Trug und Falschheit in den Herzen derjenigen lesen, die ich am meisten auf dieser Welt liebe, und zeigen mir nur Liebe in der Seele dessen, der mir und allen meinen Unterthanen am wenigsten zugethan ist. Wohin hätte ich mich verirrt, hätte Fatme mir die Augen nicht geöffnet, und dieses Bubenstück entschleiert? Ja, die Ruhe kehrt wieder in meine Seele zurück, und du, elender Magier, sollst mir den Betrug theuer bezahlen.“ — So sprach er, zerbrach die Brillen, verbannte den Wessir und befahl, den Betrüger Ezraim gefangen zu nehmen. — Doch bald brachte man ihm die Nachricht, daß Ezraim Constantinopel verlassen habe. Der weise Alte hatte vorhergesehen, was im Serail vorgehen werde, und die Flucht gewählt. Nun zweifelte Achmet nicht länger, daß Ezraim schuldig sei. Neissur wurde zurückberufen, Achmet überströmte ihn mit Kostbarkeiten und Zärtlichkeiten, und dieser wußte es bald dahin zu bringen, daß sich Achmet überzeugt hielt, der Wessir sei der Mitschuldige Ezraim's. Er gab Befehl, auch Rustan in's Gefängniß zu werfen, wo er seinen Tod abwarten sollte, und alle seine Güter einzuziehen. Allein auch Rustan war wie Ezraim verschwunden, und ohne Spur kehrten die Nachsetzenden zurück.

Während dies im Serail vorging, verbreitete sich im Reiche ein dumpfes, verworrenes Gerücht, man versicherte leise, der Sultan sei toll geworden. Die Verwegensten verkündeten laut, Achmet sei länger nicht mehr würdig, zu regieren, und es müsse ihm ein Nachfolger bestimmt werden. Alle Gemüther waren in lebhafter Bewegung. Die Unruhe griff immer weiter um sich, der Aufruhr wuchs immer höher, und erfüllte am Ende auch die Hauptstadt. Endlich griff sogar ein Theil der Janitscharen zu den Waffen, und bestürmte das Serail. Von aller Seiten ertönte es laut: „Neissur, Neissur sei unser Herrscher!“ — Und sieh, Neissur selbst stand an der Spitze der Aufrührer, deren Seele er war, und die er durch glänzende Versprechungen zu gewinnen wußte. Achmet wollte schnell die Diener des Serails bewaffnen; allein ein Theil der Eunuchen weigerte sich laut gegen Neissur, den Geliebten der schönen Fatme, zu kämpfen, ein anderer Theil war selbst von Fatmen gewonnen, ihr den Kopf des Sultans zu überbringen. Achmet vertheidigte sich wie ein Held mit einem kleinen Häuflein seiner Getreuen gegen die Rebellen; doch bald schien er unterliegen zu müssen. Der Aufruhr wüthete im Innern und außen, und schon wurde das Serail mit Geschrei erstürmt, als eine andere Truppe von Janitscharen, die dem Sultan noch ergeben waren, auf die Verräther losstürzte, welche seinen Tod geschworen hatten. Das Gefecht war schrecklich, die Mauern des Serails trieften vom Blute beider Parteien, welche einander wechselweise den Eintritt verwehrten. Endlich triumphirte die Tugend, der treulose Neissur fiel in seinem Blute, die Rebellen suchten ihr Heil in der Flucht, und Rustan, der großmüthige, tapfere Rustan, der schon lange den geheimen Plan Neissur's und diesen Aufstand vorausgesehen hatte, zog siegreich an der Spitze der Treuen, welche er zur Vertheidigung seines Herrn gesammelt hatte, in das Serail ein. Bei seinem Anblick zertheilte sich auch die kleine Schaar der Soldaten, welche noch im Innern kämpften, und der Sultan war von allen seinen Feinden befreit. Alles wurde wieder ruhig, und Fatme zahlte ihre niederträchtige Verrätherei mit ihrem Kopfe. —

Wer vermöchte das Erstaunen und die Dankbarkeit Achmet's zu beschreiben? Der Wessir, den er verurtheilte, war sein Retter, ihm verdankte er Thron und Leben. — „Weiser Rustan," sprach er zu ihm, „wie vermag ich dir diesen großen Dienst zu lohnen? O, wie unglücklich war ich! ich stieß deine Rathschläge von mir, überlieferte mich meinen grausamsten Feinden, und haßte von ganzer Seele den einzigen Mann, der mir treu zugethan war. O Rustan, Rustan, bleibe mein Freund, und sage mir immer die Wahrheit."

Einige Tage nach dieser Begebenheit ging der gute Achmet mit dem Wessir spazieren, den er nun nie mehr von seiner Seite ließ. Er fragte ihn, was denn mit dem weisen Ezraim geschehen sei? — „Er ist todt, Herr!" antwortete Rustan. — „Todt?" sprach Achmet, „o wie sehr beklage ich ihn! durch ihn besaß ich den kostbarsten Schatz, doch ich wußte ihn nicht zu gebrauchen, und vernichtete ihn mit eigenen Händen. Welch ein unersetzlicher Verlust!" — „Herr!" erwiederte der Wessir, „gräme dich deßhalb nicht. Die Erfahrung hat dich gelehrt, daß du ein Ding vernichtet hast, welches unnütz ist. Die besten Brillen nützen demjenigen nicht, der nur durch seine Leidenschaft sieht, und der, welcher mit den Augen der Vernunft sieht, bedarf der Brillen nicht."

Die rächende Maske.

Novellette.

Eines Tages traten zwei junge Mädchen aus dem Dome in Mailand. Die Eine stützte sich auf den Arm ihrer Begleiterin, um ihre schwankenden Tritte aufrecht zu erhalten. In ihrem Antlitze trug Julie alle Zeichen eines nahen Todes; sie litt mit zwanzig Jahren an der Schwindsucht, — nur wenige Wochen blieben ihr noch zu leben, denn schon peitschte der Herbstwind die abgefallenen Blätter der Bäume. Julie wußte ihr Schicksal; sie hatte gehört, wie der Arzt ihrem Vater gesagt hatte, daß jede Hoffnung verloren sei, und der alte Priester, der täglich ihren Vater zu besuchen pflegte, sprach mit ihr vom Himmel, wie von einem Heimatlande, nach dem sie jetzt ihre Blicke und Wünsche richten müsse.

„Theodore," sagte sie zu ihrer Freundin mit wehmüthigem Lächeln, „du siehst, alle meine Kräfte verlassen mich. Ach, wenn ich noch zurückdenke an die Erziehungsanstalt, wo ich dich kennen lernte, wie war es da so ganz anders, wie liefen wir da fröhlich und sorgenlos durch den Garten, und freuten uns der schönen Blumen und der herrlichen Frühlingsluft."

„Die Zeit geht vorwärts, liebe Julie,“ antwortete Theodore, „und bringt uns Dornen, welche verwunden, und Leidenschaften, welche tödten.“

Theodore war eine Italienerin, schön, wie die Frauen Raphael's. Ihre lebhafte Einbildungskraft, durch Dante's Gedichte genährt, welchen sie unter allen Dichtern am höchsten schätzte, hatte sie frühzeitig in eine Sphäre von poetischen Ideen gebracht. Die Liebe war ihr noch unbekannt, aber bittere Erfahrungen hatten, anstatt ihren Charakter zu schwächen, diesem eine Art männlicher Energie verliehen. Ihre Mutter hatte sie frühzeitig verloren, ihr Vater war auf dem Schlachtfelde geblieben, und Theodore wurde im Hause Julien's als deren Gesellschafterin aufgenommen; die beiden Mädchen wurden die innigsten Freundinnen, und mit Schmerz sah Theodore den Augenblick nahen, der ihr Julie auf immer rauben würde. —

Als die beiden Freundinnen nach Hause kamen, setzten sie sich auf den Balkon. Theodore ließ sich ihre Staffelei bringen, und während Julie ihre Guitarre ergriff, versuchte jene, die schönen, aber so melancholischen Züge ihrer Freundin auf der Leinwand fest zu halten.

Das Porträt, schon vor längerer Zeit begonnen, hätte heute vollendet werden können; allein nachdem Theodore einige Striche gemalt hatte, legte sie den Pinsel, ungeachtet der Bitten ihrer Freundin, nieder. „Ich bin heute zu ermüdet,“ sagte sie, „später werde ich das Porträt vollenden.“ —

Allein sie dachte etwas ganz Anderes. Sie wollte das Porträt erst dann vollenden, wenn Julie kalt und unbeweglich auf dem Todtenbette liegen würde. Ihre Einbildungskraft arbeitete an einem Plane, den sie sorgfältig zu verbergen wußte.

In diesem Augenblicke ertönte ein herrlicher Marsch, und ein französisches Regiment, welches damals in Mailand lag, zog vorüber.

„Das ist sein Regiment,“ sagte Julie zitternd, und ihre Wangen überzog brennende Röthe.

„Theodore, siehst du ihn, und blickt er herauf?“

„Nein!“

„Er läßt mich sterben,“ rief Julie schmerzhaft, „ohne mir auch nur einen Blick des Lebewohls zu gönnen. Arthur! Arthur! erfüllst du so deine Schwüre? ein Paradies träumte ich mir; eine Hölle fand ich. In deinen Armen wähnte ich erst recht zu leben, und sterben muß ich jetzt ohne dich. Und doch liebe ich dich noch, ich fluche dir nicht, ich verzeihe dir!“

„Aber ich verzeihe ihm nicht,“ dachte Theodore, und führte die halb ohnmächtige Julie zu ihrem bekümmerten Vater.

Ein Monat verfloß, die letzten Blätter fielen ab. Julie starb. Sie starb, ohne daß Arthur ihr den letzten Blick geschenkt hatte, der ihr die Todesstunde versüßt haben würde.

Der alte Speralti saß in seinem Lehnstuhle vor dem Bette, wo seine Tochter entschlafen war. Schweigend saß er da, ja manchmal preßten sich Thränen aus seinen grauen Wimpern, und ein tiefer Seufzer entstieg seiner Brust. —

Julie hatte im Tode einen unbeschreiblichen Ausdruck von Wehmuth behalten. Der Priester betete eifrig an dem Todtenbette, und die Dienerschaft ging leise in den Sälen umher, um mit Trauertüchern die verzierten Wände zu bedecken.

Hinter Speralti stand Theodore an der Staffelei, und vollendete das schon lange begonnene Gemälde, starr haftete ihr Auge theils auf den geliebten Zügen, die nun bald das Grab bedecken sollte, theils auf der Leinwand, auf welcher ihr Pinsel ein Meisterstück der Ähnlichkeit hervorbrachte; ihre Augen glänzten von übernatürlichem Enthusiasmus, ihre Lippen preßten sich mit einem Ausdrucke des Zornes fest zusammen.

Das Gemälde war vollendet, und nun wurde die starke Theodore weich und schwach. Sie kniete an Julien's Bette nieder, faßte die Hände der todten Freundin, und brach in lautes Weinen aus, dann aber sammelte sie wieder ihren vorigen Muth, stand auf und trat zu Speralti.

„Sie müssen sich von diesem traurigen Anblick entfernen, mein Vater,“ sagte sie. „Erlauben Sie mir, Ihnen diesen süßen Namen zu geben, denn wenn ich auch nicht Ihre Tochter bin, so habe ich doch in Julien eine Schwester verloren.“

Wehmüthig sah sie Speralti an, und sich auf ihren Arm stützend, wankte er in sein Gemach.

An der Thüre aber hielt Theodore noch einmal an. „Mein Vater,“ sprach sie, indem sie sich umwendete und auf Julien's Leiche zeigte, „Ihr wißt, warum Euer Kind starb?“

„Ich weiß es,“ antwortete Speralti, „sie liebte einen jungen Offizier, den ich gastfreundlich in meinem Hause aufnahm, den ich sogar meinen Sohn nennen wollte.“

„Die Arme wurde von ihm schändlich verlassen; wir müssen Julien rächen, mein Vater!“

„Ach, ich habe die Kraft nicht mehr, den Degen zu führen, sonst wollte ich hintreten vor den Elenden“ —

„Nicht Ihr sollt sie rächen, ich will es thun!“

„Theodore!“ fiel der Priester ein, „Gott verbietet die Rache.“

Aber Theodore hatte sich schon entfernt. Sie verließ den Pallast Speralti's, und eilte zu einem in der Stadt berühmten Neapolitaner, bei dem zur Karnevalszeit die Mailänder ihre Trachten und Masken bestellten.

„Hier ist ein Porträt,“ redete ihn Theodore an, welches ich Ihren Händen anvertraue, bis zur Zeit, wo die Karnevalsbelustigungen zu Venedig ihren Anfang nehmen werden, dann stellen Sie es mir zurück sammt einer Larve, welche genau diesem Gemälde nachgebildet seyn muß; eben dieser starre, wehmüthige Blick, eben diese Bläße, kurz unverkennbar dieses ganze Todtengesicht. Hier haben Sie Geld, und sollen, wenn Alles nach meinem Wunsche ist, noch mehr haben. Als Kostüm fügen Sie ein Todtengerippe hinzu.“ —

Der Prinz Eugen kam nach Venedig, und es gab daselbst große Festlichkeiten. Zu den herrlichsten zählte man jene, welche der Graf Fermo gab. Sein Pallast glich einem Feentempel, die Gäste wandelten durch prächtige Säle und beleuchtete Gärten. Die vortrefflichste Musik regte zum Tanze auf, reich gekleidete Masken trieben ihr loses Spiel und alle Sinne schwelgten bis zum Morgen in stets veränderten Genüssen.

Ein junger französischer Offizier, Arthur de Bremont, vom Tanze ermüdet, lehnte an einem Pfeiler des Saales, und sah die fröhliche Menge an sich vorbeiwogen; da fielen seine Blicke auf eine weibliche Maske, welche ihn aufmerksam zu betrachten schien.

Ihre Augen blitzten durch die Larvenöffnungen wie zwei Flammen, und ihr ganzes Wesen hatte etwas Gebieterisches, was die Aufmerksamkeit des Offiziers in Anspruch nahm. Da trat die Maske auf ihn zu. — „Lieutenant!“ sprach sie, „du bringst zu einem so lustigen Feste trübe Blicke und eine gefurchte Stirne.“

„Ich? O nein, aber auch die Fröhlichkeit ermüdet, und ich ruhe nur aus, um mich dann mit neuer Kraft dem Vergnügen in die Arme zu werfen.“

„Fröhlichkeit und Leichtsinn, das ist ja Euer Wahlspruch, Franzosen!“

„Du moralisirst, schöne Maske. Reiche mir doch deine zarte, weiße Hand, damit ich sie küsse für die Sittenpredigt.“

„Galant in Venedig, wie in Mailand, und wie überall.“ —

„Kennst du Mailand?“

„Es ist meine Vaterstadt und die Vaterstadt Julien's — Julien's, welche du liebtest.“

„Julie?“ stammelte Arthur verlegen; und beide befanden sich jetzt in einem nur halberleuchteten Kabinete. — „Julie? wer sagte dir —?“

„Ihr Franzosen posaunt ja Eure Eroberungen so schnell aus, als ihr sie macht und wieder vergeßt.“

„Boshafte Schmeichlerin! Aber lassen wir die Vergangenheit ruhen, schöne Mailänderin, die Gegenwart ist ja so herrlich. Erlaube mir aus deinen schönen Augen Vergessenheit zu saugen.“

„So sprachst du auch zu Julie, nicht wahr?“

„Julie, und immer Julie, laß die Erinnerung.“

„Du liebtest sie aber doch?“

„Nun ja, eine flüchtige Neigung. Ich versichere dich, ich kann mehr Liebe geben, als ich ihr gab.“

„Aber sie konnte nicht mehr geben, sie liebte dich mit ihrer ganzen Seele, und dein Zurückziehen kostete ihr das Leben.“

„Ach! schmeichle mir nicht.“

Der Elende, dachte Theodore, nicht einen Gewissensbiß, nicht ein Wort des Mitleids für sein Opfer.

„Du denkst nach, schöne Mailänderin,“ fuhr Arthur fort. „Sieh, wir sind allein in diesem Kabinete, ich gäbe mein Leben darum, nur einen Augenblick hinter diese neidische Maske sehen zu können.“

„Du bist unbescheiden, aber ich will deinem Wunsche willfahren, und dies sogleich. Sage mir nur noch, erinnerst du dich noch jenes Abends in Mailand, wo du hinter den düstern Mauern von Sant Ambrosio zu einem jungen Mädchen eben so sprachst: „Hebe diesen neidischen Schleier, laß mich dein Antlitz sehen, und ich will gerne sterben . . .?“

„Wie weißt du . . .?“

„Das Mädchen erfüllte deinen Wunsch, sie hob ihren Schleier, wie ich jetzt meine Maske abnehme. So sieh' mich denn, Elender!“

Und der Lieutenant sah — und die Haare sträubten sich auf seinem Haupte, — mit einem Schrei des Entsetzens fiel er zu Boden.

Zu Mailand saß der alte Speralti mit dem Priester in seinem Gemache, und sprach mit ihm von seiner Tochter, und von dem Wiedersehen in jener Welt.

Da stürzte Theodore in Reisekleidern in das Gemach und rief: „Vater, ich komme von Venedig, ich habe den Mörder Julien's gesehen, deine Tochter ist gerächt!“

„Und wie?“ fragte erstaunt der Alte.

„In mir sah er die Todte wieder. Grauen und Entsetzen raubten ihm dem Verstand.“

Speralti starrte Theodoren an.

Der Priester aber stand auf und sprach: „Knie nieder, meine Tochter, bereue und thue Buße, denn dich erfreut die Rache, welche der Ewige verwirft.

Der Christinos.

Historische Novelle.

Es war vor beiläufig zwei Jahren, in der Badesaison, als eine Gesellschaft von Herren und Damen, welche bereits die bemerkenswerthesten Gegenden der Pyrenäen besucht hatten, an jenes äußerste Ende des Thales von Luchon kamen, wo der enge Paß von Venasque Frankreich mit Spanien in Verbindung setzt. Man berathschlagte, ob man die Reise noch bis Arragon fortsetzen und auf diese Art es wagen sollte, einer Partei von Carlisten oder Christinos in die Hände zu fallen, welche die Gegend durchstreiften, sich wechselseitig mit Kugeln begrüßend.

Die Damen ließen sich von der Gefahr nicht zurückschrecken; denn sie hatten keinen Begriff von den Gräueln eines Bürgerkrieges, der mit der größten Erbitterung und Grausamkeit geführt wird; und schon war man überein gekommen, vorwärts zu schreiten, als hinter dem Vorsprunge eines Felsens eine blasse, blutige Gestalt, einem Gespenste ähnlich, hervortrat. Man wich vor Entsetzen und Abscheu zurück; allein als man überlegte, daß man die Gewalt auf seiner Seite habe, und da man bemerkte, daß das Gespenst sich nur mit Mühe vorwärts schleppte, blieb man stehen und erwartete es. Es war ein Mann mit Lumpen einer Uniform bedeckt, und einen Sack auf dem Rücken tragend. Er wankte gegen die Gesellschaft vorwärts, und mit schwacher Stimme flehte er in spanischer Sprache um Hilfe und Erbarmen.

Die Wegweiser in den spanischen Gebirgen sprechen spanisch und französisch. Der Wegweiser der Gesellschaft übersetzte seine Worte, welche übrigens schon durch seinen Anblick und seine Geberden verständlich wurden, und alsogleich war Alles um den Bemitleidenswerthen beschäftigt, die Reisesäcke wurden geöffnet, man reichte ihm ein Glas Rhum, er schüttete davon einige Tropfen in die Hand, rieb sich damit die Schläfe, und trank das Übrige. Dann etwas gestärkt, blickte er die um ihn Stehenden in der Reihe an.

„Tausend Dank, meine Damen und Herren!“ sprach er im guten Französisch zum Erstaunen seiner Wohlthäter. „Ihre Ankunft in dieser wilden Gegend hat mir das Leben gerettet, ich leide fürchterlich an Wunden. Das Fieber, die Erschöpfung und der Durst haben mich so ermattet, daß ich hier hätte vergehen müssen.“

Die Bemühungen für den Armen wurden fortgesetzt. Mit Wasser aus einer nahen Quelle hatte man ihm das Blut vom Gesichte gewaschen; denn er schien am Kopfe verwundet. Die feinen Sacktücher der schönen Damen waren schnell in Stücke zerrissen und zu Kompressen und Verbänden verwendet.

Als dieses geschehen war, bemerkte man, daß der Arme ein großer, schöner Mann war. Seine braune Gesichtsfarbe, seine stolzen, ausdrucksvollen, starken Züge und sein lebhaftes Auge trugen die spanische Eigenthümlichkeit an sich. Jemand fragte ihn, ob er ein Spanier sei? „Ja," antwortete er mit Bitterkeit, „ich bin ein Spanier und war Soldat unter den Fahnen der Königin Christina. Vor sechs Tagen stießen wir auf eineu Haufen Carlisten und schlugen uns. Ich wurde verwundet, hier (er zeigte auf seinen Kopf) und hier (er deutete auf die rechte Hüfte.) Aber alle die Schmerzen sind nichts gegen das, was ich hier leide," und dabei drückte er beide Hände krampfhaft auf sein Herz.

„Ihr Wunsch ist also vermuthlich nach Frankreich hinüber zu gehen?" fragte man ihn weiter. „Ja, o ja!" antwortete er lebhaft. „Ich desertire, denn dieser Krieg macht mir Grauen. Ich ließe mich lieber in den Kerker werfen, und erschießen, als länger Theil daran zu nehmen. — O! vor Allem diese letzte fürchterliche Begebenheit!" — Und bei diesen Worten senkte sich sein Antlitz in seine beiden Hände, große Thränen rieselten zwischen den Fingern herab, seine Knie brachen und er wurde ohnmächtig. Durch diesen Zustand beunruhigt, machte man in Eile eine Tragbahre aus Baumzweigen zusammen, legte den Verwundeten darauf, umgab ihn und trug ihn, mit Mänteln und Shawls bedeckt, nach Luchon herab, wo man einen Wundarzt und alle nöthige Hülfe zu finden hoffte.

Eine so interessante Episode in die Reise der Gesellschaft geworfen, war ungeachtet des Mitleids für den armen Gegenstand derselben, doch auch nicht ganz unwillkommen, man sprach nur von dem Christinos und belagerte den ganzen Tag das Haus, in welches man ihn gebracht hatte, um Nachrichten über seine Gesundheit zu erhalten. Besonders war die Theilnahme durch seine letzten Worte aufgeregt worden. Jeder erklärte sie nach seiner Idee, und machte entweder einen politischen oder Liebesroman daraus, je nach seinem Geschlechte oder Alter. Man erwartete mit einer Ungeduld, an welcher — zum Nachtheil des menschlichen Herzen muß es gesagt werden — das Erbarmen weniger Antheil hatte, als die Neugierde, die Genesung des Armen hoffend, daß er dann seine fürchterlichen Lebensabenteuer erzählen werde.

Endlich erklärte der Arzt, daß der Spanier außer Gefahr sei und die Personen empfangen könne, welche ihm das Leben gerettet haben, aber auch nur diese allein.

In einem ärmlichen Zimmer eines kleinen Hauses in Luchon saß der spanische Soldat in einem großen Lehnstuhl und die Gesellschaft rund um ihn, sein edles Antlitz durch die Krankheit noch mehr gebleicht, sein herrlicher Wuchs, der sich in den Falten eines langen braunen Mantels abdrückte, sein lebhaftes Auge machten den größten Eindruck auf alle Anwesenden.

Nach den Fragen um sein Befinden, suchte man ihn auf den Punkt zu bringen, auf welchem man ihn haben wollte. Man fragte ihn, worin man ihm nützlich seyn könne, wenn er anders den Wunsch hege, in Frankreich zu bleiben. Er bestätigte mit sichtbarer Bewegung, daß sein Entschluß, nicht mehr nach Spanien zurückzukehren, unumstößlich sei. Man verwunderte sich über eine solche entschiedene Abneigung gegen sein Vaterland und bemerkte, daß, um sich zu rechtfertigen, äußerst wichtige Gründe vorhanden seyn müßten.

„O ja!" rief er aus, „sehr wichtige; urtheilen Sie selbst, meine Herren und Damen!"

Bei diesen Worten malte sich Befriedigung auf allen Gesichtern. Man hatte das gewünschte Ziel erreicht, die angeschlagene Saite gab den Ton, den man hoffte. Man rückte die Stühle näher, alle Augen hefteten sich auf den Spanier, und mit gespannter Erwartung lauschten alle Ohren.

„Ich bin der Sohn eines Landmannes," begann der Spanier seine Erzählung. „Mein Vater war Gärtner in Saragossa. Seine erste Frau hatte er verloren, sie hinterließ ihm einen Sohn; er vereheligte sich wieder und ich bin der Sohn dieser zweiten Ehe. Mein älterer Bruder war stolz und schroff. Wir haben in Spanien ein Sprichwort, welches heißt: Wenn ihr einem Arragonier einen Nagel gebt; so wird er ihn eher mit seinem Kopf einschlagen, als auf einen Hammer warten, und mein Bruder rechtfertigte dieses Sprichwort. Er konnte sich mit seiner Stiefmutter nicht vertragen, welche nur Sorgfalt und Zärtlichkeit für mich zeigte. Er zählte zwölf Jahre, ich zwei, als die Heerden ihren jährlichen Gang auf die Berge antraten. Er ließ sich von dem Mayoral der Provinz zum Hüter aufnehmen, und verließ das väterliche Haus. Das ist nun 25 Jahre, und er kehrte seitdem nicht wieder zurück. Ich konnte mich seiner Züge gar nicht mehr erinnern, ach mein Gott! mein Gott! warum mußt' ich ihn wieder sehen."

Die Stimme des Erzählers erstickte in Schluchzen, und Thränen flossen über seine Wangen herab, allein sich fassend trocknete er sie mit der umgekehrten Hand ab und fuhr fort: „Von meiner Mutter verhätschelt, wurde ich bald halsstärrig und ungehorsam; vergebens wollte mich mein Vater seine Kunst lehren, die Gärtnerei mißfiel mir; anstatt zu arbeiten lief ich fort, spielte mit den Kindern meines Alters, und wurde so bald einer der liederlichsten Jungen in der ganzen Gegend. Ich machte Bekanntschaft mit einem Schmuggler, der Wein, Branntwein und Tabak nach Frankreich schwärzte und dafür Spitzen und Bijouterien zurückbrachte. Er schlug mir vor, Gefahr und Nutzen mit ihm zu theilen, das herumstreifende Leben gefiel mir, ich nahm seinen Vorschlag an, und zehn Jahre hindurch trieb ich dieses gefahrvolle Metier, oft die Streiche der Gränzwächter duldend, noch öfters sie austheilend, aber immer fröhlich und unabhängig. Meinen Reisen zu jener Zeit danke ich es auch, daß ich Ihre Sprache lernte, meine Herren und Damen, und daß ich Ihnen dies ohne Dolmetsch zu erzählen im Stande bin. Indessen hatte sich der Bürgerkrieg entsponnen. Don Carlos hatte Navarra aufgewiegelt und die Königin Christina sandte Truppen ab, die Empörer zu unterjochen. Die Contrebande von Waffen und Munition für die Carlistische Partei war einträglich, und wir ergaben uns derselben einige Zeit mit Gewinn; allein die Christinos wurden bald wachsamer, und ich und meine Kameraden wurden mit einem nicht unbedeutenden Transport von Pulver und Blei gefangen. Unser Prozeß war bald gemacht und wir sollten erschossen werden. Schon war das Urtheil gesprochen, und wir erwarteten den Priester, der uns zur letzten Reise bereiten sollte, als statt dessen der Kapitän eines Regimentes der Königin zu uns in das Gefängniß trat. Er bot uns Gnade an, wenn wir der Königin den Eid der Treue leisten und unter ihrer Fahne Dienste nehmen wollten. Für uns gab es keine politischen Neigungen; wir sahen in diesem Vorschlag nur einen Handel, bei welchem aller Vortheil auf unserer Seite war, und nahmen ihn an. Wir zogen die Uniform an und marschirten gegen die Carlisten. Ach, ich war von einem unehrlichen Lebenswandel zu einem ehrlichen übergegangen, aber hier erst stämpelte mich das Schicksal willenlos zum größten Verbrecher!«

»Verbrecher!« murmelte man von allen Seiten in der Gesellschaft. Man schauderte zurück, aber die Theilnahme an dem schönen Verbrecher ward nur um so größer. Mit noch größerer Aufmerksamkeit hörte man ihm zu, und er fuhr fort:

»Unter den Häuptlingen der Guerillas, welche am meisten die Truppen der Königin beunruhigten, bemerkte man vor allen Einen, den man den Mayoral nannte, weil er lange Zeit das Haupt der Viehhirten in der Provinz war. Seine Kühnheit und Unerschrockenheit machten ihn eben so furchtbar, als seine Lokalkenntnisse. Bald stand er mit einem Haufen vor uns, wo wir ihn am wenigsten vermutheten, und bald, wenn wir eben glaubten, ihm auf der Spur zu seyn, war er wieder wie verschwunden. Er hatte die ganze Gegend gegen uns aufgewiegelt. In Berücksichtigung meines früheren Lebenswandels glaubte man, daß ich der tauglichste seyn werde, seine verborgenen Schlupfwinkel zu entdecken; man vertraute mir also das Detachement an, welches bestimmt war, diesen furchtbaren Guerillas mit seiner Truppe aufzuheben. Wir brachen von Pampeluna auf, und schlugen uns auf der Straße von Saragossa, rückten über Taffala und Tudela bis nach Caparosa vor, ohne unsern bestimmten Feind zu treffen. In dem Maße, als wir uns weiter entfernten, waren wir auch gezwungen größere Vorsicht zu gebrauchen. Wenn sich ein Soldat von der Kolonne entfernte, so wurde er von den Bauern ermordet, welche sich in jedem Hause verschanzten und aus jedem Strauche hervorschossen. Wir vergalten ihnen aber alles Übel getreulich, was sie uns zufügten; Jeder, der uns begegnete, schuldig oder unschuldig, wurde niedergehauen. Auf dem linken Ufer des Flusses Arragon fanden wir in einer waldigen verlassenen Gegend, Bardena-de-Rey genannt, ein Kind von beiläufig zwölf Jahren. Bei unserer Annäherung verbarg es sich unter das Gestrippe, aber wir bemerkten es und zogen es hervor. Es trug einen kleinen Sack voll Eßwaren, Maisbrot, einige Schnitten Speck, Mandeln und Feigen. Vermuthlich Provision für die Rebellen. Wir nahmen ihm den Sack und fragten das Kind, wohin es denselben tragen sollte.

„Zum Mayoral,“ antwortete es stolz.

„Wo ist der Mayoral?“

„Das sag' ich Euch nicht.“

„Ist er allein?“

„Wenn Ihr ihn finden werdet so werdet Ihrs schon sehen.“

„Führe uns zu ihm.“

„Da rühr ich keinen Fuß.“

Man behandelte auf diese kühnen Worte den widersetzlichen Kleinen sehr grausam. Allein er blieb standhaft. Ach, wie schön und muthig er war, dieser Heldenknabe! Er antwortete auf alle Stöße und Schläge nur mit dem Ausruf: „**Viva el rey Carlos! Muera la reyna gobernadore!**“ Ich kann Ihnen nicht beschreiben, was er litt, denken Sie sich die größten Grausamkeiten, und Sie werden noch hinter der Wahrheit zurückbleiben. Endlich blieb er todt auf dem Platze. Bald darauf, vielleicht durch das Geschrei des Kindes herbeigerufen, sahen wir ein Detachement Feinde gegen uns kommen. Sie wurden durch einen großen, starken und tapfern Mann befehligt, der sich mit einem Muth und einer Härtnäckigkeit sonder gleichen schlug. Es war der Mayoral. Wir waren stärker, und das kleinere Häuflein der Feinde bestand größtentheils aus schlecht bewaffneten Bauern, welche sich ohne Ordnung schlugen; daher wurde ein großer Theil von ihnen niedergemacht, die übrigen nahmen die Flucht in das Gehölze. Ich hatte mich gleich bei Anfang des Gefechtes dem Mayoral selbst entgegen gestellt; wir fochten lange Zeit ohne entschiedenen Vortheilen, endlich gelang es mir, dem Jüngeren und Stärkeren, ihn zu Boden zu werfen, und mit einem Kolbenschlag streckte ich ihn todt zu Boden.“

Bei diesen Worten erscholl ein allgemeiner Schrei des Entsetzens.

„Ha! das ist unbarmherzig!“ sagte eine Dame.

„Was wollen Sie?“ fragte der Spanier, „das ist das Unvermeidliche des Krieges. Ach! ich wurde hart für diese That bestraft.“

Einige Fläschchen mit Kölnerwasser thaten ihre Schuldigkeit bei den Frauen, die Ruhe war wieder hergestellt und der Erzähler fuhr fort:

„Wir nahmen den Todten, was sie am Werthe bei sich trugen. Ich erblickte unter dem Hemde des Mannes, den ich hingestreckt hatte, eine silberne Uhr an einer Haarkette. Diese nahm ich. Die Feinde, welche sich nur zerstreut hatten, kamen bald in größerer Anzahl wieder zurück. Sie überfielen uns unvorgesehen und richteten ein großes Blutbad unter den Unserigen an.“

„Dabei erhielt auch ich diese Wunde in der Seite. Die Klinge eines Messers drang hier, unter der Rippe, hinein. Ich fiel und blieb besinnungslos liegen. Unsere Truppen flohen und wurden verfolgt, und dies rettete mir das Leben, weil die Feinde nicht Zeit hatten, den Verwundeten den Garaus zu machen. Das Gefecht hatte am Abend Statt, und ich lag die ganze Nacht auf dieser Stelle. Bei den ersten Strahlen der Morgensonne, als ich rund um keine Feinde gewahrte, schleppte ich mich, schwach und voll Blut, zu einigen Hütten, welche ich nicht weit entfernt erblickte. Alle Männer hatten sich bewaffnet, ich durfte also hoffen, nur mitleidigen Frauen in die Hände zu fallen, und ich glaubte also, ungeachtet meiner Uniform, als Christinos keine Gefahr zu laufen; als ich mich einer der Hütten genähert hatte, sah ich auch wirklich ein Weib bei einem Fenster herausschauen, ich gab ihr Zeichen und flehte, den Hut abnehmend, um Barmherzigkeit; allein ohne mir zu antworten, trat sie nur einen Augenblick von dem Fenster weg, kam aber gleich wieder, und schoß mit einer alten Flinte auf mich. Die Kugel pfiff über meinen Kopf weg. Ich eilte, was ich konnte, unter dem Schutze einiger Bäume davon, und verlor endlich die Häuser aus dem Gesichte. Mit unendlicher Mühe und unsäglichen Schmerzen zog ich nun im Freien unbemerkt meine Uniform aus, und indem ich sie in einem Bündel auf dem Rücken trug, setzte ich meinen beschwerlichen Marsch fort, einen Fluß oder eine Quelle suchend; denn ich hatte das Wundfieber und der Durst plagte mich fürchterlich. Ich fand keinen Tropfen Wasser in dieser sandigen Ebene. Die Sonne stand gerade über meinem Haupte, ihre brennenden Strahlen fielen auf meine Wunden, ich litt unsägliche Schmerzen. Ach, freudig hätte ich einen schnellen Tod dieser langsamen Marter vorgezogen. Endlich sah ich ein einsames Haus. Nachdem ich meine Seele Gott und allen Heiligen empfohlen hatte, beschloß ich darauf zuzugehen, es möge auch geschehen, was da wolle. Ich pochte an die Thür, freilich etwas zaghaft; denn es handelte sich in diesem Augenblicke um Leben oder Tod." —

„Eine Frau öffnete die Thür mit Vorsicht nur halb. Ich streckte ihr meine Hände flehend entgegen und rief: „Habt Mitleid, gute Frau, mit einem armen Soldaten."

„Ein Soldat!" schrie sie erschrocken. Auf ihren Schrei waren ein großes Mädchen und zwei kleinere Kinder, aber nur zitternd, herbeigelaufen.

„Seid Ihr allein, oder folgen Euch eure Kameraden?" fragte die Mutter.

„Wer weiß, wo diese sind, wenn sie anders den Carlisten entronnen sind."

„Was wollt Ihr damit sagen?"

„Ihr wißt also nichts von dem Gefechte gestern Abends?"

„Nichts."

„Ach, meine guten Leute, Ihr würdet nicht so ruhig

seyn, wenn die Christinos Sieger geblieben wären; aber sie sind in die Flucht geschlagen, und werden verfolgt."

„So sei Gott gelobt und die heilige Jungfrau von Pilar!" riefen Mutter und Kinder mit zum Himmel gehobenen Blicken und Händen einstimmig.

„Ich bin ganz allein, ich liefere mich Euch aus; ich bin verwundet und schwach, Ihr könnt mich tödten."

„Habt keine Furcht," antwortete die Mutter mit einem Ausdruck von Güte und Traurigkeit. „Ihr seid verwundet und braucht Hilfe. Mein armer Mann, der unter unsern Truppen dient, ist vielleicht jetzt eben so hilflos als Ihr. Vielleicht läßt ihm der liebe Gott durch eine gute Seele vergelten, was ich an Euch thue. Kommt, tretet herein."

„Durch diese gütigen Worte ermuthigt, folgte ich der Frau in die Hütte, und befand mich in einem großen Gemache, dessen Boden nach spanischem Gebrauche mit einer Estera, das ist einer Art Teppich von Palmblättern, bedeckt war. Die weißen Mauern waren in einer Höhe von vier Fuß mit Matten bedeckt, ein Bild der schmerzhaften Mutter Gottes hing an der Wand, und an den Wandhaken hingen Gewehre, eine Armbrust, ein Mantel und noch andere Kleider. Alles zeigte von Ordnung, Reinlichkeit und Wohlhabenheit."

„Sie müssen wissen, werthe Gesellschaft, daß jede Provinz Spaniens sich durch ein ganz eigenes Costume, oder wenigstens durch ein eigenthümliches Kleidungsstück bemerkbar macht. Das Volk und die Landleute halten besonders daran fest, so daß ein Eingeborner auf den ersten Blick kennt, aus welcher Provinz Jemand sei. Sie werden also auch leicht begreifen, daß ich ganz betroffen, ja gerührt wurde, als ich bemerkte, daß meine gütige Wirthin und ihre Tochter weite Cotilla's trugen, das sind weite Leibchen mit nahe an einander gereihten Fischbeinstäben und eisernen Ringen verziert, und kurze Vortücher von blauem Wollenzeug, die nur mit Mühe ihre nackten Beine bedeckten, und daß ihre Haare in einem Wulst zusammengenestelt waren, durch welchen eine große silberne Nadel gesteckt war. — O ja, ich war sehr gerührt, denn diese Tracht war nicht jene der Provinz Navarra, in welcher ich mich jetzt befand, sondern die Tracht von Arragon, meiner Heimat.«

»Schnell Carita,« sprach die Mutter zur ältern Tochter, »bringe Wasser und Wäsche.«

Carita lief fort, brachte alles Verlangte, und half ihrer Mutter mir einen Verband auflegen, den ich noch trug, als ich Ihnen begegnete. Die Frauen besaßen Charpie in Menge, sie hatten die ganze Nacht damit zugebracht, welche zu zupfen. Als ich meine Verwunderung hierüber äußerte, sagte die Mutter: »Ach, wenn mein Mann verwundet zurückgekommen wäre, hätten wir ihn ja auch verbinden müssen; ach! in einem Kriege, wie dieser, muß man auf Alles gefaßt und vorbereitet seyn.«

»Beruhigt Euch über das Schicksal Eures Gatten,« antwortete ich, »er ist vermuthlich weit entfernt und in der Verfolgung meiner Kameraden begriffen. Wir wurden überfallen, verloren Kopf und Muth, und wurden auf diese Art gänzlich geschlagen.«

»Während ich dieses sagte, glänzte ein Strahl von Freude in den Augen der guten Hausfrau. Die Kinder freuten sich mit ihr, und selbst der Kleinste von 5 oder 6 Jahren sprang herum und rief: „Nun kommt der Vater bald!“

„Das wollen wir zu Gott hoffen, meine Kinder!“ versetzte die Mutter. „Ohne ihn, was würde aus uns werden? wir alle, und sein armer Vater, der dann von allen seinen Kindern verlassen, schwach und krank zurückbleiben müßte! Meinen Mann hat er freilich nie so geliebt, als den Andern und der hat ihn eben zuerst verlassen.“

„Jedes dieser Worte rief mir mein eigenes Unrecht gegen meinen Vater zurück. Ich horchte weiter mit einer Art von Beklommenheit.“

„Mein Mann, im Gegentheil, als er hörte, daß sein Vater Mangel leide, eilte zu seiner Hilfe herbei. O, es ist ein vortreffliches Herz, mein Jose!“

„Jose heißt Euer Mann?“

„Ja, Herr.“

„Und woher seid Ihr?“

„Aus Puebla in Arragon, nahe bei Saragossa.“

„Jose auch?“

„Ja Herr.“

„Aber wie heißt er mit seinem Geschlechtsnamen?“

„Ribanera.“

„Gott, mein Bruder!“

„Wie, Ihr wäret also Tonio!“

„Ja, liebe Schwester, ich bin Tonio — ach, der gute Bruder hat Euch sogar meinen Namen gesagt.“

„O! er sprach oft mit uns von dem kleinen zänkischen Tonio, aber er hat Euch deßwegen doch recht lieb.“

„Und das ist also meine Nichte und meine Neffen?“

„Ja Herr, aber wir haben noch mehre Kinder, ein kleines Mädchen, die ich noch stille, schläft oben in der Kammer, und einen Jungen, unsere Hoffnung und unser Augapfel; er ist erst zwölf Jahre alt, aber schon so klug, wie ein Erwachsener; er arbeitet und macht sich schon überall nützlich; o, der wird einst die Ehre und Stütze seiner ganzen Familie werden.“

„Und warum seh' ich den Jungen nicht hier bei Euch?“

„Ach!“ antwortete die Mütter seufzend, „er ist gestern gegangen, seinem Vater einige Lebensmittel zu bringen; er wird wohl mit dem Vater wieder zurückkehren.“

„Bei diesen Worten erbebte ich innerlich, es fiel mir der unglückliche Knabe ein, der unter unsern Streichen fiel.“

„Ich sage Euch dieses,“ fügte meine Schwägerin hinzu, „weil ich weiß, wer Ihr seid. Welches auch das Glück der Waffen seyn, welche Partei auch siegen mag, Ihr werdet Eurem Bruder nichts zu Leide thun, und er Euch nicht. Herr im Himmel, was ist ein Bürgerkrieg doch Entsetzliches! Da waren zwei Brüder ausgesetzt, sich zu erschlagen.“

„Ihre Worte zerrissen mir das Herz; dennoch konnte ich es nicht unterlassen, in sie zu dringen, mir ihren Knaben näher zu beschreiben.“

„Sie that es mit der zärtlichsten Mutterliebe, und sagte mir auch, daß er den Namen T o n i o, meinen Namen, trage.“

„Alle Bezeichnungen trafen mit jenen unsers Opfers überein; dennoch zweifelte ich noch; als ich sie aber auch bat, mir die Kleidung des Kleinen zu beschreiben, und sie mir sagte, er trage keine Uniform, sondern die gewöhnliche Bauernkleidung, und das braune Gambeto mit blauen Aufschlägen, welches er an habe, habe sie und ihre Tochter selbst gemacht, da blieb leider kein Zweifel mehr. Ich war Einer der Mörder meines Neffen! Denken Sie sich meine Verzweiflung. Aus der Veränderung aller meiner Züge erkannte meine Schwägerin meinen Schmerz, und da man diesen meinen Wunden zuschrieb, so verdoppelte man die Pflege und bot mir das Lager und das Mahl, welche für den Hausvater bereitet waren. Ich nahm an, wessen ich mich nicht würdig fühlte. Endlich unterlag ich so vielen physischen und moralischen Schmerzen und sank bewußtlos hin; ach warum war dies nicht der Tod!"

„Ungeachtet der Hilfeleistung meiner Schwägerin und ihrer Kinder lag ich doch einen ganzen Tag ohne Bewußtsein. Als ich wieder zu mir kam, fand ich die ganze Familie unruhiger und beängstigter als früher. Die lange Abwesenheit des Vaters und Sohnes fing an sie zu quälen."

„Ich wollte ihnen nicht sagen, was mir leider schon klar war, zugleich fühlte ich mich durch die Güte dieser lieben Menschen beschämt; ich beschloß also das Haus zu verlassen, wo jedes Wort mir zum Gewissensbisse wurde. Meine Wunde war verbunden, ich fühlte so viel Kraft in mir weiter zu gehen, und kündigte ihnen mit meinem Danke an, daß ich fort müsse."

„Wie? fort?" rief meine Schwägerin, „fort ohne Euern Bruder zu sehen? nein, das könnt Ihr nicht."

„Ich muß; wir wollen das Wiedersehen auf eine andere, bessere Zeit versparen. Mein Bruder kann mit einigen seiner Leute zurückkehren, und meine Gegenwart könnte ihn in Verlegenheit setzen; drum laßt mich fort!"

„Und Ihr wollt hingehen, um gegen uns zu kämpfen,“ fragte die Frau noch traurig.

„Nein,“ antwortete ich, „mir graut vor diesem Kriege, ich kehre nicht zu meinem Corps zurück, ich desertire und gehe nach Frankreich; wenn Alles wieder ruhig ist, kehre ich hieher zurück. Bis dahin grüßt meinen Bruder und lebt wohl! Vergeßt Tonio nicht!“

„Ich war schon bei der Thür hinaus, da ergriff mich plötzlich eine Idee. Ich trat wieder in's Zimmer zurück und sprach: „Damit Ihr Euch in jeder Stunde an mich erinnert, nehmet dieses Andenken von mir.“ Ich machte meinen Sack auf, und nahm daraus die Uhr. „Diese Uhr,“ sagte ich, „war meine letzte Beute auf dieser Welt. Ich habe sie einem armen Teufel abgenommen, den ich im letzten Gefechte zu tödten das Unglück hatte. Obschon sie nach den Rechten des Krieges mein Eigenthum ist, so würde ich mir doch jetzt ein Gewissen daraus machen, das Mindeste aus Eurem Lande mit mir zu nehmen. Behaltet die Uhr, sie wird Euch jede Stunde an Euren dankbaren Freund und Bruder erinnern.“

„Ich gab die Uhr meiner Schwägerin; aber kaum hatte sie dieselbe angesehen, als sie mit herzzerreißendem Tone aufschrie: „Heiliger Gott im Himmel! was seh' ich? die Uhr meines Mannes, und die Kette, die Haare seiner Tochter! — Entsetzlicher! Du hast meinen Mann, deinen Bruder ermordet!“ und besinnungslos fiel sie zur Erde.

„Auch die Kinder stießen bei dem Anblicke der Uhr ein lautes Geschrei aus, drängten sich an die Mutter und sahen mich mit furchtsamen Blicken an. Ich aber stand unbeweglich, die Augen weit offen, ohne zu sehen, den Mund geöffnet, ohne ein Wort hervorbringen zu können. Mit einem Male drängte sich mir mein ganzes Unglück zu Herzen, meine Pulse schlugen, als ob sie mir die Adern zersprengen wollten, kalter Schweiß lief mir über die Stirne herab, und die Haare sträubten sich auf meinem Kopfe empor; ich sah meine Opfer vor mir und wagte es nicht, mich ihnen zu nähern; endlich brachen Thränen aus meinen Augen hervor.

„Lebt wohl," rief ich, „Ihr seid in der Höllenangst, die mich verzehrt, gerächt!" und stürzte zum Gemache hinaus. Mit meinem Schmerze allein ging ich vorwärts; jetzt hätte ich die Carlisten herbeigewünscht, damit sie meinem elenden Leben ein Ende machen möchten, allein eben jetzt fand ich sie nicht, und schwach und ermattet kam ich im Gebirge an. Dort irrte ich zwei Tage ohne Hilfe und ohne Nahrung umher und fiel endlich bis zum Tode erschöpft an einem Felsen nieder, wo ich mir an einem spitzen Steine die Kopfwunde schlug, welche meinem Leben gewiß ein Ende gemacht haben würde, wenn nicht der Zufall Sie zu meiner Rettung herbeigeführt hätte."

Hier schwieg der Spanier, aber immer noch herrschte tiefe Stille rings um ihn, alle Blicke waren auf sein ernstes, blasses Antlitz gerichtet, dessen Wangen durch den Schmerz ausgehöhlt waren und aus dessen Augen große Thränen rollten, welche den Runzeln bis zu dem schwarzen Schnurrbarte folgten.

Endlich fragte man T o n i o, was er denn jetzt zu thun gedenke?

„Wie ich Ihnen gesagt habe," antwortete der Spanier.

»Ich kehre nie mehr nach Spanien zurück, und Sie werden nun auch den Grund davon begreifen. Doch hab' ich dort viel Unglück wieder gut zu machen. Ich will arbeiten für meine Schwägerin, für meine Neffen arbeiten. Ich verlange nur Arbeit, und Alles was ich über das Wenige verdiene, das mir zu dem frugalsten Leben nothwendig ist, soll für sie seyn. Ihnen, meinen großmüthigen Rettern, empfehle ich mich auch in dieser Hinsicht. Schaffen Sie mir Gelegenheit, einen Theil meines Unrechtes wieder gut zu machen.«

Jeder aus der Gesellschaft machte alsbald dem Arragonier Vorschläge, und alles gab gleich auf der Stelle reiche Spenden, die man für die Verwandten bestimmte.

Endlich bot Graf Ernest sich an, dem Manne den eben erledigten Platz eines Revierjägers zu verleihen. Dieser sagte seinen Neigungen am meisten zu, und er nahm ihn dankbar an.

Die Gesellschaft kehrte nun zu ihren häuslichen Geschäften zurück und der Christinos begab sich auf seinen neuen Posten. Dort streift er traurig und schweigend durch die Wälder, und wenn er sich manchmal Abends im Dorfe unter die Spiele der Dorfbewohner mischt, so spricht er oft ernst und drohend zu den exaltirten Jünglingen, welche in der bürgerlichen Ordnung nur Sklaverei sehen: »Junge Leute, erbebet vor einem Bürgerkrieg, man kann da seinen eigenen Bruder tödten!«

Das letzte Opfer des Spiels in Paris.

Eine Tagsbegebenheit.

Jetzt sind die Spielhäuser in Paris abgeschafft. Zu einer Zeit, wo die Staatswirthschaft noch nicht so hoch gestiegen war, fand man es zuträglich, den Spielern eine Steuer aufzulegen. Was gibt es Unmoralischeres als Steuern auf Leidenschaften; Steuern auf das größte menschliche Elend; Steuern auf Verzweiflung und Selbstmord? Dem Himmel sei Dank, es gibt keine Spielhäuser mehr! Von Mittag bis Mitternacht waren sie für Jedermann offen, für den Reichen, wie für den Armen, für den Alten mit kaltem Blute, wie für den heftigen feurigen Jüngling. Man trat ein, es wurde uns vorerst der Hut abgenommen, um uns später das Geld abzunehmen. Eintreten, spielen, verlieren, fortgehen und sich eine Kugel durch's Gehirn jagen, — das ist die kurze Tagesgeschichte der Spielhäuser, welche Familienväter so oft ihren Angehörigen fruchtlos geschildert. Die Farben grün, roth und schwarz waren recht sehr bezeichnend für ihre Ergebnisse. Der grüne Tisch, die Hoffnung; Roth und Schwarz der Karten: Blut und Trauer! Ein Landjunker mit seinem vollen Beutel, ein Kassier mit fremdem Gelde, ein Handwerker mit dem Brote seiner Kinder — das waren die gewöhnlichen

Schauspieler dieser Dramen, welche oft eine gräßliche Katastrophe hatten. Zum Glücke ist dieses Theater nun geschlossen. Die Geschichte des letzten Opfers will ich hier mittheilen.

Zu Ende des Monats December war bei den Spielhäusern außerordentlicher Zulauf. Die Meisten dachten: „Wir wollen's noch einmal versuchen, es ist ja ohnedies zum letzten Male, und wir riskiren nicht viel, weil in ein paar Tagen die Gefahr schon nicht mehr vorhanden ist.“ Und so trug Jeder seinen Lebewohlthaler in die Spielbank. Ein junger Mensch, Moriz S* mit Namen, that es, wie die Übrigen. Er folgte der Menge und trat am 29. December zum ersten Male in seinem Leben in ein Spielhaus. Moriz war ein Jüngling von 22 Jahren, und Commis bei einem Tuchhändler. Er war erst seit sechs Monaten aus der Provinz nach Paris gekommen, kannte die Hauptstadt noch wenig, hatte ein lebhaftes Temperament und war empfänglich für Alles, für das Gute, wie für das Böse. Die Idee zu spielen war ihm plötzlich gekommen, und er hatte nicht mehr im Vermögen als vier Stücke, jedes zu 100 Sous, welche er auch bei sich trug. Er warf zwei davon auf den grünen Teppich hin. Das Glück, welches er zum ersten Mal versuchte, lächelte ihm; er gewann, und ließ sein Geld immer liegen, welches sich immer verdoppelte. Roth hatte neunmal nach einander gewonnen, Moriz strich 5080 Franken ein, und, außer sich über ein so außerordentliches Glück, entfernte er sich vom Spieltische.

Am andern Tage kam er wieder. Die Leidenschaft hatte sich seiner bemächtigt, und er würde es umsonst versucht haben, gegen sie zu kämpfen. Auch dieses Mal trug Moriz wieder seinen ganzen Reichthum zum grünen Tische; auch dieses Mal war er wieder glücklich. Am dritten Tage, den 31. December, zitterte er, wenn er dachte, daß dies der letzte Spieltag sei. „Ach," sagte er, „warum kam mir die Idee zu spielen erst so spät? Wenigstens will ich die Stunden noch benützen;" und Moriz duplirte, triplirte seinen Einsatz und immer mit demselben Glücke. Um Mitternacht, als das Spiel zu Ende, hatte er die ungeheure Summe von 80,000 Franks gewonnen.

Dieses außerordentliche Glück versetzte ihn auch in eine außerordentliche Gemüthsbewegung. Er, ein armer Tuchhändler-Commis, im Besitze von 80,000 Franken! Er wühlte in seinem Golde herum, er zerknitterte in seinen Händen die Banknoten und sagte zu sich selbst: „Ich kann freilich nicht mehr spielen, weil keine Gelegenheit mehr dazu da ist, aber was thut's? ich bin ja reich! — Wie oft hab' ich die jungen Herren beneidet, wenn ich sie im Tilbury über die Boulevards fahren sah; jetzt kann auch ich fahren. — Adieu, Tuchhandel und Elle! Adieu, mein kleines Dachstübchen! Ich will mir eine prächtige Wohnung im schönsten Stadtviertel nehmen, und auch leben, wie sich's gehört."

Moriz glaubte, 80,000 Franken seien ein unversiegbarer Schatz. Er nahm eine glänzende Wohnung in der Chaussée d'Antin, ließ sich durch den ersten Kleidermacher ganz nach der Mode ausstatten, und begab sich dann zu seinem früheren Herrn, dem Tuchhändler, der ihn nicht am besten empfing, während seine vorigen Kameraden, die Commis, seine prächtigen Kleider, goldene Lorgnette und Kette bewunderten. Moriz hörte die Vorwürfe des alten Freundes seines Onkels nur lächelnd an und antwortet ganz trocken: „Lieber Herr! Sie haben in Allem recht, was Sie mir da sagen; aber sehen Sie, ich bin nun einmal für die Elle nicht geboren; wollen Sie daher so gütig seyn, mich zu entlassen?“

„Sie sind mir von Ihrem Onkel in Bordeaux übergeben und anvertraut worden, und er allein hat hier zu entscheiden.“

„Nun wohl, wenn Sie meine Artigkeit nicht einsehen wollen, auch recht. Ich glaube die Zustimmung keines Menschen nöthig zu haben, um Ihr Magazin zu verlassen. Ich bin zum Handel gegangen, um mein Glück zu machen; ich hab's gemacht, und ziehe mich nun wieder von den Geschäften zurück.“

„Sie, Ihr Glück gemacht? Ich verstehe Sie nicht; aber wahrhaftig, diese Kleider, dieses kostbare Geschmeide.“

„Mein Morgennegligee, mein Lieber! Ich werde im Rocher de Cancale ein Frühstück einnehmen, welches ich gestern in der Oper durch eine Wette verloren habe. Der Graf B**, der Dichter G**, meine Freunde, und mein intimster Freund, Chevalier St. Prix, werden mit dabei seyn. Wollen Sie mir auch das Vergnügen machen, so sind Sie höflichst eingeladen.“

„Aber erklären Sie, Moriz, ich weiß wahrhaftig nicht, was das Alles heißen soll!“

„Die ganze Geschichte ist sehr einfach. Außer meinem Onkel in Bordeaux hatte ich noch einen andern in Martinique. Dieser ist gestorben und hat mich zu seinem Erben eingesetzt. Ein Notar hat mir vor einigen Tagen die Nachricht ertheilt, und mir sogleich einen beträchtlichen Vorschuß geleistet. Das ist Alles — aber ich muß fort, man erwartet mich. Wenn ich Tuch brauche, rechnen Sie auf meine Kundschaft, lieber Freund!“

Die Erbschaft und der Aufwand Morizen's machten eine große Sensation in der Tuchhandlung. Drei Wochen nach diesem Besuche ging der erste Commis zu seinem einstigen Kameraden. Er trat in ein schönes Hotel in einer der besuchtesten Straßen, stieg in den ersten Stock hinauf, und ein Bedienter in reicher Livree führte ihn in einen reich meublirten Vorsaal. Einige Augenblicke nachher erschien Moriz in einem grün damastenen Schlafrock.

„Ei, guten Morgen, lieber Robert! Es freut mich, daß Du mich besuchst, das Glück hat mich gar nicht stolz gemacht und ich habe meine einstigen Freunde nicht vergessen.“

Robert, bevor er auf die Ursache seines Besuches zu sprechen kam, begann damit, Morizen viele Komplimente über seine herrliche Wohnung zu machen. — „Ja,“ antwortete dieser nachlässig, „ich bin nicht übel logirt. Mein Freund St. Prix hat dieses Hotel für mich genommen, welches eines Falliments wegen zu vergeben war. Ich zahle 1000 Franken Miethe des Monats, freilich ist Stallung für sechs Pferde dabei.“

„Und hast Du sechs Pferde für deine Stallung?“

„Jetzt erst drei, aber ich erwarte eben St. Prix, der mich abholen wird, um zwei englische Blutpferde zu besehen, welche dem Lord Seymour gehört haben.“

„Ich sehe wohl, Du versagst Dir nichts. — Aber darf ich Dich fragen, lieber Freund, ob Du reich genug bist, um auch einem Freunde einen Dienst zu erweisen?“

„Brauchst Du etwas? — Rede, was willst Du?“

„Ich könnte einen sehr vortheilhaften Handel schließen. Man will mich als Associé in ein gutes Handlungshaus aufnehmen, wenn ich als Fond 10,000 Franken einzulegen vermag. Könntest Du mir wohl diese Summe vorstrecken?“

„Recht gerne, wenn Du anders bis Ende des Monats warten willst. Ich habe seit einigen Tagen so viel ausgegeben! — Apropos, sieh doch einmal den Cachemir-Shawl an, der dort auf dem Sofa liegt; wie findest Du ihn? Ich habe ihn gestern gekauft, er kostet 5000 Franken. Es ist eine Thorheit, wenn Du willst; aber das Mädchen, dem ich ihn bestimmt habe, ist auch ein Engel?“

Moriz läutete. „Andre,“ sagte er zum Bedienten, der eben eintrat, „nimm diesen Shawl, lege ihn in das Kästchen von Ebenholz, das in meinem Schlafzimmer ist, und sage Joseph, er soll ihn in die Heldenstraße tragen — er weiß schon wohin. Der Apfelschimmel wird sogleich in den Tilbury eingespannt; um 3 Uhr die Kalesche mit den zwei Braunen! Du gehst sogleich zu Chevalier St. Prix und sagst ihm, daß ich ihn erwarte.“

„Du scheinst mit dem Herrn Chevalier St. Prix sehr intim zu seyn?“

„Wir sind unzertrennlich, ein Herz und eine Seele. Der Chevalier ist mein Leitstern, mein Mentor, mein Cicerone in der großen Welt, die ich erst recht kennen lernen muß — ein charmanter Mann! Er hat bereits ein beträchtliches Vermögen durchgebracht, aber das kümmert ihn nicht, denn er erwartet noch eine unermeßliche Erbschaft. Er ist es, der mich bereits in die ersten Häuser eingeführt, und sogar schon eine Heirath für mich arrangirt hat.“

„Du verheirathest Dich also?“

„Habe ich Dir das noch nicht gesagt? Ja, mein Lieber; ich nehme mir eine Frau. Ich heirathe eine junge, blühende, glühende Italienerin, die einzige Tochter des Grafen Rancio. Ich habe sie bei der Baronin Woldemar kennen gelernt, wo mich auch der Chevalier einführte. Die Sache ist bereits abgeschlossen. St. Prix hat in meinem Namen bei dem Grafen die Werbung gemacht, der sie sehr gut aufnahm. Diesen Abend kommen wir bei der Baronin zusammen, um den Verlobungstag zu bestimmen. Die Vermählung wird vermuthlich Ende des Monats Statt haben. Darum habe ich Dir auch zu Ende des Monats den Termin bestimmt, wo ich Dir das Geld leihen will. Die Mitgift der Comtesse wird sehr beträchtlich seyn; denn der Graf besitzt große Güter im Römischen. Er gehört zu den nobelsten Familien Italiens, und ist, glaube ich, gar ein weitschichtiger Vetter des Papstes.“

„Nun, nimm meinen Glückwunsch, lieber Moriz.“

„Ich lade Dich zur Hochzeit.“

Hier trat der Chevalier St. Prix ein, und Moriz verabschiedete Roberten.

Drei Wochen thörichter Verschwendung hatten die 80,000 gewonnenen Franken gewaltig zusammengeschmolzen; aber Moriz bekümmerte sich nicht darum, sollte er doch eine unermeßlich reiche Erbin heirathen.

„Alles geht vortrefflich,“ versicherte ihn der Chevalier, der Graf wird sich diesen Abend mit seiner Tochter bei der Baronin einfinden.“ Wirklich wurde Moriz von dem Grafen Rancio ausgezeichnet empfangen. „Mein Herr,“ sagte der edle Römer zu ihm, „der Chevalier St. Prix, für welchen ich die höchste Achtung hege, hat mir Sie so vortheilhaft beschrieben, mit so vielem Lobe von Ihrem Charakter und Ihren vorzüglichen Eigenschaften gesprochen, daß ich nicht anstehe, Ihnen die Hand meiner Tochter zu gewähren. Ich schätze mich glücklich, einen Eidam zu haben, den mir der Chevalier vorgeschlagen. Gleich nach der Vermählung reisen wir alle nach Italien, ich will Sie selbst in Ihr Schloß Massari einführen, welches ich meiner Tochter zum Heirathsgute gebe. Es ist ein fürstliches Gut mit zwanzigtausend Morgen Landes. Sie können, wenn es Ihnen so gefällt, den Namen des Gutes annehmen, und den Titel eines Marchese, welcher damit verbunden ist. Ich versichere Ihnen mittelst Kontraktes nach meinem Tode mein ganzes Vermögen, wie jenes des Kardinals Pora, des Bruders meiner Frau, meiner armen Lazarilla (hier trocknete sich der Graf eine Thräne ab), dem Muster aller Frauen, welche vor drei Jahren in den Apenninen von Banditen überfallen und ermordet wurde!“

Nichts fehlte zu Morizen's Glücke. Signora Julia di Rancio hatte ihn mit Gegenliebe belohnt, und der Verlobungskontrakt sollte am nächsten Sonntag verfaßt werden. Dieser Tag erschien viel zu langsam für die Ungeduld des Jünglings. Endlich war er da. Moriz hatte mit großen Kosten einen herrlichen Brautschmuck zusammengebracht. Da prangten Diamanten, Spitzen, Kleider, so, daß ihm nach diesem Ankauf nur mehr zwei Banknoten, jede zu 1000 Franken, übrig geblieben. Aber das Gut Massari wartete ja auf die Übernahme. Er sandte die reichen Geschenke seiner Braut und am andern Tage ging er zur Baronin Woldemar, bei welcher der Graf und seine Tochter wohnten.

„Zu wem wollen Sie?“ fragte der Thorsteher.

„Zur Baronin Woldemar.“

„Sie wohnt nicht mehr hier.“

„Und seit wann?“

„Seit gestern.“

„Und der Graf Rancio mit seiner Tochter?“

„Sind auch nicht mehr da.“

„Und wo wohnen sie jetzt?“

„Sie werden uns einen Gefallen erweisen, wenn Sie uns das sagen können, denn sie sind uns noch den letzten Miethzins von 400 Fr. schuldig.“

„Ach! — Sie haben ja doch die Meubles!“

„Die Meubles gehören dem Hauseigenthümer.“

„Mit brennendem Kopfe lief Moriz zu Chevalier St. Prix und erhielt dort auf dieselben Fragen dieselben Antworten. Es war klar, Moriz war betrogen, bestohlen. Und nichts mehr hatte er von seinem Reichthum übrig, als die Gewohnheit, besser zu leben, welche sich so schwer wieder ablegen läßt. — Was sollte er thun? — Zu seinem Tuchhändler zurückkehren! — Unmöglich! Am 8. Februar besaß er von den gewonnenen 80,000 Franken nicht einen Sous mehr. Er schrieb in der Verzweiflung einen Brief an Robert, worin er ihm seine ganze traurige Geschichte erzählte — und jagte sich dann eine Kugel durch das Gehirn.

Zwei Nächte in Rom.

N o v e l l e.

E r s t e N a c h t.

Bei der Gemäldeausstellung in P a r i s im Jahre 1825 hatte besonders e i n Bild einen außerordentlichen Eindruck auf alle Beschauer gemacht, und stumm und bewundernd standen Meister und Schüler, Künstler und Laien vor demselben; es war kaum ganz vollendet, so zu sagen, nur eine Skizze, aber kühn und mit der Hand des Meisters auf die Leinwand hingeworfen, ein großer Gedanke, groß wiedergegeben und ausgeführt, stand es überragend alle übrigen ausgestellten Kunstwerke in Mitte derselben. Alles sammelte sich aufmerksam und betrachtend vor diesem einen Bilde.

Nur ein einziger Jüngling stand von den übrigen entfernt allein, und schien verlegen ob der allgemeinen Bewunderung.

Da trat ein berühmter französischer Maler zu dem Jüngling, klopfte ihn auf die Schulter und fragte ihn: „Sie haben also das gemacht, junger Freund?“

„Ja,“ antwortete der Jüngling, „aber es blieb mir keine Zeit, es auszuführen.“

„Thut nichts,“ erwiederte der Meister, „es ist doch besser als alle übrigen. Es ist vortrefflich, sage ich Ihnen — Sie müssen nach Rom gehen,“ und dabei hielt er ihm die Hand hin.

„Tausend Dank,“ versetzte der Jüngling, „tausend Dank, Meister, für diese Worte,“ und dabei preßte er die dargebotene Hand an seine Brust. „Diese Anerkennung gilt mehr als der erste Preis.“

In acht Tagen darauf reiste der junge Künstler nach Rom.

Rom, der Traum aller Künstler und Dichter, dieses sublime Buch der Jahrhunderte, worin jedes Alter im Vorübergehen ein Zeichen in Stein zurückgelassen hat, diese ungeheure Weltruine, wo der Geist unter den Trümmern die Spuren alles Edlen, Großen, Mächtigen und Ruhmwürdigen wieder findet; dieses Rom, das er in weiter Ferne studiert, nach dem er sich so sehr gesehnt hatte, er sollte es nun sehen, dort athmen, leben und auch ein Maler werden. Und fliehen sah er neben sich die schönen Gegenden seines Vaterlandes, die grünen Hügel, die Bäume voll saftiger Früchte, die Flüsse, die wie ein Silberband die Ebene durchzogen. Nicht kümmerten ihn die großen, lebhaften Städte, die herrlichen Fluren der Provence, nicht Marseille, die große Stadt mit ihren Erinnerungen an Griechenland, mit ihrem beweglichen und launenhaften Volke, selbst nicht das Meer und die balsamischen Düfte Italiens. Rom, nur Rom war es, was er suchte, Rom, für welches er alle seine Bewunderung aufsparte, welches er immer dort schon zu sehen glaubte, wo der Horizont in der Ferne sich mit der Erde vermählte, das er in jeder neuen Stadt zu finden hoffte, deren Kirchthürme sich in der Ferne seinen spähenden Blicken zeigten.

Endlich eines Abends kam er durch die **Porta del popolo** an. Im Abendrothe breitete sich die Stadt still auf den sieben Hügeln aus, ähnlich einem ungeheuren Schatten, welcher ruht.

Er wollte noch heute seiner Ersehnten den ersten Besuch abstatten, nahm einen Wegweiser und ließ sich nach dem Kolisseum führen. Lange blieb er dort, dann aber, als die Schatten dieser ungeheuren Ruinen sich in der Dunkelheit immer vergrößerten, ging er schweigend zwischen modernen Gebäuden durch die stillen Straßen. Das ganze Leben Roms schien sich diesen Abend in einem einzigen Punkte konzentrirt zu haben im **Teatro Argentina** die nahe gelegenen Straßen und die marmornen Palläste waren vom Fackellichte erhellt, und das Pflaster erzitterte unter den Rädern der Wagen römischer Edeln, welche in Menge herbeieilten, um einer gefeierten Sängerin zu applaudiren.

„**Signore Francese**,“ sagte sein Führer zu ihm, „hier ist das **Teatro Argentina**, wo heute die berühmte Signora Coronari singt. **Corpo di Bacco**! der Stern Roms, Mailands, Neapels, die Primadonna von ganz Italien.“

Er ging hinein; das Geschrei der trunkenen Menge, die Beleuchtung, die Musik, Alles entzückte ihn. Er applaudirte wie ein Römer der schönen Primadonna, ihren Rouladen und den ohrenschmeichelnden Tönen Rossini's. Plötzlich in Mitte einer Cavatine, in welcher die Sängerin alle ihre Kunst und das ganze Metall ihrer herrlichen Stimme entfaltete, hefteten sich seine Blicke auf eine Frauengestalt ernst und blaß, welche sich aus einer Loge beugte. Künstler sind leicht erregbar, sie haben eigenthümliche, heftige, unerklärbare Leidenschaften; sie lieben oft nur mit den Augen, mit ihrer Künstlerseele. Unser Maler fühlte sich beim Anblicke dieser Dame heftig ergriffen. Rom, die Sängerin, das große, erleuchtete, und von Beifall wiedertönende Theater, Alles trat in den Hintergrund vor diesem einen Bilde, das sich, je länger er es ansah, je mehr verschönerte, verklärte. Das Gesicht erschien ihm fröhlich, lächelnd, glücklich, wenn Rossini in seiner Musik tändelte; und wenn eine ernste Modulation im Orchester ertönte, oder den Lippen der Sängerin lang gehaltene ausdrucksvolle Töne entschwebten, verzogen sich diese Züge zur nie gesehenen Wehmuth und ein sichtbares Beben irrte über die Stirne und zuckte durch die Augen der Schönen.

Als aber nun die Oper zu Ende und der Vorhang gefallen war, da blieb die Schöne in der Loge noch sitzen, und ihr blasses Gesicht drückte nur tiefen, schwer verhaltenen Schmerz aus. Die Seele des Künstlers ahnte diese leidende Seele, und erkannte, daß ihr eine nahe, unvermeidliche Gefahr drohe. Und als ein Mann, welcher bisher in der Tiefe der Loge verborgen saß, zu ihr trat, ihr seinen Arm bietend, und sie aufstand, um sich wegzubegeben, da fiel ihr letzter strahlender Blick auf unsern Maler, und dann gleichsam flehend zum Himmel.

Heftig raffte auch dieser sich auf, und eilte aus dem Theater. Als er, sich durch die Menge drängend, aus der Vorhalle gelangte, fuhr eben der Wagen ab, und er glaubte beim Fackelschein durch die Gläser seine blasse Schöne zu erkennen.

Er stürzte dem Wagen nach, und als dieser ihm über eine Straßenecke aus den Augen verschwand, folgte er seinem Gerassel noch lange in den schwarzen menschenleeren Gassen; und als er endlich anhielt über seine Thorheit lachend, fand er sich allein, und verirrt mitten in der Nacht in einer ihm unbekannten Stadt.

Nach einer Stunde fruchtlosen Herumirrens stand er ganz ermüdet auf einem Platze, auf welchem sich ein halb in Ruinen liegendes Monument erhob. Hoffend, er werde dort einen Zufluchtsort für den Überrest der Nacht finden, setzte er sich auf einen Säulenschaft und indem er sein Haupt an die Mauer lehnte, senkte sich ein Schlummer auf seine Augenlieder, als ihm plötzlich eine Stimme in die Ohren flüsterte: „Seid Ihr es?“

„Ja,“ antwortete er schlaftrunken, und bevor er noch Zeit hatte nachzudenken, was er gesprochen, fühlte er sich ergriffen, die Augen verhüllt und in einen Wagen gehoben, welcher schnell mit ihm davon rollte.

Nach einer halben Stunde fruchtloser Überlegungen, närrischer Muthmaßungen und kindischer Furcht hielt der Wagen an, zwei Männer hoben ihn heraus und trugen ihn durch einen Garten, welches ihm der Geruch der Blumen und der unter den Füßen seiner Träger knisternde Sand verrieth, durch mehre Gemächer mit Teppichen bedeckt, und endlich hielten sie still, nahmen ihm die Binde von den Augen und er sah sich in einem hohen, weiten, rundum festgeschlossenen Saale, in welchem nur eine Lampe, auf einem

Marmortische stehend, ihr spärliches Licht verbreitete. Kaum hatte er einen Blick um sich geworfen, als sich ein Beben seines Innersten bemeisterte.

Vor ihm am Kamine stand ein Mann von hoher Gestalt, das Gesicht unter einer Maske von schwarzem Sammt verborgen. Einige Schritte davon lag eine Frau auf einem Ruhebette, ebenfalls schwarz gekleidet und den Kopf mit einem schwarzen Schleier bedeckt, über ein kleines Mädchen gebeugt, welches im Schlafe noch schluchzte. Dieses unterdrückte Schluchzen des Kindes und das gemessene Picken einer Uhr auf dem Kamine war das Einzige, was man hier vernahm.

Die beiden Männer, welche den armen Maler getragen hatten, standen hinter ihm, ebenfalls verlarvt.

„Signore!“ sprach Einer von ihnen, „hier ist er.“ Und der stattliche Mann bewegte sich vom Kamine auf ihn zu, faßte seine Hand, führte den Zitternden zu dem Ruhebette und mit der ausgestreckten Hand auf die Frau zeigend, sprach er: „Dieses Weib muß sterben.“ Ein fürchterlicher Fluch donnerte dann von seinen Lippen, grausam stieß er die Flehende zurück und seine Augen sprühten Flammen aus der Maske hervor.

Jetzt mit einem Mal aber schien er des Malers Züge näher zu prüfen und plötzlich schrie er den beiden Männern mit fürchterlichem Tone zu: „Elende! was habt ihr gethan? das ist ja nicht der Priester.“

Beide Männer stürzten nun auf ihn zu und er fühlte schon die Spitzen ihrer beiden Dolche auf seiner Brust, die nur eines Zeichen ihres Herrn harrten, um tiefer einzudringen.

Die verschleierte Dame that einen Schrei und drückte ihr Kind an ihren Busen. Einen Augenblick herrschte allgemeine Stille, und ängstliche Erwartung. Nur mit einem Blicke hielt der Mann die gezückten Dolche zurück, welche durch das sichtbare Heben der Brust des Malers wankten. Jeder Widerstand war hier fruchtlos.

„Wer seid Ihr?“ fragte endlich der Verlarvte.

„Ein Franzose, ein Maler.“

„Wie kamt Ihr hieher?“

„Ich hatte mich in den Straßen verirrt, und als man die Frage an mich stellte: „Seid Ihr es?“ antwortete ich, in der Hoffnung wieder zurecht gewiesen zu werden: „Ja.“

„Ihr seid also fremd hier? Seit wann findet Ihr Euch in Rom?“

„Erst seit diesem Abend.“

„Ihr müßt diese Verwechslung mit dem Leben bezahlen.“

„Gott tröste meine arme Mutter!“

Und nach einer Pause, in welcher der Verlarvte den Maler fest fixirte, fuhr er etwas sanfter fort: „Hört, wenn Ihr mir bei Allem, was Euch heilig ist, bei Eurer Ehre und bei dem Leben Eurer Mutter schwört, daß Ihr mit Tagesanbruch Rom und Italien verlassen wollt, um nie mehr dahin zurückzukehren, wenn Ihr mir schwören wollt, nie mit einem Worte zu verrathen, was Ihr diese Nacht gesehen habt, so will ich Euch das Leben schenken. Wollt Ihr schwören?“

Der Maler seufzte: „O Rom! Rom!“

„Entschließt Euch schnell.“

„Ich schwöre!“

„Verbindet ihm die Augen. — Wenn Ihr je Euren Schwur brecht, so nehmet meinen dagegen: Ich werde Euch finden und mich rächen, und ich halte meine Schwüre, das weiß dieses Weib.“

Drei Stunden nachher bei Tagesanbruch befand sich der Maler auf der Straße nach Frankreich.

Zwette Nacht.

Es war Samstag, und der letzte Tag der öffentlichen Gemäldeausstellung im Jahre 1835. Eine dreifache Reihe von Equipagen stand vor dem Museum der Malerei; der Adel, die Künstler, die Dandy's, die schönen Frauen, und jene Menge, die überall ist, wo etwas zu sehen ist, drängten sich mit ihren Eintrittsbilleten zu den Thoren hinein. In der Vorhalle standen zwei junge Männer, beide Maler, beisammen und sprachen mit einander. Der Eine hatte ein blasses Gesicht, dessen Blässe ein schwarzes Knebelbärtchen noch grauenhafter machte, eine hohe Stirne und einen Ausdruck von Leiden in seinen Zügen, selbst wenn er lächelte, glich dieses Lächeln einem Sonnenstrahl durch Regen.

„Wir müssen dir Vorwürfe machen,“ sprach sein Freund zu ihm, ein Jüngling, dessen Knopfloch das rothe Band der Ehrenlegion zierte.

„Vorwürfe, mir, und weßwegen?“

„Ja dir, dessen frühere Zeit dem Vaterlande einen ruhmbekrönten Sohn versprach, dir, vor dem wir, deine Nebenbuhler, hätten erbleichen müssen. Ich sah in deinem

Atelier herrliche Werke, kräftige Skizzen, Erzeugnisse des größten Genies. — Und was hast du ausgestellt? Ein einziges Porträt, freilich so vortrefflich, als hätte es Lawrence auf die Leinwand hingezaubert; aber doch nur ein Porträt, das wir noch obendrein der Eitelkeit einer schönen Frau danken müssen. Ach Reymond! du hast uns um unsern Theil an deinem Ruhme bestohlen.«

»Ruhm!« wiederholte gezogen der Maler, »ich suche nicht Ruhm, ich suche nur die Kunst, und die Kunst ist es, welche mich tödtet. Gott! wenn ich Italien gesehen hätte, wenn es mir vergönnt gewesen wäre, die himmlischen Fresken des Vatikans zu bewundern. O Rom! O heilige Kunst!«

»Du sehnst dich nach Rom? Warum hast du es so bald wieder verlassen?

In diesem Augenblicke hielt hart am Eingangsthore, nahe bei den Sprechenden, ein Wagen. Ein bejahrter Mann saß im Hintergrunde. Neben ihm eine Dame, welche sich auf der andern Seite auf die anmuthigste Weise über den Wagenschlag hinausbog und mit einigen Personen, welche am Wagen standen, sprach.

»Guten Morgen, Liebe! Haben Sie mein Porträt gesehen?« so hörten beide Maler eine Dame fragen.

»Ja,« war die Antwort, »Herrlich! unnachahmlich! Sie sind es, wie Sie leben. Ich empfehle Ihnen den Maler, ein viel versprechender junger Mann.«

»Und wie heißt er?« fragte die junge Dame im Wagen.

»Reymond! — Sehen Sie, dort steht er, eben der große junge Mann auf den Stufen der Vorhalle, der ist's.«

Die Dame wendete sich gegen Reymond und dieser sah beim Fortrollen des Wagens nur schnell das entzückendste Engelsgesicht, welches er je in seinen Künstlerträumen geträumt.

„Camille!“ rief er, indem er seinem Freunde heftig die Hand drückte, „es ist gewiß zum ersten Male in meinem Leben, daß ich dieses Mädchen sehe, und dennoch ist mir's, als ob ich sie schon gesehen hätte, ich empfinde in meinem Herzen eine Aufregung, einem elektrischen Schlage ähnlich; ja es gibt Augenblicke, wo die Seele in Gegenständen, welche ihr zum ersten Male erscheinen, wieder erkennt, was sie nur früher geahnt hat, was ihr aber nie in der Wirklichkeit vorgekommen ist.“

Am andern Tage, Morgens um neun Uhr, hielt eine Kutsche, mit Wappen auf dem Schlage bemalt, in der Straße **Larochefoucauld** vor dem Hause, in welchem der Maler wohnte. Reymond machte in seinem Morgenrocke, seine Sammtmütze in der Hand, ganz verlegen und zitternd, ohne daß er sich von dieser seltenen Bewegung Rechenschaft geben konnte, in seinem Atelier einem Fremden von Distinction die Honneurs. Sie sprachen von Kunst und Künstlern, und der Fremde schien in die erste eingeweiht und die zweiten zu kennen. Reymond zeigte ihm mehre ohne Rahmen an der Wand hängende Bilder, und beobachtete mit schüchterner Beklommenheit, zugleich aber auch mit eitler Erwartung, welche seiner Seele bisher fremd waren, den Eindruck, den sie auf den bejahrten Mann machten.

„So viel ich sehe,“ sagte der Fremde endlich in zierlich italienischer Sprache zu ihm, „so finde ich in diesen Gemälden mehr Eigenthümlichkeiten der französischen Schule und zwar der neueren. Waren Sie nie in Rom?"

"Ich war nie in Italien, ich habe niemals Rom gesehen," antwortete der Maler.

"Ah, Sie sind noch sehr jung, Sie müssen uns einmal besuchen. Sie müssen den Vatikan, müssen Florenz und Venedig sehen. Indessen biete ich Ihnen einstweilen ein Modell, wie vielleicht der Meister aller Meister, Raphael, selbst keines hatte. Ich wünsche, daß Sie das Porträt meiner Tochter, meiner Leonzia, malen. Ich wohne auf dem Lande, nahe bei Paris, und Sie werden bei mir alles Nöthige finden. Gleich morgen, wenn Sie frei sind, komme ich herein Sie abzuholen."

Der Maler las auf der Karte, welche ihm der Fremde bei seinem Abschiede zurückließ: **Il Marchese B*****.

Die Villa des römischen Marchese lag nur eine Stunde außer der Stadt, auf einem lachenden Hügel, von einem herrlichen Park umgeben. Eine Terrasse umgab das Ganze erste Stockwerk, und man sah von hier (denn das ganze war nur mit einem Gitter von vergoldeten Lanzen umgeben) die ganze Umgegend, und die Seine von der Ebene zu Grenelle bis Saint-Cloud. Hier war es, wo der alte Marchese, seine Tochter Leonzia und der Maler Reymond fast jeden schönen Sommerabend des verflossenen Jahres zubrachten, sich mit Gesprächen wechselseitig vergnügten, und die letzten goldenen Sonnenstrahlen hinter den Bergen verschwinden sahen.

Lange schon war Leonzia's Porträt gemalt; es war ein Meisterstück. Der Maler hatte anfangs sein Modell bewundert, dann es mit aller Innbrunst seines feurigen Herzens geliebt, alle Gefühle seiner Künstlerseele hatte er auf die todte Leinwand übertragen, so daß das Abbild lebte, wie das Original in seinem Herzen.

„Alles wird diese außerordentliche Ähnlichkeit bewundern, selbst die Römer werden diesem Werke des Genies Gerechtigkeit widerfahren lassen," sagte der Marchese, und Leonzia dankte dem jungen Künstler mit zärtlichen Blicken, Reymond aber glaubte, sein Pinsel sei viel zu schwach gewesen, und nur eine menschliche Andeutung des Göttlichen schien ihm sein Gemälde zu seyn.

Reymond liebte, ohne daran zu denken, und der alte Marchese, dessen Stirne unter vor der Zeit ergrauten Haaren, und dessen erloschene Augen die Spuren heftiger Leidenschaften und großer innerer Kämpfe an sich trugen, hatte sich an den jungen Maler so gewohnt, daß er ohne ihn fast gar nicht mehr leben konnte. Manchmal, wenn am Firmamente ein Gewitter drohte, entfernte er sich, von einem Nervenübel befallen, und ließ den Maler mit seinem Modelle allein. Da blieben dann die beiden jungen Leute oft stundenlang schweigend neben einander sitzen, aber doch in Entzücken schwimmend, denn ihre Augen, ihre Seelen sprachen und inniger, vertraulicher, zärtlicher, als es Worte vermögen.

Leonzia war früh ihrer Mutter beraubt worden, und da sie auch keine Freundin gefunden hatte, in deren Busen sie ihre kleinen Herzensgeheimnisse hätte niederlegen können, so war sie es gewohnt, sich in sich selbst zurückzuziehen, allein zu denken und zu fühlen. Leonzia wußte, daß Reymond sie liebte, und sie ließ sich gerne lieben.

Eines Tages nach dem Mittagessen sprach der Marchese zu seiner Tochter: „Leonzia, wir müssen binnen vierzehn Tagen in Rom seyn. Ich habe dort ein sehr wichtiges Geschäft abzumachen. Wir brechen morgen auf, damit dich die Reise nicht zu sehr ermüdet. — Reymond," fuhr er zu diesem gewendet fort, „Sie waren nie in Rom, reisen Sie mit uns."

„Tausend Dank," versetzte der Maler erblassend, „ich — kann nicht nach Rom gehen, wenigstens jetzt noch nicht."

„Wie?" erwiederte der Marchese erstaunt, „und die Kunst und Raphael? Eben jetzt ist die rechte Zeit für Sie, nur in der Jugend fühlt man die Meisterwerke des Genies ganz. Was könnte Sie denn auch in Paris zurückhalten? Nein, nein, Sie begleiten uns, es ist eine abgemachte Sache."

„Entschuldigen Sie mich, es ist mir unmöglich," versicherte der Maler mit Festigkeit.

„Reymond," fuhr der Marchese fort, „Sie sind uns unentbehrlich geworden. Ich liebe die Kunst, Sie sind ein großer Künstler, und werden, wenn Sie erst die Meisterstücke unserer Schule gesehen haben, noch ein größerer werden; Sie müssen bei mir bleiben. Sehen Sie, wir bleiben nur kurze Zeit in Rom. Sie bewundern dort die Riesenwerke der alten Meister, und ich kehre mit Ihnen dann wieder hieher zurück."

Leonzia erblaßte, als sie die verweigernde Geberde Reymond's sah und sprach: „Auch ich bitte Sie, uns zu begleiten," und das sprach sie mit einem Blicke, der mehr sagte als tausend Worte.

Der Maler fuhr mit der Hand über seine Stirne und

antwortete dann halblaut: „Wohlan, ich thue, was ich nicht lassen kann.“

Des Abends auf der Terrasse näherte sich ihm Leonzia in einem Augenblicke, da sie eben allein waren, und fragte ihn etwas schmollend: „Reymond, bedurfte es denn so vieler Bitten, Sie bei uns zu behalten?“

„Signora!“ antwortete dieser ernst, „es handelt sich hier vielleicht um Leben und Tod.“ —

Am andern Tage war die Villa leer und versperrt.

„Beim Himmel! das ist die **Porta del Popolo**!“ rief der Maler in dem Augenblicke, als sie in Rom einfuhren.

„Wie, Sie kennen sie?“ fragte der Marchese erstaunt.

„Ja,“ antwortete der Maler etwas verlegen, „ich erkenne sie aus den Gemälden und Kupferstichen, die mir in Paris davon zu Gesichte gekommen sind.“

Der Marchese wurde zum Mittagmahle erwartet, und er kam auch richtig zur rechten Zeit an, um die große Gesellschaft von Edlen zu empfangen, welche er schon vorher durch seinen Geschäftsträger hatte laden lassen. Es war ein prächtiges Fest, wie es eines der ersten Häuser in Rom würdig war.

Als das Mahl aufgehoben war und man sich freier in den Gemächern und der geöffneten Bildergallerie erging, führte der Marchese die Gesellschaft zu dem Porträte seiner Tochter Leonzia und stellte ihr Reymond als den Schöpfer dieses Meisterwerkes vor.

Reymond schwamm, schon früher von dem herrlichen

Feste berauscht, und jetzt mit Lobeserhebungen überhäuft, in Entzücken und gab sich ganz seinem Gefühle hin.

„Reymond," sprach der Marchese zu ihm, wie kam es, daß ein Mann, wie Sie, nicht schon früher nach Rom kam? Indessen erkannten Sie doch, als wir hereinfuhren, die Porta del popolo. Ich wette Sie haben sie schon gesehen."

„Es ist wahr, ich sah sie schon, aber nur Einmal, und in der Dunkelheit, — o das ist eine seltsame Geschichte!"

„Ach, so erzählen Sie uns doch die Geschichte!" rief Alles wie aus einem Munde.

„In's Himmelsnamen! es ist ja schon so lange her, und wenn mir meine Aufrichtigkeit auch Nachtheil zuziehen sollte, ich kann ja auf den Schutz meines hohen edlen Gönners vertrauen."

„Ich war noch sehr jung, noch Schüler, und hatte als solcher den ersten Preis erhalten; da reiste ich hieher, um auch ein Raphael zu werden. Ich kam des Abends an, und der Zufall führte mich in das Theater Argentina. Die Coronari sang eben an diesem Abende."

In diesem Augenblicke sah Leonzia ihren Vater an, und da sie Falten auf seiner Stirne, und ein krampfhaftes Zusammenziehen aller seiner Züge gewahrte, und bemerkte, wie er sich an eine Säule lehnte, um nicht umzusinken, wendete sie einen flehenden Blick auf Reymond. Dieser Blick war derselbe, den er an jener blassen Gestalt bemerkt hatte, welche ihm nun sein Gedächtniß bei dem Namen des Theaters Argentina zurückrief.

„Nun — und was geschah weiter?" fragte man neugierig von allen Seiten.

„Als ich aus dem Theater ging," fuhr Reymond fort, verirrte ich mich; ich vernahm eine Stimme, die mir in der Dunkelheit zulispelte: „Seid Ihr es?" Ja antwortete ich unbesonnener Weise. In demselben Augenblicke wurde ich ergriffen, in einem Wagen fortgefahren, und als ich zu mir kam, befand ich mich in einem großen düstern Saale, wo eine sterbende Frau mit einem Kinde auf einem Ruhebette lag. Ein verlarvter Mann wies mir auf sie hin. — Man hielt mich für einen Priester, nach welchem man gesandt hatte. Ich durfte nur mehr den Rest dieser Nacht in Rom verweilen, sonst wäre es auch um mein Leben geschehen gewesen."

„Und Sie haben jetzt die Gasse, das Haus, seine Umgebungen, nicht mehr erkannt?"

„Man verhüllte mir ja die Augen, und am nächsten Morgen war ich schon über alle Berge."

„Aber Sie sahen doch das Gemach genau an, in welchem Sie sich befanden?"

„Ich könnte es noch malen; die Wände waren mit Tapeten behängt, worauf sich Figuren befanden." Bei diesen Worten erhob Reymond die Blicke, und seine Augen vergrößerten sich vor Schrecken, als er dieselben Tapeten um sich erblickte. Lange starrte er darauf hin, endlich besann er sich wieder, und ein entsetzlicher Verdacht stieg in seiner Seele auf. Um diesen zu zerstreuen, rief er sich auch die übrigen Kleinigkeiten ins Gedächtniß zurück und er fuhr fort: „Auf dem Kamine stand eine Uhr."

„Und er blickte auf den Kamin, und dort stand eine Uhr, dieselbe Uhr.

„Der verlarvte Mann hatte blitzende Augen unter der Larve.“

Die Augen des Marchese waren auf ihn geheftet und er erbebte.

In der Mitte eines allgemeinen fürchterlichen Stillschweigens stieß Leonzia, blaß und zitternd, an den vergoldeten Rahmen ihres Porträts, welches umfiel und sich an der Ecke einer Marmorsäule zerriß.

Dieser Zufall zog die Aufmerksamkeit auf sich und machte der allgemeinen Verlegenheit ein Ende.

Reymond hielt sich verloren. Als es bei San Pietro 11 Uhr schlug, stand er bei einem Fenster seines Schlafgemaches, starrte in die Nacht hinaus und erwartete mit Geduld, was über ihn ergehen würde; da knarrte eine verborgene Tapetenthüre, ein Frösteln rieselte durch das Mark seiner Gebeine und er sah um.

„Reymond,“ lispelte eine Stimme leise.

Leonzia war es, er stürzte ihr entgegen, und schloß sie zum ersten Male in seine Arme.

„Du mußt fliehen, Reymond,“ sprach sie, sich seinen Armen entwindend, „fliehen, und so schnell als möglich. Keine Worte! Jeder Augenblick ist kostbar, komm!“ Und sie zog ihn durch die Dunkelheit zuerst durch einen Korridor, dann durch den Garten bis zu einer kleinen Thüre. Sie öffnete diese Thüre, gab ihm den Abschiedskuß, den ersten, und drängte ihn, zu eilen, indem sie ihm den Weg bezeichnete, den er zu nehmen hätte.

„Und allein soll ich fliehen?“ fragte Reymond sie umfassend und ihr zärtlich in die Augen blickend, „allein, ohne dich?“

„Ich muß hier bleiben,“ erwiederte Leonzia schluchzend, „ich weiß nun Alles und die letzten Thränen meiner Mutter brennen noch auf meinem Herzen. Aber es ist mein Vater und mein Platz ist an seiner Seite.“

„Wohlan! so bleib auch ich,“ versetzte Reymond, „möge sich immerhin mein grausames Schicksal erfüllen, ich trotze ihm. Zweimal bin ich nun wenige Stunden in Rom, um es wieder zu verlassen nnd allen meinen Träumen von Ruhm Lebewohl zu sagen. Nein, ich fliehe nicht allein.“

„Um Gotteswillen,“ lispelte ihm Leonzia zu, „ich beschwöre dich, eile, man wird kommen, und dann kann ich dich nicht mehr retten. In diesem Augenblicke sah man ein mattes Licht durch die Fenster der anstoßenden Gallerie. Leonzia fiel, ohne mehr zu sprechen, auf ihre Knie vor Reymond, hob ihre Arme flehend zu ihm empor, zeigte ihm auf die Thüre, und drängte ihn dann bei derselben hinaus. Als er auf der Straße war, fiel das Mädchen ohnmächtig zu Boden.

Reymond nahm den Weg nach Neapel. Einige Tage nachher las er dort in dem **Diario di Roma**: „In Folge eines Festes in dem Palazzo B*** wurde ein Theil dieses herrlichen Pallastes ein Raub der Flammen. Die Flammen griffen so schnell um sich, daß einige Leute des Hauses und selbst der Marchese ihren Tod in denselben fanden.“

Vor wenigen Tagen begegnete der Maler Camille in den **Champs Elysées** in einem prächtigen Cabriolet seinem

Freund Reymond, welcher aus Rom zurückgekommen war.

„Du wieder in Paris?“ rief er ihm schon von Weitem zu.

„Ja, seit acht Tagen. Setze dich doch zu mir herein in den Wagen.“

„Taüsend, du hast eine prächtige Equipage! Wo wohnst du denn?“

„Ich führe dich in mein Haus, du mußt bei mir speisen.“

„Nun und die Kunst?“

Das Cabriolet flog pfeilschnell davon über das Marsfeld, Vaugirard, Issy, und hielt endlich vor einem vergoldeten Gitter, welches ein Haus mit einer Terrasse einschloß.

„Die Kunst?“ sagte Reymond lächelnd, „ich bin ihr gerade in ihrer Heimath in Rom untreu geworden. Ja Camille, ich bin kein Maler mehr. Raphael, Domenichino haben mich kalt gelassen, ich liebe jetzt —“

„Diesen Engel?“ fiel ihm Camille in's Wort, eine junge Frau von blendender Schönheit auf der Terrasse gewahrend, welche ihnen einen Willkomm entgegenwinkte.

„Ja, meine Gattin,“ antwortete Reymond und sie gingen in die Villa.

Der Spottname.

Tragi-komische Erzählung.

1.

Es gibt Leute, welche die abscheuliche Gewohnheit haben, Andern Spottnamen aufzubringen. Außerdem, daß diese Leute etwas sehr Albernes thun, thun sie auch sogar etwas Meuchelmörderisches. Es liegt oft ein ganzes Trauerspiel in einem solchen Spitznamen. Diese Behauptung kann Manchem übertrieben scheinen, aber sie ist wahr. Die folgende Erzählung, meine lieben Leser, wird Sie davon überzeugen.

2.

Zu den größten Unglücksfällen, die einem Menschen begegnen können, gehört auch der, einen Schulfreund zu haben. Freund! dieser Name, welcher beim ersten Anscheine so viele süße, ja heilige Gedanken aufregt, dieser Name, den selbst der Gottesläugner auf die Trümmer seines Altars emporhebt, dieser Name, welcher tröstet, beschirmt und stärkt, dieser Zauberer, welcher uns Freuden und Leiden erleichtert, dieser Name, welchen man selbst seinem Erzeuger beilegt, wenn man findet, daß der Name Vater zu wenig Liebe ausdrückt, dieser Name muß uns heilig seyn, wie der Glaube, wie eine himmlische Wegzehrung. Jetzt, da die Hyder der Selbstsucht sich mit all ihrer Macht, all ihrer Schändlichkeit in die menschliche Gesellschaft geschlichen hat, muß man diesen Namen im Innersten des Tabernakels verwahren und bewahren, und das Knie beugen, so oft man ihn nur ausspricht.

Aber so sehr man das Wort verehrt, so sehr nehme man sich vor der Sache selbst in Acht; denn ich wiederhole es: „Zu den größten Unglücksfällen, die einem Menschen begegnen können, gehört auch der, einen Schulfreund zu haben.“

Auch diesen paradoxen Satz wird Ihnen, mein lieber Leser, die gegenwärtige Erzählung erklären.

3.

Im Jahre 18— (doch was soll der Datum zur Erzählung?) befanden sich in einem Knabenerziehungsinstitute auch Gabriel Hoster und Ludwig Salling. Sie galten für die beiden besten Kameraden, für die beiden wärmsten Freunde in der ganzen Anstalt.

Gabriel Hoster war ernsthaft und lernbegierig, von ernstem, ja melancholischem Temperamente und schmächtigem Körperbaue. Ludwig Salling lebhaft, ein Sausewind, ein Stänker, von nerviger körperlicher Gestalt. Also Feuer und Wasser, wie Ihr seht. So etwas harmonirt zwar physisch nicht, aber wohl in Freundschaft.

Gabriel machte für Ludwig die Schulpensa, hingegen machte Ludwig die Rappierübungen für Gabriel. Es war ein Austausch von Diensten und Gefälligkeiten. O dreimal himmlische Freundschaft!

Ludwig war übrigens ein Witzbold, ein Mensch der die Schwächen seiner Kameraden gleich aufzufinden wußte, und so hatte er für Jeden auch gleich einen Spitznamen fertig. Sogar zwei Professoren hatte er nicht verschont, und dem einen, welcher eine große gebogene Nase hatte, den Spitznamen: Professor Krummschnabel, und dem andern, welcher hinkte, den Spottnamen: Professor Vulkan, aufgebracht. Das zog ihm viele Unannehmlichkeiten zu, aber er ließ es nicht, und als alle Professoren ihren Theil hatten, kam die Reihe auch an die Kameraden.

4.

An einem Freitag begab es sich, daß Gabriel, als er Linsen aß (an Freitagen ging es in der Anstalt etwas mager zu), damit eine Stecknadel verschluckte.

Wie diese Stecknadel in das Linsengericht kam, kann ich Ihnen nicht sagen, lieber Leser, die Köchin läugnete hartnäckig, daß sie in der Küche hineingefallen sei. Es war also ein Fatum, ein reines Fatum.

Die fatale Stecknadel hatte sich nach der Quere in der Speiseröhre festgesetzt, der Schlund schwoll an, das Blut stieg Gabriel in's Gesicht, der Arme litt fürchterlich. Alles suchte Gabriel Hilfe zu leisten, und man muß sagen, Ludwig war einer der thätigsten dabei. Er holte eiligst Ärzte herbei, Gabriel mußte eine Menge Zwiebel, Kohl und gekochte Rüben verschlucken, und dies rettete ihn, die Stecknadel verwickelte sich in die Zuspeisen und ging mit denselben ab.

Die ganze Anstalt freute sich darüber, Ludwig umarmte seinen Freund, und rief entzückt aus: „Weil du nur gerettet bist, mein theurer Gabriel, mein lieber Zuspeismensch.“ Und von nun an hieß Gabriel nicht anders als der Zuspeismensch.

Der Name mißfiel zwar Gabriel, er machte sogar auch Ludwigen deßhalb einige Vorwürfe, allein dieser lachte ihm in's Gesicht und antwortete ihm: „Vielleicht lägst du jetzt schon kalt auf dem Paradebette, wenn die Zuspeise nicht gewesen wäre, schäme dich also nicht eines Namens, der mit deinem Seyn so enge verflochten ist, du Zuspeismensch! und denke an Horatius, welcher auch Cocles zugenannt wurde.“

Zwei Jahre nachher zählte Gabriel 18 Jahre, und trat aus der Anstalt, indem er das erste Prämium in der Rhetorik gewonnen hatte. Ludwig hatte 19 Jahre und verließ auch die Anstalt, allein er nahm kein Prämium mit sich.

Freudig sprach Gabriel zu sich selbst: „Nun wird mich doch Niemand mehr einen Zuspeismenschen nennen?“

5.

Der zweite Akt eines neuen Drama's hatte auf dem ersten Theater der Hauptstadt geendet, und als der Vorhang gefallen war, dröhnte der ganze volle Saal von Beifall wieder. Das Drama verdiente auch diesen Beifall, denn es war ein herzzerreißendes Stück voll Mord und Ehebruch und Thränen und Schrecken.

In einer Seitenloge befand sich ein alter dekorirter Herr und ein mit Geschmack und Eleganz geputztes Fräulein, hinrer beiden standen einige junge parfumirte Herren mit schwarzen Schnauzbärtchen und weißen Glacéhandschuhen und sprachen über die beiden Akte.

Die Logenthüre öffnete sich, und Gabriel Hoster trat hinein. Das Fräulein warf ihr schwarzes glühendes Auge, in welchem noch eine Thräne perlte, auf ihn. Diese Thräne war ein Dank, eine Belohnung, ein Geständniß.

„Louise!“ sagte Gabriel zu ihr, „Louise! —“ Er hielt inne, aber der Ausdruck seines Gesichtes vollendete seine Gedanken. Ihr Blick sagte: „O mein Gabriel, wie bist du so groß!“ und der von ihm ausgesprochene Name sagte: „O! wie entzückt mich dieser Triumph, da ich ihn mit dir theilen kann, Louise!“

Der dekorirte Herr faßte freundlich Gabriels Hand und sprach, diese drückend, zu ihm: „Junger Freund, das haben Sie gut gemacht!“

„Wir wollen noch warten, wie es weiter geht,“ antwortete Gabriel mit der Ängstlichkeit eines Autors.

„Ach! warum nicht gar?“ versetzte der Oberst. „Der Sieg ist errungen. Ich bin ganz ruhig, es kann nicht mehr fehlen!“ und als Gabriel hierauf bescheiden die Achseln zuckte, reichte ihm Louise die Hand mit den Worten: „Muth, mein Freund!“

Gabriel preßte die liebe Hand an seine Lippen, und verließ die Loge wieder.

Der Vorhang ging wieder empor, und der dritte Akt wurde gespielt. Wenn ein neuer kühner Gedanke im Stücke nur mit stiller Bewunderung angehört wurde, preßte sich Louisens Herz ängstlich zusammen, sie fürchtete, das Genie des Autors stände zu hoch über der Fassungsgabe der Zuhörer. Aber, als dann ein ganzer Donner von Bravo's erscholl, und man nur so lange geschwiegen zu haben schien, um mit einem Male desto heftiger los zu brechen, da strahlten Louisens Augen neuerdings von Wonne. Der Oberst klatschte mit den Händen und strampfte mit den Füßen, und einige Male schrie er in seinem Enthusiasmus sogar: „Victoria! Victoria!" statt Bravo! Bravo! indem er meinte, er befinde sich auf dem Schlachtfelde.

Der dritte Akt endete, und auf der ersten Gallerie, an welche die Loge des Obersten stieß, tauschten während des Zwischenaktes die jungen Herren ihre Meinungen über das Stück insbesondere, und über die dramatische Literatur im Allgemeinen aus.

„Wir müssen doch sagen," begann Einer der Beschnauzbarteten, „daß wir in der neueren Zeit auch tüchtige dramatische Schriftsteller haben."

„Hm!" meinte der Andere, „lauter Schale, kein Kern darinnen. Diction und immer Diction, ein schöner Rahmen und kein Bild darinnen, vor lauter Schönheit der Worte kommt man zu keiner Handlung. Da seht einmal die ältern Dichter an, die leben noch immer, und werden fortleben, diese Alten bleiben immer neu, die Neuen werden gar nie alt."

„Ei," erwiederte ein Anderer, „führt doch gegen die Lebenden keinen Krieg mit den Gebeinen der Verstorbenen. Es ist eine andere Zeit gekommen, und mit ihr ein anderes Bedürfniß; glaubt ihr denn, wenn Shakespeare jetzt lebte, er würde so schreiben, wie er damals geschrieben hat?"

„Shakespeare könnte nicht anders schreiben, er müßte nur nicht Shakspeare seyn. Auf einzelne Auswüchse kommt es nicht an, aber der markige Stamm würde derselbe seyn. — Aber à propos,“ fuhr er fort, ohne eine Antwort abzuwarten, „von wem ist denn das heutige Drama?“

Auf diese ziemlich laute Frage beugte sich Louisens Lockenkopf aus der Loge, um die jungen Recensenten besser zu behorchen.

„Man versicherte mich,“ antwortete der Andere, „es sei das erste Werk eines jungen Mannes.“

Louise kam in Versuchung auszurufen: „Das Stück ist von Gabriel Hoster, von meinem Gabriel,“ aber jungfräuliche Schamhaftigkeit hielt sie zurück.

„Weißt du seinen Namen nicht?“ fragte der Erste.

Da stürzte Ludwig Salling unter die Sprechenden, und rief: „Ich weiß ihn!“ und Louise wäre ihm gerne um den Hals gefallen, daß er das Incognito ihres Geliebten brechen, und seinen Namen hinschreiben wollte auf die Tafel der Unsterblichkeit.

„Ihr Herren,“ sagte Ludwig, „das Stück, dessen drei erste Akte vorgestellt worden sind, ist von meinem Freunde, dem Zuspeismenschen.“

„Zuspeismensch! Zuspeismensch!“ schrien alle zugleich, laut auflachend.

„Zuspeismensch!“ rief das Fräulein, und beugte sich vor Erstaunen und Indignation in den Hintergrund der Loge zurück.

„Aber, er wird doch auch einen andern Namen haben?“ fiel Jener ein.

„Ja,“ sagte Ludwig, „er heißt Kohl, Rettig, Kraut, Erbsen, Bohnen ꝛc. ꝛc.“

„Ah! das ist ja ein ganzer Ritscher,“ versetzte ein tüchtiger Wiener, und in diesem Augenblicke rollte der Vorhang wieder auf, und der vierte Akt begann. Ludwig hatte die jungen Leute verlassen, war wieder auf seinen Platz zurückgekehrt, und erschien diesen Abend nicht wieder.

„Bravo! Bravo!“ erscholl es fortwährend von allen Seiten. Nie war ein Sieg so vollständig, die Damen lösten ihre Blumensträußer vom Busen, und warfen sie auf die Bühne, tausend weiße Handschuhe waren in den Logen mit Beifallsklatschen in Bewegung. — „Verfasser! — Verfasser heraus! heraus!“ schrie Alles wie mit einer Stimme. Der Regisseur des Theaters erschien vom Kopf bis zum Fuße schwarz gekleidet auf der Bühne und machte drei Verbeugungen. Ein feierliches Schweigen herrschte augenblicklich im ganzen Saale.

„Verehrungswürdiges Publikum!“ sprach der Regisseur, „das Drama, welches wir so eben vor Ihnen darzustellen die Ehre hatten, ist von Gabriel Hoster.“

Drei Salven von Geklatsche begrüßten diesen Namen, der berühmt zu werden versprach, und langsam verließ nun das Publikum das Theater, diesen Namen unter sich wiederholend.

Louise war ganz seltsam aufgeregt, sie wiederholte, als sie aus der Loge ging, mit dem Tone eines Mathematikers, welcher damit beschäftigt ist, ein sehr schwieriges Problem aufzulösen, den Namen Zuspeismensch.

Und als Gabriel sie bei der Hand faßte, um sie in den Wagen zu heben, drückte sie diese Hand nicht.

6.

Louise Faber an Susanne Vorhelm.

Meine liebe Freundin!

„Mein guter Vater gibt zu meinem Namensfeste einen Ball; da ich nun ohne Dich kein Vergnügen vollständig genießen kann, so beeile ich mich Dich dazu einzuladen.

In der Hoffnung Dich gewiß zu umarmen

Deine

Louise."

P. S. „Noch Eines, liebe Susanne. Ich weiß, daß Du alle neuen Romane liesest, es müssen Dir also alle Kobolde, Gnomen, Wolfmenschen, Vampyrmenschen u. s. w. bekannt seyn. Kannst Du mir nicht sagen, was ein Zuspeismensch ist? Seit acht Tagen träume ich ganz fürchterlich über diesen Gegenstand. Es erscheint mir im Schlafe allnächtlich ein Phantom, dessen Körper eine ekelhafte Zusammensetzung von Kohl, Kraut, Erbsen, kurz von allen möglichen Zuspeisen ist. O theure Freundin, erkläre mir, was ein solcher Zuspeismensch seyn kann, sage mir, ob Du glaubst, daß ein Solcher existire; was mich betrifft, so halte ich das Ganze nur für die Frucht meiner aufgeregten Einbildungskraft."

Susanne Vorhelm an Louisen Faber.

Theure Louise!

„Ich nehme mit Vergnügen Deine Einladung an. In Rücksicht auf den Zuspeismenschen, wovon Du mir in Deinem Briefe so viel schreibst, kann ich Dir nichts Gewisses sagen. Die Natur hat übrigens ihre Geheimnisse — o Louise! die magnetischen Kräfte zwischen Thier- und Pflanzenwelt sind ungeheuer, und sie berühren sich auf eine so außerordentliche und doch so verborgene Weise, daß auch ich selten einen Rettig esse, ohne Gedanken zu haben — Gedanken — die ich Dir mündlich mittheilen werde. Dies, meine Liebe, ist Alles, was ich Dir hierüber sagen kann. Im Ganzen glaube ich, wir Beide haben eine zu lebendige Phantasie. — Aber ich bitte Dich, beruhige Dich, und ich umarme Dich mit ganzer Seele.

Deine

Susanne."

7.

Das einfachste Mittel ist gewöhnlich jenes, woran wir zuletzt denken.

Zum Beispiele:

Es kommt ein Gläubiger zu Euch, der Euch quält ihm Eure Schuld zu bezahlen. Ihr torquirt Euer Gedächtniß, um einen Grund der Verweigerung zu finden; endlich werft Ihr ihn zur Thüre hinaus; es wäre viel einfacher und geschwinder abgethan gewesen, wenn Ihr das gleich Anfangs gethan hättet.

Es schmerzt Euch ein Zahn, Ihr braucht Opiate, Öhle, Pillen, Ihr laßt ihn plombiren, endlich da nichts hilft, laßt Ihr ihn ausziehen.

U. s. w. — u. s. w. — u. s. w.

So erging es auch Louisen, anstatt Gabriel zu fragen, was es denn mit diesem Namen Zuspeismensch für eine Bewandniß habe, quälte sie sich Tage und Nächte, ohne die Auflösung dieses Räthsels finden zu können.

Während Louise sich aber in Grübeleien hierüber vertiefte, verbreitete sich dieser Spottname in der ganzen Stadt. Gabriel Hoster popularisirte sich unter dem Pseudonym Zuspeismensch, allein es geschah noch ohne sein Wissen, man nannte ihn nur so, wenn er abwesend war, die Verläumdung hatte noch ihre Sammtlarve nicht abgelegt.

Eines Tages, als Gabriel mit Louisen allein war, sprach diese traurig zu ihm: „Gabriel! Sie haben mich hintergangen.“

Hoster sah sie verwundert und unruhig an. „Was wollen Sie damit sagen?“ fragte er.

Das Mädchen schwieg einen Augenblick, dann einen Blick auf ihn werfend, der bis in sein Innerstes drang, fuhr sie fort: „Sie haben noch einen andern Namen als Hoster.“

Der Jüngling sah sie verlegen an. — „Einen andern Namen, als Gabriel Hoster?“ wiederholte er, „einen andern Namen, als jenen ehrlichen, den mir mein Vater hinterlassen hat?“ — und sein Auge glühte von gerechtem Stolz und man sah es ihm an, es war der wirkliche Name des großen Poeten.

„Gabriel,“ sagte Louise mit bewegter und zitternder Stimme, „Gabriel! seyn Sie offen gegen mich, hintergehen Sie mich nicht, sagen Sie mir ohne Hinterhalt, warum heißt man Sie den Zuspeismenschen?“

Vom Sublimen zum Lächerlichen ist nur Ein Schritt. Gabriel nahm diesen Scherz ernsthaft. Anstatt darüber zu lachen, ereiferte er sich, wurde hitzig und schrie, deklamirte, weinte sogar — kurz, wurde ganz lächerlich. — Louise liebte ihn nicht mehr.

8.

Zwei Tage nachher redete Einer seiner Kameraden Gabrielen mit dem Spottnamen Zuspeismensch an, als Beide aus dem Theater gingen; Gabriel gab ihm eine Ohrfeige, man forderte sich und die Stunde des Duells wurde auf den folgenden Tag festgesetzt. Man schlug sich und Gabriel wurde verwundet.

Von diesem Tage an war der Spottname Zuspeismensch unausrottbar.

Und in einiger Zeit hierauf, als sich Gabriel im Hause des Obersten Faber einfand, meldete ihm der Portier: der Oberst sei mit seiner Tochter in der verwichenen Nacht nach Frankreich abgereist, um dort für immer zu verbleiben.

9.

In einem Gemache, in welches lange und dichte Vorhänge nur ein graues Halbdunkel hinein scheinen ließen, lag ein junger Mann mit blassem Gesichte, wenigen Haaren und erloschenen Augen auf einem Bette, neben welchem auf einem Nachtkästchen noch volle Flaschen Arzneien standen.

Dieser sterbende junge Mann war Gabriel Hoster.

Der Leser wird hier vermuthlich gegen die Wahrscheinlichkeit dieser Erzählung schreien, aber ich werde antworten: Es ist unmöglich die menschlichen Leiden und ihre Ursachen ganz zu erklären, das menschliche Mikroskop sieht nur ihre Narben.

Die Thüre des Gemaches öffnete sich und Ludwig Salling trat herein. Es war ein fürchterliches Schauspiel, wie der Schwache sich aufrichtete, die Hände aus Zorn geballt und noch den letzten Anflug von Röthe auf den Wangen. Er wandte die letzte Kraft an um Ludwig zu fassen, allein vergebens! Er sank wieder auf seinen Polster zurück, und nach einer Pause reichte er seinem Jugendfreunde die abgezehrte Hand. „Ich verzeihe dir, Freund,“ murmelte er kaum hörbar, und war todt.

Ludwig vergoß Thränen, er hielt die kalte Hand in der seinigen, und suchte ihr wieder Wärme einzuhauchen, allein da Alles vergebens war, schied er von seinem Jugendfreunde; indem er einen Schleier über dessen Antlitz deckte, mit den Worten:

„Armer Zuspeismensch!“

Ein Mittagmahl bei Beethoven.

Eine phantastische Erzählung.

Im Jahre 1819 war ich in Wien. Wien, was man auch davon sagen mag, ist eine deutsche und eine französische Stadt zugleich, ja noch mehr eine französische als eine deutsche. Die Kunst ist in ihr zu Hause, und sie räumt dieser und dem Vergnügen alle Zeit ein, die Paris der Politik widmet. Man *fühlt* in Wien die Musik. Die Luft ist mit Tönen geschwängert. Wien ist die musikalische Stadt par excellence. Alle große Musiker hat man dort gehört. Daher auch eine Art von Wohlbehagen, welche man dort fühlt, man weiß nicht warum. An jenem Tage, von welchem ich Euch hier erzählen will, war es stiller als gewöhnlich in dieser lebensfrohen Stadt. Ich schlenderte, mich dem Zufalle überlassend, durch die Straßen und erwartete die Stunde der Abreise, ich sollte nämlich noch denselben Abend abreisen.

Da sah ich denn mit einem Male einen Menschen auf der Straße, einen jener Menschen, die man alsogleich wahrnimmt, selbst mitten in der Menge. Ja, der Haufe selbst sieht und bemerkt sie, und aus einem wunderbaren Instinkte treten die *Leute* auf die Seite, um solch einem *Menschen* Platz zu machen, sie grüßen ihn mit Aug' und Seele, sie achten ihn, ohne seinen Namen zu wissen, und erkennen ihn, ohne ihn je gesehen zu haben.

Jedenfalls mußte man an diesem Manne alsogleich erkennen, daß er über den Andern stehe. Ich sehe ihn noch immer vor mir. Sein Kopf war groß und mit langen theils grauen, theils schwarzen Haaren so dicht bewachsen, daß man, wenn man sie von beiden Seiten unter einander und unordentlich herabhängen sah, die Mähne eines Löwen zu erblicken glaubte, und unter dieser Mähne blitzte ein kleines stechendes Augenpaar hervor, dessen Blick sich wunderbar mit einem bittern, aber äußerst geistreichen Lächeln vermählte. Der Mann ging mit ungleichen Schritten vorwärts, bald schneller, bald langsamer; er schaute und lächelte bald auf diese, bald auf jene Seite; aber sein Blick war zerstreut, aber sein Lächeln war krampfhaft; man sah, es war ein Mensch, der außer dieser Welt war, wenn er übrigens jemals darin war. Beim Anblicke dieses Mannes fühlte ich auf der Stelle meine Theilnahme im höchsten Grade erregt. Ich wollte wissen, wer er sei, und ich folgte ihm. Er vorwärts, ich ihm nach durch mehre Gassen und Gäßchen, bis er endlich auf dem Kohlmarkt zu einem Musikalienhändler hineinging. Der Musikalienhändler empfing ihn sehr höflich und bot ihm sogleich einen Stuhl, allein der Unbekannte blieb stehen. Ich konnte ihn nun nicht hören, aber ich sah durch die Glasthüre des Gewölbes, was er that. Seine Art sich zu besprechen war seltsam, er sprach, dann schrieb der Andere, der ihm antworten sollte, etwas auf ein Papier, und reichte es ihm, woraus ich schloß, daß der Mann taub seyn müsse. Plötzlich schien er mir aufgeregter zu werden und sich gegen die Gewölbthüre wendend, trommelte er mit seinen Fingern auf die Glasscheiben, auf welche meine Blicke gerichtet waren. Sah er mich? sah er mich nicht? ich weiß es nicht. So trommelte er, ich weiß nicht welch ein Musikstück auf der Glasscheibe und gab mit dem Kopfe den Takt dazu. Er schlug bald langsamer, bald geschwinder, dann hielt er ganz inne, um eine Idee zu suchen, und wenn sich diese einstellte, so flogen dann wieder seine Finger über die klingende Fensterscheibe, so, wie sie es auf den Tasten eines Fortepiano gethan haben würden. Dann, also komponirend, belebte sich sein Blick, die Haare stiegen ihm auf dem Haupte empor, er lächelte melancholisch und sein Antlitz drückte eine Art von Zufriedenheit aus. Der arme, große Mann war glücklich.

Er mochte beiläufig eine Viertelstunde in dieser Stellung geblieben seyn, als er dem Herrn desselben ein Zeichen gab. Alsogleich erschien ein junges Mädchen mit dem züchtigen österreichischen Blicke, mit dem einnehmenden österreichischen Lächeln, mit der ganzen österreichischen Frische und stellte Tinte und Feder vor den Mann hin und legte ihm Notenpapier auf. Nun sah ich ihn hastig schreiben. Vermuthlich schrieb er das nieder, was er früher auf der Fensterscheibe komponirt hatte. Er schrieb fast ohne zu athmen, und als er geendet hatte, reichte er das Papier dem Musikhändler, ohne es mehr zu übersehen, und der Musikhändler gab ihm ein Goldstück.

Und mein Mann ging aus dem Gewölbe. Kaum herausgetreten nahm er seine alte Miene an, aber sein Schritt schien mir leichter. Ich konnte dem Gedanken nicht widerstehen: der Mann geht gewiß in's Wirthshaus! und sieh da, ich hatte Recht. Nicht weit davon trat er wirklich in ein Haus, dessen Thor mit einem Weinzeiger geziert war.

Dieser Gasthof, welcher sonst sehr besucht seyn soll, war eben heute, es war Freitag, ganz leer. Man sah wenig Feuer auf dem Heerde, und die Wirthin, eine brave Hausfrau, war beschäftigt, ihr kupfernes Küchengeschirr blank zu reiben. Mein Mann darauf nicht achtend, ging geradezu auf die Frau los und sagte: „Geben Sie mir eine Portion Kälbernes!“

„Ich habe kein warmes Kalbfleisch,“ antwortete die Wirthin, welche sich in ihrer Arbeit nicht irre machen ließ.

„Nun so geben Sie mir ein Stück kaltes, erwiederte mein Unbekannter.

„Ich habe auch kein kaltes,“ versetzte die Wirthin.

„Zum Henker auch, das ist dumm!“ rief der Mann aus, und ging ganz verdutzt, ja fast traurig wieder fort. Das ärgerte mich für ihn und ich trat in das Wirthshaus, zog höflich meinen Hut und fragte die Wirthin: „Können Sie mir zur Güte sagen, Madame, wie der Mann heißt, wer er ist, und wo er wohnt?“

„Dieser Mann,“ sagte sie, „ist so viel ich weiß, eine Art von Musikant, ein Liebhaber von gut Essen und Trinken. Ich kenne seine Haushälterin, die Martha heißt, und sie wohnen dort unten in dem kleinen Hause links, gleich neben dem Wollhändler. Ich glaube, der Mensch heißt Beethoven.“

Bei diesem großen Namen brach mir fast das Herz. Dieser also ist Beethoven! Die Wirthin sah mich erblassen und meinte, es wandle mich eine Übelkeit an.

„Mein lieber Himmel, mein Herr, was ist Ihnen denn?“ rief sie und wollte mich unterstützen.

„Madame!“ unterbrach ich sie, „im Namen der österreichischen Gastfreundschaft bitte ich Sie, mir einen Dienst zu erweisen.“ Sie sah mich mit großen Augen an und ich fuhr fort: „Wenn Sie ein Fünkchen Mitleid und Menschenliebe in Ihrem Busen haben, so stellen Sie in diesem Augenblick ein Stück Kalbsbraten zum Feuer, ich gehe nicht eher wieder von hier, bis ein warmer Braten in meinen Händen ist.“

„Nun, den können Sie ja bekommen,“ antwortete sie, indem sie mir auf die Röhre eines geheizten Ofens zeigte, dann öffnete sie dieselbe, und ich erblickte darin einen großen Kalbsschlägel, der mir angenehm in die Nase dampfte.

„Aber warum gaben Sie denn dem armen Beethoven nicht ein Stück von diesem Braten? er begehrte es ja.“

„Ei,“ versetzte sie, „das ist ein Mensch, dem es kein Geld im Sacke leidet. Was braucht so Einer alle Tage Fleisch zu essen? Kaum hat er ein paar Gulden, trägt er sie zu mir her. Und dann, ich hab's auch seiner Haushälterin versprochen, ihm nicht alles zu geben, was er begehrt.“

Armer Beethoven! armer großer Mann! Unglücklicher, edler Künstler! Ehrgeiziger, verschwenderischer Mensch, der alle Tage warmes oder kaltes Fleisch essen will!“

„Madame," fuhr ich fort, „welchen Wein trinkt Beethoven am liebsten?"

„Hm!" antwortete sie, „das weiß ich nicht, die Musikanten trinken alle Weine. Übrigens glaub' ich, wenn er eine Bouteille von meinem guten alten Rheinwein hätte, er würde ihn nicht verschmähen."

„Geben Sie mir zwei Bouteillen Rheinwein, und zwar von ihrem besten," rief ich, „er ist nie zu gut für den Gebrauch, den ich davon machen will, und wenn es Zweiundzwanziger vom Johannisberge wäre."

Die Wirthin brachte mir zwei Bouteillen und den Kalbsbraten und fragte mich, ob sie Jemand mitsenden sollte der mir das Alles trüge. Ich aber bezahlte sie, ohne ihr mehr zu antworten, steckte die beiden Flaschen in die Seitentaschen, nahm meinen Kalbsbraten zwischen zwei Tellern in die Hand und ging so stolz von dannen, als ob ich selbst eine große Symphonie geschrieben hätte.

Auf dem Wege sagte ich zu mir selbst: „Nein, ich will keinem Andern das Vergnügen übertragen, den großen Beethoven zu bedienen; nein, ich will nicht erröthen über eine Handlung, welche mich ehrt; nein, ich will auf die Ehre nicht Verzicht leisten, seine Tafel erst zu decken, und dann zu ihm hinzutreten mit der Serviette über den Arm geschlagen, um ihm zu sagen: „Eure Hoheit Herr König der Harmonie, Sie sind bedient!"

Ich ging nun in das kleine, mir von der Wirthin bezeichnete Haus, mit den kleinen schmalen Fensterchen, ein Einsiedler mitten unter den andern. Ich finde mich sonst nicht leicht zurecht, aber diesmal hatte der Name Beethoven meine Phantasie aufgeregt, daß ich ihn mit Flammenlettern auf dem Thore des Hauses geschrieben zu sehen glaubte.

Beethoven wohnt im ersten Stocke, das ist der einzige Luxus, den er sich erlaubt. Die Thüre ist ganz mit großköpfigen Nägeln beschlagen, welches ihr beim ersten Anblicke einen Anschein von Festigkeit und Sicherheit gibt, allein das Schloß paßt schlecht und die Thüre selbst ist öfter offen als geschlossen. Ich ging hinein, im Vorzimmer sah ich nichts als einen Tisch, worüber eine grobe Serviette gedeckt war, einen Zeisig, der fröhlich in seinem Käfig sang, und auf einem Stuhl einen großen Kater, welcher die noch kalte Tafel ansah und manchmal miaute. Dies war der Tisch, der Kater und der Zeisig Beethoven's.

Ich setzte meine verdeckte Schüssel und meine beiden Bouteillen auf den Tisch, ich streichelte den Kater, der einen Buckel machte, und grüßte den Zeisig, der in seinem angefangenen Gesange fortfuhr ohne sich um mich zu bekümmern. Da trat Beethoven's Haushälterin herein, sie schien bei meinem Anblicke eben so wenig erstaunt zu seyn, als der Kater und der Zeisig, nur sagte sie mir ganz kurz: „Der Herr ist heute nicht zu sprechen, er ist in seiner Kammer, und so übler Laune, daß er gar nicht zu Mittag'essen will.“ Dabei öffnete sie mir die Thüre, damit ich ihn sehen könne, aber ich schob sie auf die Seite und trat hinein.

Er saß am Fenster und betrachtete aufmerksam einen Nelkenstock, der dort stand. Er streifte behutsam viele kleine grüne Insecten ab, welche auf der Pflanze saßen. Außer dem Nelkenstock war am Fenster noch eine ganze Reihe

Kapuzinerblumen hinaufgezogen, so daß sie eine artige Jalousie bildeten.

Beethoven ist taub, er hat daher immer Schreibgeräthe neben sich; ich nahm ein Stück Papier, schrieb darauf: „Ich habe einen guten Braten und Rheinwein gebracht, kommen Sie zum Mittagmahl," und reichte ihm das Papier.

Er las, sein Auge wurde feuriger, lächelnd stand er auf und sprach zu mir. „Sein Sie mir vielmal willkommen! Sie sind ein Franzose, nicht wahr? Gut, gut. Thun Sie mir die Ehre an, bei mir zu speisen." Und zu gleicher Zeit schrie er: „Marthe! noch ein Couvert für diesen Herrn," dann trat er wieder zu mir und fuhr fort: „Sie haben recht wohl daran gethan zu mir zu kommen; ich war eben sehr traurig. Nur auf dem Lande bin ich vergnügt, die Stadt erdrückt mich. Ich höre so viele fremdartige Töne, — und mich selbst, das, was ich mache, kann ich nicht hören. O! ich bin allein, ganz allein, Niemand kommt zu mir, Niemand erkundigt sich, was der arme Beethoven macht; ach, ich weiß selbst kaum mehr, wer ich bin und wie ich heiße. Sonst war ich der Herr der Welt, ich dirigirte das größte unsichtbare Orchester, welches jemals die Lüfte erfüllt hat; ich horchte Tag und Nacht den herrlichen Tönen, deren Komponist, Orchester, Sänger, Richter, König, Gott ich war. Mein Leben war ein immerwährendes Konzert, eine Symphonie ohne Ende. Was fühlte ich zu dieser Zeit für eine himmlische Aufregung meiner Phantasie! welche lyrische Begeisterung, welche geheimnißvolle Stimmen! Ein großer Bogen ging von der Erde aus und berührte den Himmel, und alles dies fand ein Echo in meiner Seele, sie nahm die unbedeutendsten Töne in sich auf: den Gesang der Vögel, das Brausen des Windes, das Murmeln des Wassers, das Zirpen der Grille, das Zittern der Pappel in der Luft, alles dieses waren eben so viele Harmonien für mich, ich nahm sie alle in meinem Herzen, in meiner Seele auf; ich lebte von meinen Tönen, von meinen Träumen, von meinen Seufzern, von Freundschaft, von Liebe, von Poesie. Aber ach, eines Tages floh Alles. Fort waren meine herrlichen Visionen, meine bewunderungswürdigen Sänger, meine allgewaltige Orgel, fort die Töne der Erde und des Himmels, Alles fort. Ich verlor mehr als Milton, der nur sein Augenlicht verlor, aber seine Poesie behielt; ich verlor meine Poesie, ich verlor meine Welt, ich bin ein armer Verbannter aus dem Reiche der Harmonie. Armer Mann, der ich bin, ich sitze an meinem eigenen Grabesrande und singe mein Requiem. — Aber Sie haben ja gesagt, daß Sie mir Braten und Rheinwein brachten?"

Die Haushälterin gab uns ein Zeichen, daß servirt sei. Beethoven nahm mich höflich bei der Hand und führte mich in das Speisezimmer; es waren nur zwei Couverts auf dem gedeckten Tische, die Haushälterin bediente uns.

Das Mahl war von Beethoven's Seite sehr fröhlich, er war sehr witzig, ja mitunter sarkastisch, er sprach so gut und so lustig, daß ich darüber bald seinen früher ausgesprochenen Trübsinn vergaß. Beethoven war einer jener Männer, welche eine einzige Idee zum Zwecke ihres ganzen Lebens machen. Eine große Idee genügt zur Existenz eines solchen Mannes, sie durchdringt ihn, sie belebt ihn, sie ist seine Freude und sein Schmerz, sie ist seine Vergangenheit und Gegenwart, sie wächst mit ihm und nimmt mit ihm ab, und wenn sie erschöpft ist, so stirbt der Mann.

Der alte Rheinwein hatte Beethoven ganz neu belebt; als wir gegessen hatten, sprang er auf und ging in seine Kammer. „Ich will Ihnen doch beweisen, daß der alte Beethoven nicht gar so taub ist, als man behauptet. Diese Menschen verstehen mich nicht, aber ich verstehe mich. Urtheilen Sie selbst!“ und mit diesen Worten setzte er sich an das Pianoforte.

Das Instrument war von Broadwood in London verfertigt und ein Geschenk, welches Cramer, Kalkbrenner, Clementi, Ries u. s. w. dem musikalischen Homer aus England als ein Zeichen ihrer Achtung übersandten. Beethoven, vernachläßigt, wie er sich glaubte, war sehr erkenntlich für dieses Geschenk, das ihm große Freude machte. Er setzte sich also dazu, und fing an ein Stück aus einer Symphonie zu spielen. Gerechter Himmel! Das Pianoforte war entsetzlich verstimmt, Beethoven schlug mit unbändiger Kraft auf die Tasten, nie haben schreiendere Töne, nie disharmonischere Accorde mein Ohr zerrissen. Er aber saß voll Enthusiasmus da, glücklich, daß er endlich einen Zuhörer habe. Er, Beethoven, einen Zuhörer. Er verlor sich ganz in sein Werk, er zitterte, lächelte, weinte, er war außer sich. Ich saß mit niedergeschlagenen Augen da, hätte mir gerne die Ohren verstopft und wäre gerne davon gelaufen. Ja, ja, wir hatten beide recht. Ich befand mich auf der Erde und hörte den fürchterlichsten Durcheinander, den man nur hören kann; er war im Himmel und hörte eine Musik Beethoven's.

Endlich hatte meine Qual ihr Ende und sein Vergnügen: er war ganz glücklich. „Nicht wahr," sagte er zu mir, „das ist noch schön? nicht wahr, der alte Beethoven hat noch Blut in seinen Adern, nicht wahr, das ist Musik und ich bin noch ich? Sie sollen immer sagen: „Armer Beethoven! Unglücklicher Beethoven! der arme, unglückliche Beethoven ist doch noch der einzige Musiker in Deutschland. Nicht wahr, mein Lieber?" Und bei diesen Worten drückte er mich mit seinen großen Händen, preßte mich an seine breite Brust und eine Thräne fiel auf meine Wange.

Dann sagte er noch: „Warten Sie, ich will Ihnen noch etwas geben, Sie sollen etwas von mir nach Hause mitbringen. Etwas Neues, etwas für Sie, für Sie ganz allein." Dann trat er zum Fenster, trommelte mit der Hand auf die Scheibe, schrieb dann, und gab mir darauf das kleine Musikstück, welches ich noch besitze, und welches mir eine Reliquie bleiben wird, so lang' ich lebe.

Ich verließ den Meister mit schwerem Herzen. Als ich schon am Hausthore war, rief er mir noch nach: „Adieu! Adieu! glückliche Reise! Bleiben Sie mir gut, denken Sie meiner, Ihr Rheinwein war vortrefflich und Ihr Braten eben recht gebraten."

Der alte Kamin.

Eine italienische Sage.

Getöse ließ sich von außen vernehmen. — Der Wächter des Schlosses, der eben am hohen gewölbten Bogenfenster saß, dessen Scheiben zerbrochen waren, zitterte auf seinem Stuhle, wie von einem elektrischen Schlage berührt, aber bald sich seiner Schwäche schämend, gewann er wieder seine vorige Ruhe und seine schwarzen Augen sprühten Flammen hinter den dichten rothen Brauen hervor. Diejenigen, welche Signor Saccarito nicht kannten, hätten sich vor diesen flammenden Blicken entsetzt, und sie zu dieser Stunde und bei der Dunkelheit des Gemaches für Blitze aus den Augen eines Vampyrs gehalten, der sich auf seine Beute wirft.

Das Getöse von Außen verdoppelte sich.

„Wenn es ein Reisender ist, der mich beunruhigt," murmelte Saccarito, zornig zwischen den Zähnen, „so soll ihn der Satan —" Er endete diese Rede nicht, sondern zog ein Stilet aus der Scheide, und ging mit festem Schritte der Thüre zu, außer welcher sich der Lärmen vernehmen ließ.

Es ist vielleicht gut, die Leser mit diesem Manne näher bekannt zu machen. Obschon er in Italien sich befand, und an dem Ufer der Maranella, einem Flüßchen, welches einen Theil des römischen Gebietes durchzieht, wohnte, so zeigte doch seine rauhe fehlerhafte Sprache und der Schnitt seines Gewandes von grobem rothen Zeug, daß er nicht von italienischer Abkunft sei, da man zu jener Zeit und in der Mitte des Sommers in Italien Mäntel mit seidenen Fransen trug. Signor Saçcarito war von hoher Statur, seine rauhen Züge flößten Widerwillen, ja sogar Furcht ein. Die Landbewohner der Umgegend erbebten vor ihm, besonders seit jener Zeit, als der Dolch eines Banditen auf seiner Brust zerbrach. Er schien kaum mehr als vierzig Jahre zu zählen, und dennoch bewohnte er dieses Schloß schon seit dem Jahre 1460 und man zählte jetzt 1530. Ein geheimnißvoller Schleier, welchen der Aberglaube noch dichter zusammenzog, und welchen Niemand zu heben wagte, war über sein Thun und Treiben ausgebreitet und machte aus diesem Manne einen Gegenstand der allgemeinen Neugierde. Mehr als ein Reisender zog des Weges und kehrte in der Herberge von San Marino, eine Meile von dem alten Schlosse gelegen, ein, aber keiner wagte es, dieses zu besuchen, so viel Schrecken flößten Jedem die wahren oder falschen Mährchen, welche der Wirth von dem alten Neste und seinem sonderbaren Herrn erzählte, ein.

Am 14. Mai 1530 aber hielten zwei junge Künstler, ein Maler und ein Musiker, welche Nahrung für ihren Geist auf Reisen suchten, vor diesem Schlosse. Man hatte ihnen gesagt, daß in früheren Zeiten Giuseppe Giocchini, und nach ihm seine Neffen, die Grafen Tessina, diese Mauern bewohnt haben, in denen gegenwärtig Geister hausen, welche Jedermann den Eintritt verwehren. Die beiden Künstler lachten über diese Mittheilungen, erwiederten, daß sie we=

der Belzebub noch dessen Schaaren fürchteten; und so standen sie jetzt am Schloßthor, um Einlaß zu begehren.

„Wer stört mich noch so spät in meiner Ruhe?“ schrie einige Augenblicke nachher eine rauhe Stimme.

„Orest und Pylades bitten um gastfeundliche Aufnahme,“ ertönte die Antwort.

„Packt Euch, ich öffne nicht.“

„Wer du auch seiest, seltsamer Bewohner dieses Schlosses, Mensch oder Geist, wir haben geschworen, dein Antlitz zu schauen, und in deiner Höhle diese Nacht zuzubringen.“

„Geht Eures Weges, sag' ich, Ihr könntet es bereuen.“

„Nein, öffne, öffne, Satan!“

„Kehrt zur Herberge zurück!“

„Unsere Herberge soll diese Nacht dein Gemach seyn, unser Wein aus deinem Keller kommen, und zwar dein bester, du selbst sollst unser Mundschenk seyn, wir wollen ein lustiges Leben führen. Öffne uns das Thor, und nur schnell, denn die Nacht fängt an hereinzubrechen, und die feuchte Luft könnte unserer Stimme schaden.“

„Ihr dürft nur mehr drei Stunden warten, bis der Tag graut.“

„Du machst ja mehr Umstände, als ein junges blödes Mägdlein; wenn du nicht bald öffnest, so werfen wir Feuer in dein altes morsches Nest, und brennen dir's über dem Kopf ab.“

Signor Saccarito antwortete nichts mehr, aber bald hörte man einen Schlüssel in dem alten rostigen Thorschlosse knarren, als ob es sich über den seltenen Gebrauch beklagte.

Endlich öffnete sich das Thor.

„Eure Herrlichkeit lassen sich lange bitten," sprach der Maler, indem er sich auf die Zehen stellte, um mehr Ansehen zu gewinnen.

„Meine Herrlichkeit liebt ungebetene Gäste nicht."

„Liebt Ihr auch die großmüthigen Geschenke italienischer Edelleute nicht, welche die Wißbegierde zu Euch treibt, und welche es sich gerne etwas kosten lassen, um Euer verrufenes Nest zu sehen?" fragte der Maler, indem er in Saccarito's Hand einige Goldstücke rollen ließ.

„Auch diese lieb' ich nicht," erwiederte Saccarito, indem er seine Hand öffnete und die großmüthigen Geschenke des jungen Künstlers in den Schloßgraben kollern ließ.

Der Letztere stand einige Sekunden wie versteinert, und wahrlich, es glich einem Wunder zu dieser Zeit und bei einem solchen Manne, wie Saccarito, eine solche Verachtung des Goldes zu finden. Übrigens triumphirte der Nationalstolz über dieses Staunen, und der Maler nahm das Wort: „Wollt Ihr so gütig seyn, uns dem Herrn vom Hause vorzustellen?"

„Recht gerne, Signori! folget mir."

„Freund!" raunte dem Maler der Musiker in's Ohr, „dies Schloß ist also nicht unbewohnt, wie in der Umgegend die Sage geht. Aber bei meinem Degen, der mir so getreu ist, wie mein Liebchen, und das ist nicht wenig gesagt, ich glaube noch immer, es ist hier nicht ganz geheuer und wir dürfen auf unserer Huth seyn."

„Folgt mir Signori," wiederholte Saccarito, und

nachdem er zwei Fackeln angezündet hatte, führte er seine Gäste durch einen ungeheuren Garten.

„Es scheint, Eure Herrschaft liebt die Ruhe,“ redete ihn der Maler, der von den vielen Unwegen schon fast müde geworden war, an, allein diese Anrede blieb unbeantwortet. Nach Durchwanderung einiger Alleen erreichten sie endlich ein abgesondertes, und mit dem Schlosse nicht zusammenhängendes Gebäude, sie stiegen zwanzig Stufen abwärts, und plötzlich löschte ihr Führer die beiden Fackeln aus, und sie befanden sich in einem großen Bogensaal, welcher durch eine in der Mitte herabhängende Lampe matt erleuchtet war.

„Ich stelle Euch nun den Herrn dieses Schlosses und der ganzen Umgegend vor,“ sprach Saccarito, und zeigte auf mehre Reihen von Särgen, welche den Saal füllten; bei jedem Sarge schlummerte, aus Stein gehauen, ein Edler von Tessina, der Eine in voller Rüstung, der Andere in ein Leichentuch von Marmor gehüllt, sie glichen aus der Erde steigenden Phantomen.

Die beiden jungen Männer betrachteten diese Scene trotz ihrer Ungeduld einige Zeit, endlich brach der enthusiastische Maler das Stillschweigen.

„Bei meiner Seele!“ sprach er, „das Kapitol selbst bietet nichts Herrlicheres, dieses Werk ist übermenschlich, und doch war es nur eine schwache sterbliche Hand, welche diese Wunder schuf. Ach! wie göttlich ist doch die Bildhauerkunst! Einen Steinblock zu nehmen, ihn mit dem Meißel zu formen, und ihm so langsam und nach und nach Leben einzuhauchen; jeden Tag sehen wir, wie das Werk unsers Geistes an Schönheit, an Seele zunimmt, und endlich wenn man das Werk vollendet hat, bewundert zu werden von der ganzen Welt und ewig zu leben. Auch die Schöpfung des Menschen ist ein Wunderwerk, aber diese Schöpfung des Marmors ist auch eines, weniger erhaben, weniger geistig, aber etwas dauerhafter. Bei der Schöpfung der Menschen überlebt der Schöpfer seine Kreatur, aber in der Kunst überlebt das Geschaffene seinen Schöpfer, seinen Gott.“

Die jungen Männer sprachen noch Vieles über die herrliche Architektur des Saales, und gaben ihrer Bewunderung Worte; allein dies fing Signor Saccarito zu langweilen an, er zündete die Fackeln wieder an, und bedeutete seinen Gästen, ihm zu folgen.

Nachdem sie eine Treppe hinaufgestiegen waren, befanden sie sich in den Gemächern, welche einst die edlen Herrn von Tessina bewohnten. Jener, der aus dem Äußern des Schlosses eine Schlußfolge auf dessen Inneres gezogen hätte, würde sich sehr geirrt haben. Hier war Alles wohl erhalten, während sich von Außen dem Auge eine Ruine zeigte. Hier herrschte der Geschmack des Mittelalters mit aller seiner Poesie, die Architektur war bald einfach und bescheiden, wie einer der ersten Christen, bald reich an phantastischen Zierrathen.

Alles war merkwürdig zu sehen. Hier stand ein Möbel, dessen Form jetzt ganz verloren gegangen ist, Fenster in herrlichen Farben prangend, Porträte mächtiger Helden an den Wänden mit Vor- und Zunamen, und an der Decke des Saales ein großes Wappenschild, worauf die lateinischen Worte zu lesen waren:

Ante omnes bellicosi Tessini.

Indessen hatte es auf dem Schloßthurme Mitternacht geschlagen und Saccarito weigerte sich, die beiden Freunde, welche des Ansehens nicht müde wurden, länger zu begleiten.

„Ihr müßt nicht ungehalten werden, Signor," sagte der Musiker, „aber wir möchten gern die ganze Nacht dazu anwenden, um nichts Merkwürdiges hier unbeschaut zu lassen!"

„Wenn Ihr das wollt," antwortete Saccarito, „so müßt Ihr es ohne mich thun. Hier ist eine Fackel, gute Nacht!"

„Gute Nacht," wiederholte der Musiker etwas spöttisch, und Saccarito entfernte sich alsbald, indem er einige Flüche zwischen den Zähnen murmelte. Als man nur mehr leise das Echo seiner schweren Tritte vernahm, rief der Maler: „Bravo, bravissimo! unser Argus läßt uns freies Spiel," und vergnügt rieb er sich die Hände dabei.

„Frei," versetzte der Musiker, mit etwas gepreßter Stimme, „frei in einer Art von Grab."

„Grab oder Pallast, gleichviel, wir sind jetzt einmal unsere eigenen Herrn. Das Schloß ist zu interessant, Ort, Zeit und Gegenstände zu merkwürdig, als daß wir aus der heutigen Nacht nicht Stoff zur Erinnerung für unser ganzes Leben schöpfen sollten."

Brennend vor Enthusiasmus durchliefen beide mit aufgeregter Phantasie noch eine Stunde lang mehre Säle, deren einer ihre Neugierde mehr anregte, als der andere. Endlich erreichten sie ein Gemach größer als alle übrigen. Zwei hohe antike Lehnstühle standen in demselben und viele Sprüche waren an die Wände angeschrieben, man konnte errathen, daß dieses Gemach einst zu häuslichen Festen und Trinkgelagen der Bewohner gedient hatte. Da beide sehr ermüdet waren, so beschlossen sie hier den Rest der Nacht zuzubringen. „Ich glaube, wir sind hier sicher, aber Vorsicht schadet doch nicht,“ sprach der Maler; „ich sehe wohl, du zwingst dich mit Gewalt deine Augen offen zu halten; setze dich dort in jenen Lehnstuhl und schlummere, ich will indessen Wache halten; und hier ist meine Waffe,“ setzte er hinzu, indem er ein Pistol unter dem Mantel hervorzog. Nachdem er noch Mehres gesprochen hatte, ohne von seinem Freunde mehr eine Antwort zu erhalten, beschloß er alle Einzelnheiten zu untersuchen, welche sich hier im Gemache befanden.

Was ihn am meisten überraschte, war der ungeheure Kamin, an welchem sein Freund schlief. Der Anblick war wunderbar. Sein breiter steinerner Rauchfang stieg vom Gewölbe, sich in zwei Theile theilend, herab und war mit durchbrochenen spiralförmigen Thürmchen verziert, welche an den Ecken hingen, gleich Schwalbennestern; seine Querseite, mit Laubwerk und verschiedenen Zierrathen verschönert, bot viele Nischen und Vertiefungen dar und beherbergte da manches Standbild eines Ritters. Auf der Vorderseite war das Wappen des Hauses Tessina ausgehauen, von Helmdecken überschattet, welches zwei Greife hielten. Der ganze Kamin glich einem Throne mit einem Baldachin, unter welchem eine ganze Familie am Feuerherde Platz nehmen konnte, und wo sich noch auf den riesigen Feuerböcken einige Holzstämme halbverbrannt befanden.

Der Maler beschloß davon einen Abriß zu machen und

setzte sich daher auch auf einen Lehnstuhl, die Zeichnung alsogleich zu beginnen.

Zwei Stunden mochte er gearbeitet haben, als es ihm vorkam, als bewege sich der Kamin; er nahm übigens wenig Notiz davon, überzeugt, daß der Reflex des zitternden Fackellichtes diese Wirkung hervorbringe; aber jedesmal, wenn er den Blick wieder hinwandte, schien sich der Kamin wieder zu bewegen, bis er endlich Bleistift und Zeichnung von sich warf, um dieses Wunder genauer zu beobachten.

Plötzlich, und wie durch eine Zaubergewalt bewegte sich der Kamin noch stärker, vergrößerte, öffnete sich und ließ den Erstaunten im Hintergrunde ein reich erleuchtetes Gemach erblicken, in dessen Mitte eine Tafel, mit den ausgezeichnetsten Gerichten besetzt, stand. Er wollte schreien, aber die Zunge versagte ihm den Dienst, er wollte aufstehen, aber, als ob Blei in allen seinen Gliedern läge, fühlte er sich auf den Lehnstuhl festgebannt.

Bald sah er Herren und Damen festlich gekleidet und geschmückt eintreten. Nachdem sich alles gesetzt hatte, fing das Galage an. Die Gläser füllten und leerten sich wieder mit einer außerordentlichen Schnelligkeit, Speisen kamen und verschwanden, durch den nicht zu sättigenden Hunger der Gäste aufgezehrt, sogleich wieder. Niemand kann beschreiben, was der fremde Zuseher bei diesem Anblicke fühlte, kalter Schweiß rieselte ihm über den fürchterlich zusammengezogenen Körper, das Blut in seinen Adern gerann, das Herz sprang auf in seinem Busen und doch wagte er nicht zu athmen, denn bei dem geringsten Lebenszeichen wendeten die zahlreichen Gäste — und er glaubte in ihnen die verstorbenen Edlen von Tessina zu erkennen — ihre matten, in den Höhlen unbeweglichen Augen auf ihn.

Und das Gelage dauerte fort, und immer wuchs der Heißhunger der Gäste, erst nach langer Zeit mäßigte er sich etwas. Bevor sie aber vom Tische aufstanden, brachte derjenige, welcher der älteste der Familie zu seyn schien, einen Toast zur Ehre des Grafen Lodoici de Tessina aus.

Einige Stunden nachher traten Musikanten und Sänger in den Festsaal, die Reihen bildeten sich und Gesang und Tanz begannen. Alles was man sich von herrlichen Stellungen, Gruppen, bezaubernden Tänzen denken kann, sah hier der halb leblose Zuseher. Die Frauen schienen Sylphen zu seyn, die mit ihren Fußspitzen den Teppich kaum berührten. Es waren orientalische Tänze in der Heimat der Bayaderen.

Und immer wagte der Fremde nicht zu athmen, seine Blicke hafteten fest auf den matten und unbeweglichen Augen der Tänzer und Tänzerinnen; denn alle Gesichter waren blaß, wie Grabestücher, und er sah mit Schauder, daß kein Athemzug bemerkbar wurde.

Was noch einen bizarren Kontrast mit der Lust der Gäste bildete, das waren die Lieder und die Melodien der Tänze. Die Musik glich in nichts demjenigen, was bisher gesungen und gespielt wurde; bald erschallte sie stark und düster, wie eine Stimme aus der Hölle, bald wieder angenehm und harmonisch, wie eine Stimme vom Himmel, aber das Allersonderbarste war, daß die Musik nie zu den Worten paßte, waren diese sanft, so schmetterten die Töne darein, und wurde die Musik angenehm, so klangen die Worte schauderhaft.

Plötzlich aus der Mitte der Tanzenden entfernten sich verstohlen einige Gäste und gingen in ein daran stoßendes Gemach, und da in diesem Gemache sich ein großer Spiegel befand, so konnte der fremde Beobachter darin alle ihre Geberden sehen, ja noch mehr, da dieser Spiegel die magische Gewalt hatte, auch die Worte zurückzustrahlen, so las er darin, was von ihren farbenlosen Lippen floß.

Er schauderte, denn im Spiegel gewahrte er zwei brennende Augen, welche sich auf ihn richteten, und an der Seite des blassen Mannes mit den brennenden Augen eine junge Frau, die sich an dessen Hals hing und ihm zärtlich liebkoste, dann wandte sich die Frau, so daß der Spiegel ihr Antlitz zurückstrahlte; und der Fremde erbebte, und es war ihm, als ob ein brennendes Eisen ihm durch das Gehirn führe; denn er erkannte in ihr das nämliche weibliche Wesen, für welches er sein Leben und seinen künstlerischen Ruf auf's Spiel gesetzt, für das er sich vor einem Jahre geschlagen, und dem er sein ganzes Herz zugewandt hatte. Er erstarrte und konnte doch seinen Blick nicht davon abwenden, und wie er so hinstarrte, da verzog sich der Mund des Weibes zum spöttischen Lächeln, und ihr Finger zeigte auf ihn.

Der Maler zitterte, daß ihm die Zähne im Munde zusammenschlugen, er wendete die Blicke von dem entsetzlichen Spiegel. Und in diesem Augenblicke standen die Tänzer, welche bisher geras't hatten, als ob ein Nordwind sie auf seinen Flügeln trüge, stille; denn ein Mann von erhabener Gestalt trat mit gebietender Miene in den Saal. Obgleich seine Züge entstellt waren, und obschon man unter seiner schwarzen Rüstung alle seine Gebeine zählen konnte, so erkannte man doch an seiner würdevollen Miene den Ahnherrn der Familie, den Gründer dieses Schlosses, den Grafen Giuseppe Giocchini, der vor 231 Jahren gestorben war.

„Verfluchte!“ schrie er, „befleckt ihr diese alten Mauern noch immer mit euren schändlichen Orgien?“ Und in seinem Zorne zerbrach er Vasen und Tische und die Gäste entflohen schweigend und verschwanden.

Der Alte wandte sich alsbald gegen den jungen Maler, warf auf ihn einen durchbohrenden Blick, dann mit blitzendem Auge und ausgestrecktem Arme überschritt er mit einem Sprunge den Zwischenraum, der beide trennte. Schon war er dem Maler nahe, schon schien seine Riesenfaust ihn zu fassen, als dieser, alle Bande zerreißend, die ihn auf dem Stuhle festhielten, sein Pistol faßte und es gegen die Gestalt abfeuerte.

Blitz und Knall, und die ganze Scene veränderte sich. Der Maler erhob sich, um seinen Freund zu wecken, allein er rüttelte einen Leichnam, dem die Kugel durch's Herz gedrungen war, und aus der Wunde quoll in Strömen das Blut. —

Was er für Wirklichkeit gehalten hatte, war nur ein Traum, ein Bild der erhitzten Einbildungskraft.

Und dieser Maler war — Michel Angelo, und der Leichnam jener seines Freundes Laurenzo, neapolitanischen Kapellmeisters.

Künstlerzerstreuung.

Eine wahre Begebenheit.

Eines Abends fiel unser Gespräch auf die Duelle. Jeder wußte ein Histörchen zu erzählen, endlich nahm P*, ein vortrefflicher Landschaftsmaler, das Wort und theilte uns die Begebenheit mit, welche man hier lesen wird.

Vor zwei Jahren wohnte ich in der Rue blanche. Im Erdgeschoße des Hauses wohnte ein Engländer, Sir James Plumpert, mit seiner Gattin. Lady Judith Plumpert war eine schöne Frau von beiläufig 28 Jahren, vielleicht ein wenig zu groß und ein wenig zu blond, aber übrigens ganz dazu geschaffen, einem jungen Manne eine Neigung einzuflößen, dessen Herz freier gewesen wäre, als das meinige dazumal war. Ich aber dachte nicht daran, und wenn ich an das Fenster trat, und Lady Judith im Hausgarten spazieren gehen sah, so blickte ich sie wirklich ganz gleichgiltig an, und weder die Majestät ihrer Haltung, noch ihr feuriges Auge machten einen Eindruck auf mich.

Mehr aber beschäftigte mich eine andere Nachbarschaft. Ober mir nämlich wohnte — nicht eine schöne junge Frau — wohl aber ein alter häßlicher Junggeselle, der die entsetzliche Sucht hatte, die Klarinette zu spielen, und wie spielte er? — miserabel, und wann spielte er? — gewöhn=

lich erst um Mitternacht. Ich suchte mich mit ihm umsonst zu vergleichen, die Gewohnheit war bei ihm stärker als meine Bitten und selbst meine Anerbietungen; es blieb mir also nichts übrig, als meine Wohnung zu verlassen.

Wie groß war mein Erstaunen, als ich in meiner neuen Wohnung **Rue de Provence** als meine Nachbarn wieder Sir Plumpert und seine Gattin fand. Ohne Zweifel, dachte ich, hat auch sie die Klarinette vertrieben, allein daß uns der Zufall hier wieder vereinigte, ist doch sonderbar, und ein solches Glück wäre mir gewiß nicht begegnet, wenn ich in Lady Judith wirklich verliebt wäre. Ich beachtete die wüthenden Blicke nicht, die mir Sir James zuwarf, wenn er mir auf der Treppe begegnete. Der Baronet glaubte nicht an den Zufall, wie ich, er war unempfindlich gegen die Mißtöne der Klarinette gewesen, und nur seine Eifersucht hatte ihn vermocht seine Wohnung zu verändern. Ja, meine Herren, Sir James war eifersüchtig auf mich. Er that mir die Ehre an, mich für gefährlich zu halten und wollte seine Frau von einer solchen Nachbarschaft befreien. Sie können also denken, wie sehr es ihn ärgerte, mich hier wieder zu finden; allein der Zufall ließ es dabei nicht bewenden. Von diesem Augenblicke an ging ich auf keinen Ball, in kein Theater, ohne Lady Judith dort zu finden, es hätte sich nicht besser fügen können, wenn wir im vollkommensten Einverständnisse mit einander gewesen wären. Ein Dämon schien den Baronet zu leiten, er führte seine Gattin überall hin, wo ich war. Ein jeder Andere als ich hätte darin einen Fingerzeig der Vorsicht gesehen, und eine Aufgabe, welche süß zu lösen war, allein der Himmel ist mein Zeuge, alle diese Zufälle ließen nicht einen sträflichen Gedanken in meiner Seele keimen.

Schon lange war es mein Plan, Italien zu besuchen. Jetzt führte ich diesen Plan aus, ohne an Lady Judith zu denken. Allein leider war meine Reise von kurzer Dauer. Vierzehn Tage nach meiner Abreise erhielt ich einen Brief, daß mein Onkel gestorben und mich zum Erben eingesetzt habe. Ich möchte so schnell als möglich nach Paris zurückkehren, schrieb mir mein Advokat, denn wir hätten mit streitsüchtigen Seitenverwandten zu thun, welche das Testament anfechten.

Ungeachtet der Eile, womit ich meine Rückreise beschleunigte, war ich doch gezwungen, in einem Dorfe am Fuße der Alpen zu übernachten. Es war mir sehr unlieb, allein ich konnte für alles Geld vor dem nächsten Morgen keine Pferde bekommen. Ich mußte mich also in das Unvermeidliche fügen, und nachdem ich meine Bagage in dem einzigen Wirthshause des Ortes untergebracht hatte, machte ich bis zum Abendessen einen Spaziergang. Die Landschaft war bewunderungswürdig und der herrliche Anblick der Berge ließ mich, den Landschaftsmaler, die Stunde zur Rückkehr vergessen. Als ich im Wirthshause ankam, war das Abendessen schon aufgetragen, und zwei Reisende, welche erst nach mir angekommen waren, ließen es sich schmecken.

Wer waren diese beiden Reisenden? — Ich wette, Ihr habt es schon errathen? — Nun ja, sie waren es, wieder sie und immer sie, der Baronet und seine Gattin.

Sir James ließ seine Gabel fallen, als er mich erblickte, und konnte einen Ausruf der Verwunderung und des

Zornes nicht zurückhalten. Das Gesicht der Lady verrieth keine innere Bewegung. Ich grüßte die Gäste artig, setzte mich lächelnd zu ihnen nieder und aß mit gutem Appetit. Als das Essen zu Ende war, verließ ich die Herberge wieder, um meinen Spaziergang fortzusetzen. Konnte ich die Zeit besser verwenden? Aber kaum hatte ich einige Schritte gethan, als mich eine Hand ziemlich unsanft auf die Schulter klopfte, ich wendete mich um und Sir James stand vor mir.

„Herr!“ sprach er in ziemlich verständlichem Französisch zu mir, „das ist zu viel!“

„Ich verstehe Sie nicht, mein Herr, und bitte sich deutlicher zu erklären.“

„Sie mich nicht verstehen? — Schändlich! Sie halten mich also für dumm oder blind?“

„Dagegen muß ich protestiren; da ich nicht die Ehre habe, Sie zu kennen, so kann ich auch weder Ihren Verstand noch Ihr scharfes Auge je in Zweifel gezogen haben.“

„Das Protestiren ist an mir; die Sache darf nicht weiter gehen, jetzt muß sie enden.“

„Meinetwegen. Also enden wir und sagen Sie mir, was Sie eigentlich von mir haben wollen?“

„Was ich will? Ich will Ihren Verfolgungen ein Ziel setzen, ich will, was ein beleidigter Ehemann wollen muß. Sie glauben vielleicht, Ihre verbrecherische Leidenschaft zu meiner Frau sei mir nicht bekannt? da müßten Sie Ihre Sache nicht mit einer so schändlichen Offenheit betrieben haben.“

„Ich in Ihre Frau verliebt? — Das ist mir eine

Neuigkeit. Ich lasse allen guten Eigenschaften der Lady volle Gerechtigkeit wiederfahren, aber ich schwöre Ihnen ...“

„Schwören Sie nicht, mein Herr, es nützt Ihnen zu nichts. Als Sie in der **Rue blanche** wohnten, standen Sie nicht den ganzen Tag am Fenster, um meiner Gattin süße Blicke zuzuwerfen? Ich habe mein Logement verändert und bin in die Straße **Provence** gezogen, drei Tage nachher wohnen Sie auch dort in demselben Hause. Damit nicht zufrieden, sind Sie so keck, meiner Frau überall zu folgen, auf Bälle, in die Theater, auf Spaziergänge, in Konzerte, überall. Um die Lady diesen Nachstellungen zu entziehen, reise ich endlich sogar mit ihr fort, führe sie nach Italien, und die erste Person, welche wir an der Grenze begegnen, sind wieder Sie, mein Herr, Sie, der Sie den Gegenstand Ihrer Leidenschaft bis ans Ende der Welt verfolgen. Und Sie wagen es zu läugnen, daß Sie in meine Frau verliebt sind?“

„Ich gestehe, daß der Anschein gegen mich ist, und daß der Zufall Ihren Verdacht rege machen konnte. Allein zu allen dem, was Sie da sagen, habe ich nichts beigetragen. Wenn es Ihnen beliebt hätte, in Paris einige Erkundigungen über mich einzuziehen, so würden Sie vernommen haben, daß ich vor vierzehn Tagen nach Italien abgereiset sei, und Sie hätten einen andern Weg nehmen können.“

„Seit vierzehn Tagen schon sind Sie von Paris abgereist und sind erst bis hieher gekommen?“

„Ich war schon viel weiter, bin aber genöthigt, wieder nach Paris zurückzukehren.“

„Wenn ich Sie auf diese Art nach Paris zurückkehren lasse, so bin ich überzeugt, Sie in Mailand wieder zu finden. Leere Ausflüchte. Wir dürfen uns auf dieser Welt nicht mehr begegnen und darum muß ich Ihnen das Leben nehmen, oder Sie mir.“

„Das ist allerdings ein sicheres Mittel. Noch einmal geb' ich Ihnen mein Ehrenwort, daß ich nie Liebe für die Lady gefühlt habe, und daß es allein der Zufall war, der uns immer zusammenführte. Wenn Sie aber darauf bestehen, sich für bleidigt zu halten, so bin ich bereit, Ihnen jede Genugthuung zu geben.“

„Ich nehme es an. Welche Waffen wählen Sie? Ohne Zweifel haben Sie sich von Allem, was mich betrifft, genau in Kenntniß gesetzt; Sie werden daher auch wissen, daß ich sehr gewandt mit dem Degen umzugehen weiß, und es gibt keinen Fechtmeister in England und Frankreich, der sich mit mir messen könnte.“

„Aufrichtigkeit für Aufrichtigkeit, Sir James! Ich verstehe den Degen nicht zu führen, aber ich kann auf 40 Schritte eine Pistolenkugel durch den Griff Ihres guten Degens schießen, und das so oft Sie wollen, ich wette auf jeden Schuß 50 Guineen.“

„Das ist stark. Ich bin wieder im Schießen nicht stark, unsere Waffen sind also nicht dieselben, und wir haben hier auch keine Freunde zu Sekundanten, welche den Zweikampf leiten.“

„Es gäbe noch ein Mittel.“

„Welches?“

„Wir laden eine Pistole und wählen. Der Zufall, der hier den Knoten geschürzt hat, wird ihn auch lösen.“

„Ich bin nicht glücklich im Spiele,“ sagte Sir James betroffen, „und ich würde Ihren Vorschlag nur im äußersten Falle annehmen. Zudem ist es heute schon zu spät, um uns zu schlagen. Bis morgen werden wir wohl einen Ausweg finden. Über Nacht kommt Rath.“

Wir gingen in die Herberge zurück. Ich schrieb noch einen Brief, und schlief dann ruhig. Bei Anbruch des Morgens trat der Baronet in mein Zimmer und sprach: „Ich habe eine Idee. Sehen Sie dort, beiläufig eine halbe Stunde von hier, jenen hohen Berg.“

„Ich habe ihn gestern schon beim Untergange der Sonne bewundert.“

„Gut! dieser Berg scheint mir ein geeignetes Terrain, unsere Sache auszugleichen. Was liegt an der Form des Kampfes, wenn nur der Zweck erreicht wird. Ich meine, wir nehmen beide unsere Pistolen, und gehen jeder allein auf den Berg. Verstehen Sie mich gut: Jeder von uns darf nur zwei Schüsse thun, aber wie er will, und wann er will, von nahe oder von ferne, versteckt oder offen, muthig dem Feinde im Angesichte oder listig von hinten. Alles soll erlaubt seyn, nur nicht mehr als zwei Schüsse. Wollen Sie das?“

„Ich nehme Alles an, was Sie wollen. Lassen Sie uns gehen.“

Wir nahmen unsere Pistolen, ladeten sie, steckten Jeder nicht mehr als noch eine Ladung zu uns, und gingen dem Berge zu, abgesondert, der Eine links, der Andere rechts.

Ich weiß nicht, warum das Drama, worin ich Einer der Hauptakteure seyn sollte, mich so wenig interessirte? Ich ·b mich im Gegentheile ganz dem frischen Morgen, dem sonderbaren und seltsamen Eindrucke, den diese Gebirgskette auf mich machte, hin. Ich hatte die Füße im Thau gebadet und den Kopf zur Sonne gewendet. Ich ging, wie mich eben ein Fußsteig lockte, nur in den himmlischen Anblick dieser üppigen Alpennatur versunken, ohne daran zu denken, daß ich hier mein Blut geben, oder fremdes vergießen sollte. Liebe Freunde, man muß ein Maler und ein Landschafsmaler seyn, um das zu begreifen.

Übrigens erinnerte ich mich doch daran, als eine Stunde vergangen war, und als ich am Fuße einer Schlucht angelangt, Sir James auf der andern Seite derselben stehen und auf mich zielen sah. Sobald er sich entdeckt sah, senkte er die Waffe, aber ich hob meine Pistole, schlug an und schoß auf ihn, er aber machte eine so glückliche Wendung, daß ich ihn nicht traf, dann grüßte er mich spöttisch und verschwand.

Ich fing nun wohl an, einzusehen, daß die Sache ernsthaft sei, auch befand ich mich schon im Nachtheile; denn eine Ladung von mir war verschossen und ich besaß nur mehr eine. Ich nahm mir also vor, eine günstige Gelegenheit zu suchen, wo meine Geschicklichkeit mir helfen könnte. Mich solchen Gedanken überlassend, stieg ich den Berg am Rande des Hohlwegs hinan.

Ich gelangte auf eine kleine Wiese, von welcher der Duft der Alpenkräuter zu mir emporstieg, und wo ich die herrlichste Aussicht genoß, die mir noch in meinem ganzen Leben vorgekommen war. Hätte ich mein Album bei mir gehabt, ich hätte gewiß angefangen zu zeichnen, ohne mich mehr um die Gefahr zu bekümmern, welche mich bedrohte. Die Landschaft war so unaussprechlich reich und schön, und ich an eine Eiche gelehnt, in ihrem Anblick ganz verloren. Da pfiff plötzlich eine Kugel über meinem Kopfe hin, und ein Zweig, den meine Haare berührt hatten, fiel, von der Kugel durchschossen, zu meinen Füßen nieder. Ich blickte um mich, und sah nur wenige Schritte vor mir Sir James laufen. Er mußte in sehr kurzer Distanz auf mich geschossen haben, und, obschon ich noch bebte, konnte ich mich doch nicht enthalten, ihm nachzurufen, daß er sehr ungeschickt gewesen seyn müsse. Übrigens entfernte ich mich, vergnügt darüber, daß durch diesen Schuß die Gleichheit zwischen uns wieder hergestellt war.

Bald aber versank ich wieder in meine vorige poetische Zerstreuung und künstlerische Träumerei; ich ließ mich gehen, meinen nahen Feind aufs Neue ganz vergessend. Diese riesenhaften Formen der Gebirge waren ganz gemacht, mich zu fesseln. Das ganze Schauspiel war ein so großes und neues Studium für mich, daß ich mich ihm ganz hingab. Übrigens wußte ich Sir James jetzt weit von mir entfernt und durfte daher keinen Überfall fürchten.

So träumend und bewundernd befand ich mich plötzlich vor einer Gruppe junger Pinien, ein ungeheurer weißer Geier erhob sich aus derselben mit brausendem Flügelschlag in die Luft. Auf ihn zielen und ihn herab schießen war für mich das Werk eines Augenblicks. Es war schon geschehen, bevor ich noch daran dachte, es zu thun. — Nun aber folgte gleich darauf die Überlegung, und ich stand starr vor Schrecken. — Den zweiten Schuß hatte ich versendet, und ich durfte nun nur ganz ruhig die Arme in einander schlagen, und warten, bis mich James zweite Ladung trifft. Mein

Gegner konnte kommen, und seine Pistole auf meine Brust setzen, ich konnte nichts dagegen thun. Jetzt wichen alle Künstlerträume, alle Begeisterung für die Natur von mir. Ich ging hastig und ohne mich mehr umzusehen weiter. Es war jetzt kein Kampf mehr, der mich erwartete, sondern ein gewisser Tod. Mein Gefühl war dasselbe, als ob ich gewußt hätte, ein Mörder verfolge mich, und ich könne mich nicht vertheidigen. Unter jedem Strauche, an dem ich vorüberging, konnte der Tod auf mich warten. Auf diese Art war ich beinahe eine Stunde lang gelaufen, als Glöckchenschall an mein Ohr schug, es war eine Heerde mit ihrem Hirten.

Ich fragte den Hirten: „Hast du nicht einen Herrn gesehen?“ — „Ja,“ antwortete er mir, „er stieg mehr aufwärts, und muß sich jetzt wahrscheinlich ganz auf der entgegengesetzten Seite befinden.“

Diese Worte gaben mir Hoffnung, und ich warf dem Hirten dafür einen Thaler hin. „Bin ich noch weit vom Dorfe entfernt?“ fragte ich den Jungen noch.“ — „Nein,“ sagte er, „nur jenen Fußsteig eingeschlagen, und sind Sie bald dort.“ Ich schlug den Fußsteig ein, und die Blicke manchmal zum Berg zurückwendend, sah ich in weiter Entfernung Sir James, welcher auf dem Berge herumstieg und mit der größten Vorsicht überall um sich sah, und jede Baumgruppe von allen Seiten untersuchte, bevor er hinter diese trat. Der Mann wäre ein guter Buschklepper geworden, dachte ich mir, der jagt nicht nach Phantomen und verschießt sein Pulver auf keinen Geier. Im Wäldchen von Boulogne kann er mich wieder treffen, wenn es ihm beliebt. Aber kein pittoreskes Duell mehr, das ist nicht meine Sache.

Im Kurzem befand ich mich wieder im Dorfe und in der Herberge. Ich fand dort Lady Judith sehr ängstlich, welcher ich die ganze Geschichte erzählte, und ihr dann ein Briefchen an ihren Gatten hinterließ, folgenden Inhaltes:

„Wenn die Parthie gleich steht, so kann ein Mann von Lebensart aufhören zu spielen, indem er sich verbindlich macht, später das Spiel wieder fortzusetzen. Wenn ich sechs Stunden nüchtern herumgehe, so bin ich zu nichts mehr tauglich, nicht einmal dazu, einen einbilderischen Ehemann zu tödten. Ich sah mich also gezwungen das Schlachtfeld zu räumen. Ich bedauere, Ihnen hier keinen Tag mehr widmen zu können, aber in Paris, wohin ich gehe, werde ich immer zu Diensten seyn.“

Und ich reiste ab. — Seitdem habe ich den Baronet und seine Frau nie mehr gesehen.

Geschichte Rustan's, Napoleon's Leibmameluken.

Aus dem Französischen.

I.

Im Orient ist die Gastfreundschaft eine unveränderliche, unwandelbare, angeerbte Tugend. In diesem Lande ungeheurer Wüsten haben die Menschen vor allem das Bedürfniß, Beistand zu leisten und zu erhalten, gefühlt; der Reisende ist ein verehrter, der Gast ein heiliger Gegenstand geworden. Die Gastfreundschaft hat, wie alles Andere, was auf dem Glauben beruht, ihre Formeln und Symbole, welche unverletzlich sind. Das Trinkgeschirr, welches man demjenigen vorsetzt, der unter dem Dache eines Mannes im Orient sich befindet, ist immer das Zeichen des Wohlwollens seines Wirthes, und er darf es mit der Überzeugung der vollkommensten Sicherheit leeren.

Armenien, dieses herrliche und reiche Land, welches sich von den kaukasischen Gebirgen bis an die Ufer des Euphrat hinzieht, ist noch immer von den ersten Inspirationen der biblischen Begebenheiten durchdrungen, man findet dort noch patriarchalische Familienväter wie Jakob, und Joseph's rührende Legende ist noch in jeder Erinnerung

Jede armenische Familie besitzt ein Trinkgeschirr, dessen Alter oder größerer Reichthum, dessen Einfachheit, Bescheidenheit oder Neuheit den gerechten Schluß auf den Zustand der Familie machen lassen. Dieses Trinkgeschirr erscheint bei allen großen häuslichen Festen. Die Kinder schlürfen bei ihrer Geburt daraus ihr erstes Getränk, die Verlobten trinken daraus bei ihrer Hochzeit, die Kranken bei ihrer Wiedergenesung, die Fremden am Ende des ersten Mahles, welches sie im Hause verzehren, der Hausvater an allen denkwürdigen Tagen des Jahres. Bald enthält dieses Trinkgeschirr betäubende, bald kühlende Getränke. Bei diesen Trinkgeschirren versprechen sich auch die Liebenden ewige Zärtlichkeit und Treue.

II.

Vor beiläufig sieben und dreißig Jahren geschah es, daß ein armenischer Jüngling aus einer reichen und geachteten Familie den Verlobungsbecher Nephtali, der schönsten Jungfrau der Gegend, anbot. Beide gut, jung und schön, hofften sie in diesem ruhigen und gesegneten Lande lange und glücklich mit einander zu leben. Zahlreiche Heerden, die zärtliche Liebe ihrer Eltern, die Achtung welche ihre Familien im ganzen Lande genossen, verbürgten ihnen die Erfüllung dieser Hoffnung. Indessen fiel Rustan einmal nach einer sehr anstrengenden Jagd auf das Krankenlager, er litt lange Zeit, und wäre der Krankheit vielleicht erlegen, wenn ihn Nephtali nicht so sorgfältig gepflegt hätte. Er beschloß daher auch das Leben, das sie ihm erhalten, nur ihr zu weihen.

Der Kranke genas zwar langsam, aber vollständig, und die ganze Familie vereinigte sich, um das Genesungsfest zu feiern, und der Familienbecher, den vorerst Rustan geleert hatte, wurde hierauf hundertmal gefüllt und hundertmal auf sein Wohl von Freunden und Bekannten ausgetrunken. Man scherzte und war fröhlich, nur ein einziger Gast saß betrübt und in sich gekehrt dabei. Es war Alib, Rustan's Jugendgefährte, sein Spielkamerade, der Sohn des reichsten Mannes der Umgegend: Alib, der stolz auf seine Kraft und auf seine Körperbildung seyn konnte; denn keiner konnte ein wildes Pferd bändigen wie er, keiner ging immer so siegreich aus jedem Streite wie er, ihm folgten liebevoll die Blicke der jungen Mädchen, wo er ging, und doch liebte Alib nur Eine, nur allein Nephtali, die Verlobte seines Freundes Rustan.

Ein unheimlicher Strahl schoß unter Alib's buschigen Augenbraunen hervor, als Rustan, indem er den Familienbecher mit einer Hand hoch emporhob, während er mit der andern Nephtali's Leib umschlang und sie auf die Stirne küssend, ausrief: „O meine geliebte Nephtali! bei diesem Becher meiner Vorfahren schwör' ich dir, dein zu seyn, dein allein mein ganzes Leben hindurch. Dies Gefäß, welches uns heilig ist, sei das Unterpfand unserer gegenseitigen ewigen Liebe und Treue.“ Und hierauf faßte Nephtali den Becher und rief: „Ja! dem will ich angehören, dem allein und keinem Andern für mein ganzes Leben, dem dieser Becher angehört; ich schwöre es laut und feierlich!“

Was in diesem Augenblicke in Alib's Seele vorging, war nur ihm und seinem bösen Genius bekannt. Er lächelte kalt und bitter, seine Lippen preßten sich zusammen, daß jedes Haar seines Bartes zitterte.

Wenige Tage nachher war die Familie wieder bei einem häuslichen Feste versammelt, vergebens suchte man den Becher, er war entwendet. Nephtali brach in Thränen aus. Rustan verschwand in fürchterlicher Wuth und wendete sich gegen die Gebirge, als wenn er einer Beute nachjagen wollte, welche er dort gewiß zu finden hoffte.

Erst nach einer Woche sah seine Mutter ihren Sohn blaß, abgemattet wieder zurückkehren, sich selbst und den Räuber fluchend. Er umarmte die weinende Frau nur schnell, sprach kein Wort von Nephtali, warf nur einen thränenschweren Blick nach der Wohnung des Mädchens und entfernte sich wieder.

III.

Egypten hallte von Waffengetöse wieder. Zwei Nationen, Nebenbuhlerinnen des Ruhmes, hatten sich hier wie in einem eingeschlossenen Felde ein Stelldichein gegeben. Zwischen dem Meere und den Pyramiden stritten sich Engländer und Franzosen an den Ufern des Nils um den Besitz des Ganges. In der Wüste kämpfte Mann gegen Mann, um die reichen Besitzungen an der Küste von Koromandel zu erobern und zu vertheidigen, und das friedliche Egypten, von dem Schlachtgetümmel erschreckt, das für Interessen erschallte, die es nicht kannte, rief Mahomed und seine alten Götter, die arabischen Horden und die Dolche des Fanatismus zu Hilfe. Alles war erschüttert von der

Bucht von Abukir bis nach Heliopolis, und ganz Egypten nur ein Schlachtfeld, bald von den Franzosen, bald von den Engländern oder Arabern behauptet; indessen neigte sich der Sieg bald auf die Seite eines Mannes der berufen schien, an den Küsten von Suez die Gestalt der Reiche augenblicklich umzuwandeln.

Die Egyptier bemerkten bald, daß es sich bei diesem Angriffe um ihre Nationalität handle. Die Sieger marschirten mit Kenntnissen und Civilisation geschmückt gegen Egypten. Sollte dieses Land, einst Lehrerin des Occidents, jetzt Lehren annehmen, die man ihm mit den Waffen in der Hand geben wollte, und Wohlthaten aus den Mündungen der Kanonen empfangen? Es sah in dem Vorrücken der Franzosen nur den Ruin seiner eigenen Individualität, es bebte und erzürnte, und Cairo stieß den ersten Schmerz des Aufruhrs aus, es war wie eine große Feuersbrunst, welche von einem Ende des Landes bis zum andern aufloderte, und die französische Armee zu vernichten drohte; aber eben so schnell, als entzündet, war sie auch gelöscht.

Da sah man nun die Oberhäupter ihre Knie vor den Siegern beugen, und um Vergebung und Schutz flehen.

Eines Tages empfing Buonaparte, von seinem Generalstabe umgeben, den Besuch eines Scheiks, welcher in Cairo kommandirte. Der Scheik war ein ehrsüchtiger Mann, dessen Leidenschaften mehr als einmal das Heil Egyptens auf das Spiel gesetzt hatten, und der es versuchen wollte, den Sieger für sich zu gewinnen. Buonaparte hatte eben Champagner bringen lassen, und mit seinen Offizieren auf Frankreichs Wohl getrunken, das er nun bald wieder zu sehen hoffte, und bot auch dem Scheik ein Glas, der es, uneingedenk der Vorschriften Mahomed's, annahm und auf einen Zug leerte.

Arabische Pferde wieherten und stampften die Erde im Hofe des Generalquartiers, sie waren mit prächtigen Decken belegt, und von dem Scheik zum Geschenke für Buonaparte bestimmt. Dieser betrachtete die herrlichen, muthigen Thiere mit flammenden Blicken, aber was seine Aufmerksamkeit vor allem auf sich zog, war ein Mameluck, der bei ihnen stand. Er war beiläufig zwanzig Jahre alt, edlen obwohl bräunlichen Gesichtes, seine Haltung anmuthig, sein Auge unternehmend, und eine Art von Gutmüthigkeit und Anhänglichkeit über sein ganzes Wesen ausgegossen.

„Wem gehört dieser Jüngling?“ fragte Buonaparte den Scheik.

„Er ist ein Diener meines Hauses.“

„Ich wünschte wohl auch einen solchen Diener zu haben.“

„Ich würde mich glücklich schätzen, ihn Euch anzubieten, General!“

„Danke, und du, wolltest du wohl bei mir bleiben?“

Der Mameluck legte seine Hände auf die Brust und neigte seinen Kopf. In seinem ganzen Wesen malten sich Freude und Unterwürfigkeit, und indem er seine Blicke nach oben wandte, schien er dadurch andeuten zu wollen, er sehe es für einen Befehl des Himmels an, sein Schicksal an jenes des großen Feldherrn zu knüpfen.

„Wie nennst du dich?“

„Rustan.“

Ja er war es, Rustan, der Verlobte Nephtali's, der, entfernt von seinem Vaterlande und von seinen Verwandten, dem Zorne des Himmels entgehen wollte, welchen er über seinem und seiner Geliebten Haupt durch den Verlust des Bechers schweben zu sehen wähnte.

„Du sollst mein Leibmameluck seyn."

Von diesem Tage gehörte Rustan Napoleon an.

IV.

Immer um die Person des Kaisers, sah Rustan die Wunder seiner Siege, er sah ihn in einem Glanze, wogegen alle Heldensagen seines Vaterlandes im Schatten standen. Seine Hingebung und seine Treue waren ohne Grenzen. Aber auch der Kaiser war seinem Mamelucken wohlwollend zugethan, er beschenkte ihn reichlich und umgab auch ihn mit Glanz, er mußte die kostbarsten Waffen, die reichsten Kleider tragen; bei öffentlichen Festen wurde ihm ein Platz neben dem Kaiser angewiesen, und Rustan glich einem Trabanten der Sonne.

Allein in der Mitte der Campagnen, welche er alle mit seinem Herrn mitmachte, in der Mitte des Glanzes der Tuilerien, dachte Rustan immer an sein Vaterland; er sehnte sich nicht darnach, weil er Napoleon liebte, und ihn um alle Welt nicht verlassen hätte, aber er träumte von seinen Bergen und Heerden, von seiner Mutter und derjenigen, in deren Armen er das Glück zu finden hoffte, und seine wenigen einsamen Stunden brachte er daher oft in schwermüthigem Nachdenken zu.

Eines Morgens sagte der Kaiser in einer fröhlichen

Laune zu ihm, indem er ihn wie gewöhnlich bei dem Ohrläppchen faßte:

„Rustan! du wirst deine Landsleute sehen.“

„Wie Sire?“ rief der Mameluck erschrocken.

„Nein, nein, sei nur ruhig,“ fügte der Kaiser hinzu, „nicht du sollst zu ihnen gehen, sie kommen zu uns.“

„Ach!“

„Ja, ich werde als Leibwache auch ein Corps Mamelucken haben. Willst du sie kommandiren?“

„Sire! ich bin immer bereit die Befehle Eurer Majestät zu vollziehen, aber wenn Ihr mir einen Wunsch erlaubt, so ist es der, meinen gnädigsten Kaiser nie verlassen zu dürfen.“

„Gut, mein Freund, gut, so bleibe bei mir, und sage mir, was kann ich für dich thun?“

„Sire! ich habe nichts nothwendig als Euer Antlitz und Euer Wohlwollen.“

„Sage mir Rustan, wie bist du bewohnt?“

„Ich wohne in einem kleinen Gemache im Pavillon de Flore.“

„Hast du dir's türkisch einrichten lassen?„

„Nein, Sire!“

„Du bist ein Einfaltspinsel, laß es dir ganz auf türkische Art zubereiten, mein Junge.“

Der Kaiser entfernte sich. Rustan, den Wunsch seines Herrn erfüllend, ließ sein Gemach ganz im türkischen Geschmacke, aber dennoch ganz einfach einrichten.

Die Mamelucken kamen in Paris an. Der Anblick dieser orientalischen Krieger brachte allgemeines Staunen hervor.

Rustan betrachtete sie mit Begierde, diese Gesichter riefen eine angenehme Erinnerung in seiner Seele hervor. Bei dem Empfange blieb ein einzelner Offizier allein getrennt von der Truppe und schüchtern hinter derselben stehen, als ob er die wohlwollenden Äußerungen vermeiden wollte. Rustan trat zu ihm, rief ihm in der Sprache jenes Landes zu, näher zu kommen, und dann, als er ihn umarmte, erkannte er ihn. Es war Alib, welcher am Verlobungstage mit ihm aus dem verlornen Becher getrunken hatte. Ein unwillkührlicher Seufzer entfuhr ihm.

„Was macht Nephtali?" fragte er dann.

„Sie ist todt."

„Todt?"

Und beide blieben hierauf einige Augenblicke stumm.

„Todt, gestorben als Jungfrau?" nahm Rustan dann das Wort und heftete einen Blick schneidend wie eine syrische Klinge auf Alib.

„Nein, als Weib."

„Wen hat sie geehligt?"

„Mich."

„Dich?"

Rustan ließ Alib's Hand, welche er gefaßt hatte, wieder fahren, er vergoß keine Thräne, er blickte ihn nur an, ohne daß Zorn in seinen Augen sprühte, aber ein unbeschreiblicher Ausdruck von Verwunderung und Wehmuth lag in diesem Blicke.

V.

Zwei Wochen waren verflossen, seitdem das Corps der Mamelucken in den Tuilerien empfangen worden war. Die Organisation desselben ging rasch vorwärts. Der Kaiser hatte schon mehre Male Revue über dasselbe gehalten, und wollte nun, daß Rustan es bei einem feierlichen Bankette in seinem Namen bewirthe. Rustan und Alib wechselten bei diesem Feste einige Worte der Freundschaft und der Verzeihung. Indessen beschäftigte den Mamelucken des Kaisers ein geheimer Plan. Er ging oft zu Odiot, einem geschickten Goldarbeiter, er brachte ganze Stunden in seiner Werkstätte zu, und eines Tages sah man ihn geheimnißvoll einen Becher in das Schloß tragen, den er sorgfältig verbarg. Am andern Morgen erhielt der Lieutenant Alib eine Einladung zum Frühstücke bei Rustan, dem Mamelucken des Kaisers im **Pavillon de Flore.**

Der Offizier erschien und wurde auf das freundlichste von seinem Landsmanne aufgenommen. Beide hatten sich so viel zu sagen, doch das Schwere war der Anfang. Rustan sprach zuerst von dem Vaterlande und von seinen Erinnerungen an dasselbe, und beide wünschten sich Glück zu der neuen Laufbahn, welche sie eingeschlagen. Dann stellten sie zwischen ihrem Vaterlande und Frankreich Vergleiche an, sie erzählten sich ihre Freuden und Schmerzen und unterhielten sich über alle Begebenheiten, welche sich während ihrer Trennung ereignet hatten. Alib hatte Armenien nach Nephtali's Tode verlassen, diese war hingewelkt, ohne je den Grund des Hinsiechens anzugeben. Wie hatte sie einwilsigen können, Alib's Weib zu werden? Dies war ein Geheimniß, welches sich Rustan nur durch die gewöhnliche Unbeständigkeit zu erklären vermochte. Auch wurde kein Wort von dem verlornen Familienbecher gesprochen. Rustan schien sogar diesen Gegenstand sichtlich vermeiden zu wollen.

Die Stunden verflossen schnell, die beiden Mamelucken wiegten sich so recht in ihren Erinnerungen. Die Verzierung von Rustan's Gemach trug nicht wenig zur Illusion bei; die Gerichte, welche Rustan auftragen ließ, waren jene des Vaterlandes; auf weichen Kissen hingestreckt, in einer Atmosphäre von Wohlgerüchen, wähnten sie sich im Schooße ihres geliebten Armeniens.

Plötzlich gab Rustan ein Zeichen, ein Diener in Sklaventracht trat ein, und übergab mit den dort üblichen Förmlichkeiten seinem Herrn einen Becher. Dieser stand auf, berührte ihn mit seinen Lippen und reichte ihn dann seinem Gaste, Alib aber wurde blaß, wankte und fiel ohnmächtig zu Boden.

Rustan, der seine Leute entfernt hatte, eilt selbst ihm zu Hilfe. Alib gewinnt seine Besinnung wieder, aber seine Augen blicken starr und seine Reden haben keinen Zusammenhang. Was spricht er? Er redet von der Entwendung eines Bechers, er spricht von einer Frau, welche sich gegen Gewalt verzweifelnd wehrt, aber doch zum Altare geschleppt wird, um dort einen zweiten Schwur auf Kosten des ersten abzulegen. Verbrechen, Gewissensbisse sind Worte, welche er gräßlich heulend ausstößt. Warum will er ein Leben verkürzen? warum fürchtet er die Strafe des Propheten?

„Alib,“ rief Rustan, „geh, ich verzeihe dir, du warst nur das blinde Werkzeug des Schicksals, welches mich an die Seite des großen Feldherrn ketten wollte.

Alib gewann den Gebrauch seiner Sinne wieder, seine Blicke wandten sich unruhig nach dem Tische, er sah den Becher wieder. Ja, es war derselbe Becher, den er einst entwendete, jener, an welchen der Besitz Nephtali's gekettet war. Wie kam dieser Becher hieher nach Paris, deu er selbst in den Euphrat geworfen hatte?

VI.

Mehre Jahre nach dem Frühstück in den Tuilerien, in dem Bivouak von Leipzig, kam ein Mameluck zu Rustan und bat ihn, einen sterbenden Landsmann zu trösten, der ihn im Namen des Propheten bitten lasse, an sein Lager zu kommen. Rustan folgte sogleich dem Mamelucken, und sah Alib, der ihm die Hand entgegenhielt, einen Spruch aus dem Koran murmelnd. Kaum hatte er vergebens diese Hand gedrückt, als sie auch schon kalt in der seinigen lag. Alib starb an den Folgen einer Wunde, welche er nicht verbinden lassen wollte.

Begriffe von Gott.

Mährchen.

In sehr alter Zeit flüchtete sich eine Familie, um den Verfolgungen eines der grausamsten Beherrscher Asiens zu entgehen, in ein wildes, unbewohntes, von Gebirgen eingeschlossenes Thal. Die Oberhäupter der Familie gingen dort zu Grunde, ohne ihre Kinder erzogen zu haben, und diese wuchsen unwissend empor, und wurden die Stammväter eines kleinen Volkes, welches sich in Einfalt und Einfältigkeit vermehrte. Dieses Völklein hatte zwar wenig Bedürfnisse, aber auch wenig Begriffe von sich selbst und der Welt, doch wußten diese Menschen (wenn man sie anders so nennen darf) durch eine verwirrte Tradition, von ihren Voreltern her, daß es ein mächtiges, überirdisches Wesen gebe, welches Alles um sie her, und auch sie selbst erschaffen habe. Sie konnten sich zwar nicht erklären, wie dieses Wesen aussehe, wo es wohne, und welche seine Handlungsweise sei, allein sie verehrten als solches den Waldstrom, der über ihr Gebirge herabstürzte; denn es erquickte sie sein Wasser, und sein Geräusch machte ihnen Furcht.

Der Schnee schmolz im Frühjahr in den Gebirgen und der Waldstrom schwoll so sehr an, daß er seine Ufer überschritt, das ganze Thal überschwemmte, und Thiere, Men schen und deren Wohnungen mit sich fortriß. Da zitterten sie vor ihrem Gotte und sprachen: „Er ist gegen uns erzürnt, laßt uns ihn dadurch wieder besänftigen, daß wir ihm das Liebste, was wir haben, opfern.“ — Sie beschlossen in Folge dessen, ihre Kinder in die Fluthen zu stürzen.

Die Eltern weinten und erwarteten zitternd den Tag des Opfers. Dieser erschien, und schon führten die Mütter ihr Liebstes dem Strome entgegen, da erschien plötzlich ein Fremder mitten unter ihnen. Er nannte sich Maho (Sohn des Meeres), und redete sie an: „Warum wollt ihr unschuldige Kinder opfern? sucht lieber den Strom zu bekämpfen!“ Allein das Volk wich schaudernd zurück und rief: „Hört ihn nicht, er lästert unsern Gott!“

Der Fremde trug eine Leier und griff in deren Saiten. Sie klangen so lieblich, daß sich das Volk sogleich wieder um ihn versammelte und den Tönen unter fröhlichen Tänzen bis an den Fuß des Gebirges folgte. Seinem Beispiele folgend brachen sie Steine aus den Gebirgen, legten sie an beiden Ufern des Stromes auf einander, und bildeten auf diese Art einen Damm. Im nächsten Frühjahre schmolz der Schnee wieder, der Strom schwoll wieder an, allein er zürnte vergebens, und konnte die ihm vorgeschriebenen Gränzen nicht durchbrechen.

Das ganze Volk staunte den Fremden an und schrie: „Maho, Maho ist Gott!“ Allein dieser versetzte: „Wenn ich Gott bin, so seid ihr es alle auch; denn ihr alle habt ja den Strom durch eure Kräfte eben so gut bekämpft, als ich, ich habe euch nur diese Kräfte kennen gelehrt. Erforscht euer Herz, übt das, was es euch befiehlt, und ihr werdet anfangen Gott kennen zu lernen.“

„Wo ist er? Wo wohnt er?“ fielen tausend Stimmen ihm in die Rede. — Maho antwortete ihnen nicht; allein er lehrte sie die Erde bearbeiten und Bäume pflanzen. Sie bemerkten bald, daß der Thau und Regen ihre Felder fruchtbar machte und den Segen von oben brachte. Da sprachen sie: „Gott ist über uns, die Wolken sind seine Wohnung. Laßt uns ihm die schönsten unserer Früchte anbieten, damit er zu uns herniedersteige.“ — Sie bauten aus Baumzweigen eine Hütte auf einem Hügel und verbrannten dort die Erstlinge ihrer Blumen und Früchte, damit ihr Rauch emporsteige und ihrem Gotte den Wohlgeruch derselben darbringe.

Obschon sie übrigens von Gott nur verwirrte und sehr unvollkommene Begriffe hatten, so wurde ihr Thal doch allgemach immer schöner und fruchtbarer, und das Volk war glücklich in seiner Einfalt. Auch das Verlangen, das unbekannte höchste Wesen zu sehen, wurde immer lebhafter, und sie sprachen zu dem weisen Maho: „Entwirf uns doch ein Bild von Gott, damit wir uns ihn vorstellen können; denn er will nicht zu uns herabsteigen.“ Maho lächelte und meißelte ihnen ein Bild von menschlicher Gestalt. Sie stellten dieses Bild unter einem Zelte auf, und nannten das Zelt das Haus Gottes. Von diesem Augenblicke an fragten sie nicht mehr, wo Gott wohne; denn sie nahmen das Bild Gottes für Gott selbst.

Dieß mißfiel dem Fremden und er sprach zu dem Volke: „Ihr sollt euch überzeugen, ob dieses Bild wirklich das unbekannte höchste Wesen sei oder nicht.“ Und alsogleich legte er Feuer an in dem Hause Gottes, und dies war in einigen Minuten sammt dem Bilde verzehrt. Da schrie das Volk: „Wir sehen wohl ein, das Bild war nicht Gott!“ aber zugleich fragten sie auch auf's Neue: „Wo ist also Gott zu finden?“ Der Fremde antwortete: „Schaut um euch, die Bäume und Blumen wachsen und blühen, die Erde gebiert tausend und abermal tausend Wesen vor euern Augen, ein unsichtbarer Hauch belebt und durchdringt sie, obschon ihr weder die Gestalt noch die Wesenheit dieses Hauches kennt, der Berg und Thal, Menschen und Thiere belebt.“ Das Volk erwartete nicht die Folge seiner Rede. — „Nun wissen wir Alles!“ — ertönte es von allen Seiten. — „Gott ist ein Hauch und der Hauch ist Gott. Er durchdringt die Erde, und wohnt in Menschen und Thieren.“ — Doch der Weise erwiederte: „Kümmert euch weder um die Gestalt noch um den Namen des höchsten Wesens. Seid wohlthätig gegen einander, wie der Hauch, der alles durchdringt, dann wird jenes unbekannte Wesen von selbst zu euch kommen.“

Zu dieser Zeit erhob sich unter dem Volke ein stolzer neidischer Mann, der den Weisen mit eifersüchtigen Blicken ansah, und ihn schon darum haßte, weil ihn alle Andern verehrten. Man nannte ihn Zalmi (den Düstern), weil er sich mit einer düstern und kummervollen Miene von aller Welt entfernte.

Eines Tages ließ sich ein fürchterliches Ungeheuer in dem Thale sehen. Es war ein großer Löwe, welcher über die Gebirge gekommen war. Menschen und Thiere griff er an, und verbarg sich erst, nachdem er sich im Blute gebadet hatte, in eine Höhle. Die Bewohner des Thales meinten, dies sei ein übernatürliches Wesen, welches die Erde ausgespien habe, und sie verkrochen sich in ihre Hütten; allein der weise Maho sagte ihnen, es sei nothwendig, dem Ungeheuer entgegenzugehen. Er stellte sich an ihre Spitze, und sie folgten ihm.

Da der Zug bei Zalmi's Hütte vorüberging, zeigte sich dieser an der Thüre, beschimpfte den Fremden und sprach zum Volke: „Er führt euch gerade in den Rachen des Ungeheuers, damit sich eure Anzahl vermindere, und er desto leichter über euch Herr werden möge. Dieser Bösewicht ist mit dem Ungeheuer im Einverständnisse.“ — Maho schwieg aber, das Volk war außer sich vor Schrecken.“ —

Zalmi hatte einen zweijährigen Sohn, welcher eben vor der Hütte spielte. — Da kam der Löwe daher, und stürzte brüllend auf den Kleinen los. Das Volk wich laut schreiend zurück. Zalmi und sein Weib standen starr vor Schrecken. Maho allein warf sich dem wüthenden Thiere entgegen, versetzte ihm einen Schlag mit seiner Keule — der Löwe stürzte, erhob sich aber auf's Neue — und stürzte nur noch heftiger brüllend auf Maho los. Noch einmal hob Maho hoch auf seine Keule, und todt stürzte das Unthier zu seinen Füßen hin. — Kaum hatte Maho — der mit Schweiß und Blut bedeckt war — mehr so viel Kraft, das Kind vom Boden aufzuheben, und es seinem grausamen Gegner in die Arme zu legen. Da fielen Vater und Mutter im Staube auf ihre Angesichter und sprachen mit Thränen: „Großmüthiger! wir sind nicht würdig unsere Augen zu dir zu erheben.“

Auch das Volk kam wieder herbei und wollte den Besieger des Ungeheuers kniend verehren. „Bist du denn ein Sterblicher?“ redeten sie ihn an, „oder bist du das unbekannte höchste Wesen in menschlicher Gestalt? du, der du dich so gütig gegen deinen Feind zeigtest, der du dein eigenes Leben nicht schonst, um Andern Gutes zu thun?“ — S redete das Volk; aber M a h o versetzte: „Meine Kinder! ich bin ein Mensch, wie ihr. Eine geheime Stimme, welche in meinem Herzen spricht, befahl mir so zu handeln, wie ihr so eben sahet. Eine ähnliche Stimme spricht auch in eurer Aller Herzen. Ja, dieselbe Stimme ließ sich sogar in Z a l m i's Herzen hören, der mich haßte. Sie war es allein, die ihm zurief: Wirf dich auf dein Antlitz und weine! und sehet, eben diese Stimme spricht auch in dem Herzen seines kleinen unmündigen Kindes; denn es faßte meine Knie mit seinen zarten Händchen und liebkosete mir. Dies, meine Freunde, ist der Hauch und die Stimme des unsichtbaren höchsten Wesens. Gehorcht dieser Stimme und ihr werdet dieses Wesen ganz kennen lernen; denn die Gottheit ist uns am nächsten in unserm Herzen."

Und das ganze Volk schrie: „Wir erkennen nun, daß es weder auf die Wohnung, noch auf das Bild, noch auf den Namen ankommt. — Gott ist überall — er hat alle Gestalten und alle Nâmen zugleich." —

Und seit diesen Tagen verehrten sie das höchste Wesen durch Treue, Liebe und kindliche Unschuld. — Ihre Augen öffneten sich immer mehr dem Lichte, und nie mehr hörte man sie fragen: „Wer ist Gott? Wo wohnt er?"

Inhalt.

Seite

JUN 0 4

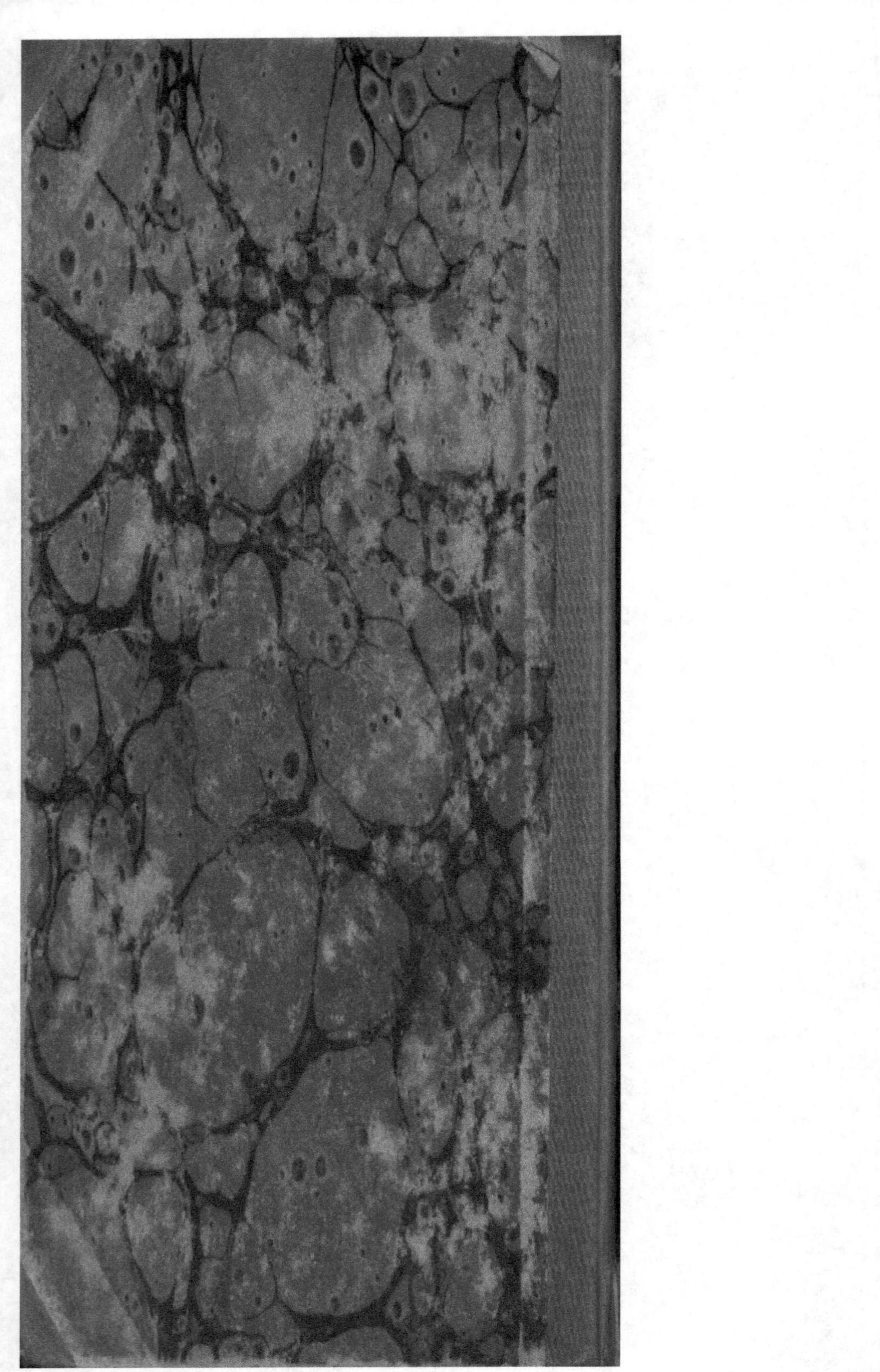